Escucha tu cuerpo

Escucha tu cuerpo

**Joan Liebmann-Smith
& Jacqueline Nardi Egan**

Traducción de
José M.ª Gortázar

Grijalbo

El papel utilizado para la impresión de este libro ha sido fabricado a partir de madera procedente de bosques y plantaciones gestionadas con los más altos estándares ambientales, lo que garantiza una explotación de los recursos sostenible con el medio ambiente y beneficiosa para las personas. Por este motivo, Greenpeace acredita que este libro cumple los requisitos ambientales y sociales necesarios para ser considerado un libro «amigo de los bosques». El proyecto «libros amigos de los bosques» promueve la conservación y el uso sostenible de los bosques, en especial de los bosques primarios, los últimos bosques vírgenes del planeta.

Título original: *Body Signs*

Primera edición: mayo, 2009

© 2007, Joan Liebmann-Smith y Jacqueline Nardi Egan
Publicado por acuerdo con Bantam Dell Publishing Group,
una división de Random House Inc.
© 2007, de las ilustraciones interiores: Nenad Jakesevic
© 2009, Random House Mondadori, S. A.
Travessera de Gràcia, 47-49. 08021 Barcelona
© 2009, José Mª Gortázar Azaola, por la traducción

Printed in Spain – Impreso en España

ISBN: 978-84-253-4306-3
Depósito legal: B. 14.527-2009

Compuesto en Anglofort, S. A.

Impreso en Limpergraf
Mogoda, 29. Barberà del Vallès (Barcelona)

Encuadernado en Lorac Port

GR 4 3 0 6 3

Índice

Agradecimientos

En primerísimo lugar, queremos dar las gracias a nuestro incomparable agente Kris Dahl, a quien el proyecto de *Escucha tu cuerpo* entusiasmó tanto como a nosotras, así como a Jim Gorman por habernos puesto en contacto con Kris. También estamos muy agradecidas a Bantam Books por haber acogido *Escucha tu cuerpo* con tanto entusiasmo. Jamás habríamos podido encontrar un mejor editor que Beth Rashbaum. El enorme talento editorial de Beth, además de su apoyo, siempre amable y discreto, y su sentido del humor, han conseguido que haya sido un placer trabajar con ella. Beth, su ayudante, Meghan Keenan, el editor de producción, Kelly Chian, y el director artístico, Paolo Pepe, han resultado una maravillosa ayuda, siempre estimulante y comprensiva, para lidiar con nuestras excentricidades y momentos de irritación. *Escucha tu cuerpo* podrá leerse en todo el mundo gracias al esfuerzo incansable de Sharon Swados y Lisa George, del departamento de derechos subsidiarios, que se dieron cuenta de su interés a nivel mundial e hicieron correr la voz.

Estamos en deuda con Nenad Jakesevic por la fantástica sobrecubierta y las maravillosas ilustraciones de los distintos capítulos, y también con su colaboradora artística y esposa,

Sonja Lamut, por la aportación de su buen gusto. Gracias también a Michael Raab por la halagadora fotografía que hizo de las autoras.

Queremos expresar nuestro agradecimiento a los miembros de nuestro distinguido panel de expertos médicos por su ayuda, comentarios y aportaciones: Dr. Pete S. Batra, Dra. Wilma Bergfeld, Dr. Michael Bloom, Dr. Stephen DiMartino, Dra. Loren W. Greene, Dr. Axel Grothey, Dr. Stuart I. Henochowicz, Dr. Gordon Hughes, Dr. Alan Kominsky, Dr. Ronald Kraft, Dra. Sharon Lewin, Dr. Larry Lipshultz, Dr. Michael Osborne, Dr. Shelley Peck, Dr. Rock Positano, Dr. Joseph Scharpf, Dr. John Stangel y Dr. Randall Zusman.

Damos también las gracias a Richard Liebmann-Smith por su magnífica contribución editorial, por no hablar de sus ensaladas, guisos y salsas. Y nuestro agradecimiento a Rebecca Liebmann-Smith por sus sugerencias y su talento como editora, que algún día no muy lejano podría superar incluso al de su padre; y a Elizabeth Egan Serraillier, especialista en sanidad pública, que nunca dejó que perdiéramos de vista la importancia de educar a la gente en relación con su salud.

Mary Diamond, Barbara Kantrowitz, Dra. Kenneth Magid, Susan Orlins, Eliza Orlins, Steve Price y Dra. Laura Sternberg fueron una gran ayuda de diferentes maneras. Y estamos especialmente agradecidas a Jonathan Schwartz, cuyo programa en la Radio Pública Nacional hizo que fuera llevadero, y hasta agradable, trabajar las tardes de los fines de semana.

Por último, un millón de gracias a nuestros amigos y familiares, que nos bombardearon con sus relatos de extraños signos corporales y, aún más importante, nos dieron todo su cariño, apoyo y comprensión cuando tuvimos que rechazar o cancelar algunos compromisos sociales.

Introducción

Observa, anota, ordena. Utiliza los cinco sentidos... Aprende a ver, aprende a oír, aprende a sentir, aprende a oler y así verás que solo llegamos a hacernos expertos mediante la práctica.

Sir William Osler (1849-1919),
médico canadiense considerado
padre de la medicina moderna

Todos hemos percibido alteraciones en nuestro cuerpo que resultan molestas, extrañas, antiestéticas o directamente penosas. Puede ser que tengamos las uñas amarillas. O que nos salgan de pronto manchas en la piel bajo los pechos. O tal vez que nuestra pareja se queje de que olemos a amoníaco. Son señales del cuerpo. Si aprendemos a interpretarlas, pueden decirnos mucho sobre nuestra salud... o sobre la posibilidad de que tengamos una enfermedad.

Afortunadamente, muchos signos corporales son normalmente benignos. Es decir, nos hablan de una alteración inofensiva que no tiene importancia médica. (El uso de la palabra «benigno» no debe interpretarse en este caso como opuesto a «maligno» o «canceroso».) Las señales corporales benignas pueden soslayarse o tratarse simplemente desde un punto de vista estético. Pero algunos signos del cuerpo pueden indicarnos algo más grave. De la misma manera que unas uñas amarillentas se pueden deber a la nicotina, también pueden ser una señal reveladora de un trastorno pulmonar o hepático. Las antiestéticas manchas en la piel —signo común de envejecimiento— pueden indicar una diabetes. Y mientras que tu olor a amoníaco a lo mejor solo quiere decir que tienes que tener cuidado con la limpieza, también puede estar avisándote de que ingieres demasiadas proteínas. O tal vez sea una señal de que estás albergando la bacteria *Helicobacter pylori*, microorganismo que provoca úlceras de estómago. Estos mensajes no son casuales, sino que más bien los envía nuestro cuerpo para prevenirnos de que hay algo que puede no estar en orden.

Escucha tu cuerpo trata de cómo nos informa nuestro cuerpo de su estado de salud interna a través de signos externos. A diferencia de los síntomas, que normalmente se presentan en forma de dolor o malestar, y que suelen hacer que salgamos corriendo en busca de un médico, o incluso que nos dirijamos a la sala de urgencias de un hospital, las señales corporales nos animan más bien a acudir a la peluquería o a un salón de belleza o a visitar una tienda de cosméticos o una parafarmacia. O si preferimos que nos vea un médico, es más probable que nos dirijamos al cirujano plástico que al internista. Sin embargo, es muy posible que lo que de verdad necesitemos sea precisamente un internista. Hay veces en las que lo que tomamos por una simple cuestión estética es más importante de lo que parece. Por ejemplo, pueden aparecernos en los párpados unos bultitos amarillentos muy antiestéticos. Conocidos médicamente con el nombre de *xantelas-*

mas, son en realidad diminutos depósitos grasientos que nos avisan de que podemos tener alto el nivel de colesterol y que corremos el riesgo de padecer una enfermedad cardíaca.

¿CUÁL ES LA DIFERENCIA ENTRE UNA SEÑAL CORPORAL Y UN SÍNTOMA?

Los síntomas —como el dolor, la fiebre y las hemorragias— se presentan de manera clara y contundente. Las señales corporales suelen ser más sutiles y difíciles de interpretar; podemos considerar que son insignificantes y no tienen importancia, o que son muy extrañas y duras de aceptar. Como dijo John Brown, médico escocés del siglo XIX, «los síntomas son el idioma materno del cuerpo mientras que las señales corporales son un idioma extranjero». Y mientras que solo nosotros podemos describir los síntomas que tenemos, muchas señales corporales pueden ser detectadas no solo por quienes las presentan, sino también por el médico, la pareja e incluso un observador casual. Las señales corporales se detectan usando los cinco sentidos: pueden verse, oírse, apreciarse con el sentido del gusto, olerse o sentirse al tacto.

¿QUÉ NOS PUEDEN DECIR LAS SEÑALES CORPORALES?

Antes de que existieran las técnicas de diagnóstico modernas, los médicos tenían que confiar en el veredicto de sus cinco sentidos y los del paciente. Antiguamente, los médicos escuchaban los latidos del corazón de un enfermo, le tomaban el pulso, le examinaban la lengua y los ojos, inspeccionaban el estado de su pelo, de su piel y de sus uñas, olían su aliento y su cuerpo, examinaban sus deposiciones, olfateaban su orina, e incluso algunas veces la probaban. Los médicos de hoy en día, aunque normalmente tienen avanzados medios de diagnóstico a su disposición, siguen utilizando las técnicas sensitivas, con la posible excepción de probar el sabor de la orina. Para diagnosticar correctamente hay que ser un detective eficiente y seguro. A fin de detectar la enfermedad más sencilla, el médico tiene que reunir incontables signos y datos para juntar las piezas del rompecabezas de manera que formen una unidad. Se pueden examinar las partes visibles del cuerpo, especialmente el pelo, los ojos, los dientes, la piel y las uñas, buscando señales que revelen la existencia de enfermedades y trastornos que progresan muy por debajo de la superficie. Abrirse camino a través de la múltiple variedad de señales es un arduo trabajo de investigación que, muchas veces, requiere más de un detective. Ahí es donde tú —y *Escucha tu cuerpo*— entráis en juego.

SEÑALES QUE SE ANALIZAN EN
ESCUCHA TU CUERPO

Escucha tu cuerpo examina múltiples señales, que pueden ser benignas, más graves o simplemente extrañas. Recorre todo el cuerpo desde la cabeza y los hombros hasta las rodillas y los dedos de los pies, pasando por todo lo que se encuentra a medio camino. Estas son unas cuantas señales corporales que podrían, o no, revelar problemas:

- Pelo con bandas pigmentadas.
- Lengua peluda.
- Sabor metálico.
- Destellos luminosos.
- Pezones invertidos.
- Uñas sin lúnula.
- Deposiciones que flotan.

Empezando por arriba, en *Escucha tu cuerpo* se repasan las señales capilares, como los cambios de textura, el encanecimiento prematuro y la pérdida inusual de cabello. Desde este punto de partida, la atención se dirige a la cabeza. Esta no solo acoge al cerebro, sino que es la sede en la que radican cuatro de los cinco sentidos, así como los órganos que los albergan; es decir, los ojos, los oídos, la nariz y la boca.

Dado que basamos gran parte de nuestra imagen en los rasgos faciales, tendemos a fijarnos excesivamente, y a veces de manera obsesiva, en las señales relacionadas con la cara. Aunque nos pueda horrorizar contemplar que tenemos los ojos amarillentos, la nariz roja o los labios azulados, no deberíamos apartar la vista de ellos, porque estas anomalías tan poco atractivas pueden darnos importantes pistas sobre graves trastornos pulmonares o hepáticos.

Así como el cerebro está en la cabeza, en el torso se encuentran todos los demás órganos vitales: el corazón, el estómago, el hígado, los riñones, las mamas y el aparato reproductor. Todas estas partes del cuerpo producen muchas señales corporales, sutiles y frecuentemente pasadas por alto, que a veces pueden apuntar a graves trastornos.

Los hipidos crónicos, por ejemplo, pueden ser una señal de que bebemos demasiado, o un signo que nos advierte de la posibilidad de un tumor en el esófago. La flatulencia excesiva puede estar causada por la afición a la cebolla cruda, o puede ser una señal de cálculos biliares. Si la orina desprende un olor parecido al de las manzanas pasadas, puede ser consecuencia de que bebemos demasiada sidra, o tal vez un signo que indica fallos metabólicos. Si cerramos los ojos y hacemos oídos sordos ante los signos, a menudo molestos, relacionados con las funciones corporales, podemos estar soslayando importantes claves sobre nuestros hábitos y nuestro estado de salud.

Escucha tu cuerpo se detiene también en los brazos, en las piernas y en los dedos de las manos y de los pies. Son las partes del cuerpo que más utilizamos y, por lo tanto, las que más se desgastan. No es de extrañar que con frecuencia desarrollen signos antiestéticos o molestos, como dedos torcidos o rodillas que crujen, por mencionar solo dos de ellos. Pero unos dedos torcidos pueden indicar que padecemos la *enfermedad de Dupuytren*, trastorno infrecuente, debilitante y de progresión lenta; y las rodillas que crujen pueden marcar el inicio de una osteoartritis, otra afección potencialmente discapacitante. Las uñas de los dedos de las manos o de los pies también son maltratadas desde fuera o internamente. La causa de unas uñas agrietadas, por ejemplo, puede estar en que usamos utensilios de limpieza sin ponernos unos guantes… o en deficiencias nutricionales.

Escucha tu cuerpo se completa con la piel. Esta, que es el órgano más grande del cuerpo, el más visible y el más vulnerable, puede mostrar gran cantidad de signos: bultos, chichones, pecas, lunares, manchas, venas de araña, arrugas y hoyuelos. El color, el tono y la textura de la piel pueden darnos importantes pistas sobre incontables enfermedades escondidas bajo su superficie. Si bien muchas de ellas tienen una importancia simplemente estética, algunas pueden indicar problemas nutricionales u hormonales o, aún peor, un cáncer.

LO QUE NO ABARCA
ESCUCHA TU CUERPO

Escucha tu cuerpo trata de señales que se presentan en personas adultas, no de aquellas que afectan principalmente a los niños. Y salvo algunas excepciones, tampoco habla de hemorragias, fiebre, desmayos, vómitos, dolores o supuración. Tampoco se examinan picores, fatiga, debilidad o mareos muy intensos o crónicos, ni los signos de tipo psicológico. Todas estas señales y síntomas deberían hacer que solicitaras de inmediato la ayuda de tu médico, o que acudieras a una sala de urgencias. Por último, *Escucha tu cuerpo* no hace referencia a pruebas diagnósticas ni a tratamientos. Estas son cuestiones entre tu médico y tú, y muchas veces entre tu compañía de seguros y tú.

LO QUE PUEDE Y LO QUE NO PUEDE HACER
ESCUCHA TU CUERPO

Escucha tu cuerpo no pretende sustituir a la consulta o a la visita a tu médico. Más bien debería ser un catalizador en la comunicación con el médico, haciendo que le cuentes cosas en las que quizá no habías pensado o que podrían resultarte demasiado embarazosas. Y, desde luego, *Escucha tu cuerpo* no pretende que te conviertas en tu propio médico. Solo quiere ayudarte a interpretar el lenguaje de signos de enfermedad y de bienestar de tu cuerpo y a que aprendas qué señales pueden pasarse por alto sin problemas y cuáles exigen atención médica.

Escucha tu cuerpo te dará pistas sobre cómo ser tu propio detective diagnóstico, sacando a la luz claves ocultas sobre tu salud para que las puedas someter a la consideración de tu médico. Te permitirá participar activamente en el cuidado de tu salud en colaboración con él. Al convertirte en un perspicaz observador, le podrás ayudar a averiguar qué es lo que te pasa cuando te encuentras mal. El diagnóstico es como un rompecabezas. Para realizar un diagnóstico preciso, el médico tiene que contar con todas las piezas del rompecabezas. Todo lo que puedas hacer para acelerar el proceso de valoración será de gran ayuda. Y eres tú quien tiene las piezas del rompecabezas en las manos… y en otras partes del cuerpo.

Escucha tu cuerpo quiere alertarte, darte indicaciones, e incluso asustarte, para que acudas al médico, y también quiere transmitirte seguridad. Muchas de las señales del cuerpo que puedan preocuparte resultarán ser completamente normales y benignas. Al saber que determinado signo que percibas en tu cuerpo es frecuente ahorrarás tiempo, dinero… y malos ratos.

Confiamos en que aprendas y además te diviertas. *Escucha tu cuerpo* está repleto de datos interesantes, así como de citas y anécdotas históricas sobre el cuerpo humano.

CÓMO DEBES USAR *ESCUCHA TU CUERPO*

Escucha tu cuerpo no tiene por qué leerse de principio a fin, ni desde la cabeza hasta los dedos de los pies (o, para ser más precisos, desde el pelo hasta las uñas de los dedos de los pies). Por supuesto, si quieres hacerlo, no hay ningún problema. La mayoría de la gente acudirá a la parte del cuerpo y a la señal del mismo que más le preocupe o interese. Pero podemos garantizarte que en cada uno de los capítulos vas a encontrar algo sorprendente e interesante. Puede tratarse de una señal que nunca habías pensado que pudiera tener importancia médica, o de información sobre cómo funciona el cuerpo... y sobre cómo se echa a perder. Y aunque no presentes en este momento una señal concreta, *Escucha tu cuerpo* te alertará sobre signos que puedas percibir en el futuro a los que deberías prestar atención.

Si determinada señal no te afecta personalmente, puede ser significativa para alguien que tienes cerca y a quien quieres. De hecho, *Escucha tu cuerpo* te ayudará a convertirte en un detective del diagnóstico para tu pareja, tus padres, tus hijos adultos, tus compañeros de trabajo, tus amigos y hasta para tus enemigos. Por ejemplo, si tu marido —que siempre ha visto la vida de color rosa— empieza a quejarse de que las cosas parecen azules, puede no deberse a que está deprimido. Más bien podría ser un signo de que está experimentando una reacción adversa al consumo de Viagra.

Además de descripciones de las distintas señales y de explicaciones sobre lo que significan, encontrarás muchos postes de señalización repartidos por cada capítulo, cada uno de ellos con su icono específico. Estos serían ejemplos de los siete diferentes tipos de postes de señalización.

⚫ *Signos de salud*: signos que son normales y que pueden soslayarse sin ningún problema.

«Signo de salud»
La orina sana es de una tonalidad clara o ligeramente amarillenta, y no es espumosa o «caldosa».

◆ *Señales de advertencia*: señales que podrían requerir atención y sobre las que deberías poner al corriente a tu médico.

«Señal de advertencia»
Si tienes una constante necesidad de sal y de alimentos salados, puede ser una primera manifestación de la enfermedad de Addison, grave trastorno autoinmune que afecta a las glándulas suprarrenales.

▦ *Señales de peligro*: señales que requieren una atención médica inmediata.

«Señal de peligro»
Cuando los destellos luminosos aumentan, o se experimentan junto con partículas flotantes, podríamos estar ante un desgarro o un desprendimiento de retina, o ante un desprendimiento vítreo agudo, que requieren atención médica inmediata. Una vez tratadas estas afecciones, puede ser que los destellos continúen durante varios meses.

⧗ *Signo de los tiempos*: anécdotas históricas sobre el cuerpo humano y las señales que se manifiestan en el mismo.

«Signo de los tiempos»
Los antiguos egipcios utilizaban bórax, grasa de pato y leche de vaca para tratar las infecciones del oído medio. Hipócrates era más partidario de la leche humana y también aconsejaba a sus pacientes beber vino dulce y evitar exponerse al sol y al viento, así como estar en habitaciones con mucho humo.

💬 *Hablando de señales*: citas, dichos o aforismos relacionados con señales corporales.

«Hablando de señales»
La mediana edad es el momento de la vida en el que los compañeros de colegio están tan canosos, calvos y llenos de arrugas que ya no te reconocen.

BENNETT CERF, autor estadounidense
del siglo xx y socio fundador de Random House

⚠ *Hechos significativos*: hechos o estadísticas poco conocidos, a menudo extraños y ocasionalmente útiles, sobre diversas partes o señales del cuerpo.

«Hecho significativo»
Las personas de ascendencia europea y africana normalmente tienen en los oídos cera húmeda, pegajosa y de color

marrón; las de procedencia nativa americana y asiática tienden a tener una cera seca, frágil y de color gris o beige. Las mujeres con cera húmeda parecen tener mayor riesgo de cáncer de mama. De hecho, entre las mujeres japonesas que tiene la cera de los oídos húmeda como los europeos se dan más casos de cáncer de mama que entre las japonesas que tienen la cera seca del tipo asiático.

STOP *Señales de stop*: estrategias para impedir que aparezcan algunas señales o que se repitan.

«Señal de stop»
Llevar gafas de sol siempre que estés expuesto al mismo no solo te ayuda a proteger los ojos de la formación de cataratas y cáncer de piel, sino que también contribuye a impedir que te salgan círculos oscuros bajo los ojos.

A modo de conclusión: esta sección aparece al final de cada capítulo. En ella se reitera qué tipos de señales no se tratan en el capítulo (por ejemplo, dolor y hemorragias) y se presenta una lista de especialistas preparados para diagnosticar y tratar los problemas médicos correspondientes a las partes y los signos del cuerpo que se examinan en ese capítulo concreto. Al referirnos a médicos, lo estamos haciendo tanto a doctores en medicina como a los doctores en medicina osteopática que tienen una formación médica similar. Algunas veces presentamos una relación de otros profesionales sanitarios que, aunque no sean médicos, tienen una formación especializada.
Escucha tu cuerpo contiene también dos apéndices:

- APÉNDICE I: *Revisión de señales corporales. Enfermedades multisistema y sus síntomas.* Dado que hay muchas enfermedades y trastornos que presentan múltiples signos corporales, hemos compuesto una lista de algunas de las enfermedades más frecuentemente citadas y de sus signos más comunes.
- APÉNDICE II: *Lista de control de señales corporales.* Rellenar estos cuadros te ayudará a seguir la pista a los signos de tu cuerpo: qué aspecto tienen, cómo los sientes, cómo huelen, suenan o saben, y cuándo te diste cuenta de ellos por primera vez. Dado que muchos signos del cuerpo se presentan como reacciones a medicamentos (incluidas vitaminas y plantas medicinales o suplementos de herboristería), también se incluye un cuadro para que hagas una lista de los medicamentos que has tomado y la dosis de cada uno de ellos. Este cuadro puede ser una extraordinaria herramienta de diagnóstico que puedes enseñar a tu médico para que se haga una idea más clara de lo que has experimentado.

POR QUÉ ESCRIBIMOS ESTE LIBRO

Una de nosotras, Joan Liebmann-Smith, empezó a interesarse por las señales corporales hace más de veinte años, a raíz de que pasó por alto algunos signos importantes que deberían haber hecho que fuera rápidamente a visitar a su médico. En vez de hacerlo, se olvidó de ellos como si fueran molestias derivadas de su reciente maternidad. Sentía mucho calor y sudaba todo el tiempo, pero lo atribuía a que había subido el termostato para que su bebé no pasara frío. También dormía menos de lo normal, y perdió pelo y peso (lo que creía que era una buena señal). Todo esto lo atribuyó a los cuidados que dispensaba a su bebé día y noche.

Afortunadamente, un día almorzó con un pariente muy observador que, al verla, le espetó: «¡Tienes bocio!». Asombrada, se dirigió a toda velocidad al baño para mirarse al espejo. Estaba allí, claramente: un abultamiento del tamaño de un limón en el cuello. Era algo en lo que no solo ella, sino su marido y muchos médicos amigos no habían reparado.

Al día siguiente, cuando fue a que la viera el médico, este le dijo que había desarrollado la enfermedad de Graves, la forma más común de hipertiroidismo, hasta un grado muy avanzado. Su cuerpo la estaba literalmente consumiendo y todos esos signos corporales que no había tenido en cuenta eran, de hecho, síntomas típicos de la enfermedad. Si no se hubiera tratado inmediatamente —tomando yodo radiactivo—, con toda probabilidad habría muerto en una semana. Joan tuvo que dejar de amamantar a su bebé al día siguiente e irse de casa varios días después del tratamiento porque tendría que sufrir durante un tiempo los efectos de la radiactividad.

Si hubiera leído un libro como *Escucha tu cuerpo*, se habría ahorrado a sí misma —así como a su marido y a su bebé— la crisis física y emocional que atravesó. Con toda seguridad, habría hecho más caso de los signos de advertencia y habría ido antes al médico, evitando de esa manera que una enfermedad fácilmente detectable y de fácil tratamiento se convirtiera en un trastorno verdaderamente grave que llegó a poner en peligro su vida.

Cuando Joan contó a Jacqueline Egan, su amiga, colega y coautora de dos de sus libros, que estaba planeando escribir

Escucha tu cuerpo, suscitó inmediatamente su interés. Como escritora de libros de medicina que había enviudado poco tiempo antes, y que en su día sobrevivió a un cáncer, Jacqueline era enormemente consciente de la importancia de un diagnóstico precoz. A la edad de treinta y cinco años, había percibido un pequeño bulto en el pecho. Afortunadamente, no resultó ser canceroso, como tampoco lo fueron varios otros tumores que se le desarrollaron en los siguientes quince años. De todas formas, observaba su cuerpo con gran atención y cautela. En 2001, tres meses después de que falleciera su marido Ed, de manera prematura, a causa de un ataque al corazón, concertó una cita para hacerse una mamografía en la que se detectó un tumor maligno.

Jacqueline considera que su previsión le salvo la vida. Pero su mejor amiga, Corinne, no tuvo tanta fortuna. Tanto ella como sus médicos pasaron por alto un signo muy sutil de cáncer de ovario: hinchazón abdominal. En definitiva, Corinne murió durante la redacción de este libro.

Hemos escrito *Escucha tu cuerpo* para ayudarte a evitar catástrofes similares, dirigiendo tu atención sobre las señales de advertencia de enfermedades y trastornos potencialmente peligrosos. No queremos asustarte, solo queremos ayudarte a que llegues a ser un buen detective diagnóstico, aficionado a detectar e interpretar las señales que tu cuerpo te envía.

1

EL PELO

A lo largo y a lo ancho del pelo

> Dame una cabeza con mucho pelo,
> pelo largo y bello.
> Brillante, reluciente, ardiente,
> rubio platino, rubio ceniza.
> ¡Dame pelo abundante y muy largo!
> ¡Que llegue hasta los hombros… mucho pelo!
>
> *Hair*, 1968

El pelo nos define como ninguna otra parte del cuerpo. Transmite a los demás gran cantidad de información: sobre nuestra edad, género, raza, estatus social, credo religioso o de otro tipo, nuestros hábitos de higiene personal y —por último, aunque no por ello menos importante— sobre nuestro estado de salud. Aunque bien es cierto que las deducciones que otros hagan basándose en nuestro pelo pueden ser tan falsas como las pestañas postizas que lucen. Se pueden ocultar las canas, haciéndonos parecer varios años más jóvenes, se puede dejar que crezca muy largo o llevarse muy corto, no distinguiéndose bien si somos un hombre o una mujer, se puede alisar un pelo rizado o rizar uno liso, haciendo que no quede claro de qué raza somos. Y si lucimos un peinado sofisticado, a la manera de algunos ricos y famosos, puede parecer que nadamos en la abundancia cuando resulta que apenas llegamos a fin de mes.

El pelo está lleno de simbolismo sexual y de significado cultural. En muchas partes del mundo la gente se lo cubre o incluso se lo rapa al cero por costumbre... y hasta por religión. Los abogados ingleses, por ejemplo, se atavían con una peluca para entrar en la sala de vistas. Las mujeres musulmanas o judías ortodoxas están obligadas a ir con la cabeza cubierta. Y no solo los budistas y algunos monjes cristianos se afeitan la cabeza; también lo hacen los skinheads.

HABLANDO DE SEÑALES

 El pelo es el más suntuoso ornamento de las mujeres.

MARTÍN LUTERO, teólogo alemán del siglo XVI

Mientras nos preocupamos de enviar señales al mundo exterior a base de cubrir, cortar, rizar o cambiar el color del pelo, deberíamos también prestar atención a los mensajes que nos envía a nosotros. El aspecto natural del pelo puede darnos un montón de información vital que deberíamos considerar atentamente y utilizar en nuestro provecho. Nuestra edad y sexo, el lugar donde vivimos y los productos capilares que utilizamos afectan a la composición mineral del pelo.

El pelo contiene multitud de minerales, desde aluminio hasta zinc. Durante muchos años, el análisis del pelo era una manera de averiguar si se había producido un envenenamiento con mercurio o con arsénico. En tiempos más recientes, los médicos han podido diagnosticar enfermedades alimentarias a partir de muestras de cabello.

SIGNO DE LOS TIEMPOS

En el antiguo Egipto, tanto los hombres como las mujeres se afeitaban la cabeza y llevaban pelucas. Sin embargo, los sacerdotes tenían que eliminar todo el vello de su cuerpo, incluso el de las cejas y las pestañas.

De hecho, la calidad, la cantidad y el color del pelo pueden ser señales que indican nuestro grado de bienestar físico. Por eso se dice que el pelo es un barómetro de la salud.

EMPECEMOS POR ARRIBA

Cambios en la textura del pelo

El pelo está compuesto en su mayor parte de proteínas muertas *(queratina)*, lo cual no significa que tenga que yacer lánguidamente sobre la cabeza. Si tienes un pelo seco, frágil o con las puntas abiertas puede querer decir que lo estás mal-

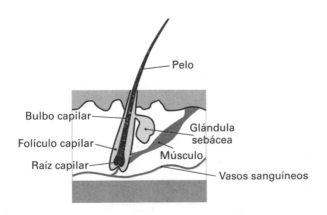

Pelo

Bulbo capilar

Glándula sebácea

Folículo capilar

Músculo

Raíz capilar

Vasos sanguíneos

tratando a base de lavarlo, cepillarlo, secarlo, teñirlo o deco-
lorarlo en exceso. Pero también, estas *enfermedades capilares*
pueden ser síntomas de estrés, de cambios hormonales, de
deficiencias nutricionales y de enfermedades tiroideas.

HECHO SIGNIFICATIVO

Los estadounidenses se gastan casi 10 millones de dólares al
año en análisis del pelo para conocer su estado de salud y
nutricional.

Si percibes, por ejemplo, que tus mechones abundantes de
antaño se enredan con facilidad o se han vuelto secos, frágiles
o ásperos no salgas corriendo a comprar el producto capilar
más caro de última moda. En realidad, puede ser que tengas
los síntomas clásicos del *hipotiroidismo*, una enfermedad bastante corriente, especialmente entre las mujeres, que frecuentemente queda sin diagnosticar. (Véase el apéndice I.) Cuando la glándula tiroidea, que regula el metabolismo, deja de
producir suficiente hormona tiroidea, el crecimiento del pelo
—y otras funciones del cuerpo— se hace más lento. Los cambios en la textura del pelo también pueden revelar una *deficiencia de yodo* que suele estar asociada a las enfermedades de
la tiroides. (Véase el capítulo 6.)

HECHO SIGNIFICATIVO

Incluso un solo pelo es muy fuerte. La razón es que está
compuesto de una proteína, la queratina, que es muy resis-
tente al desgaste. La queratina es la misma sustancia que se encuentra en las plumas, garras, uñas y pezuñas de los animales.

Por supuesto, las alteraciones de la textura pueden ser simplemente indicativas de los cambios hormonales naturales propios del embarazo o la menopausia. Durante el embarazo, el cabello seco puede volverse más graso o brillante, y, por contra, el cabello graso hacerse más seco y falto de brillo. El cabello que antes era rizado puede volverse más liso, y el cabello liso hacerse más rizado. El pelo puede incluso ganar espesura, pero esto es debido a la ralentización de la pérdida de cabello que normalmente tiene lugar durante el embarazo más que al engrosamiento del pelo. (Véase «Pérdida de pelo en las mujeres»).

SEÑAL DE ADVERTENCIA

Si estás embarazada y tu pelo parece más fino de lo habitual, díselo cuanto antes a tu médico. Puede ser que tengas una deficiencia de vitaminas o minerales que puede afectar al embarazo.

Durante la menopausia, cuando disminuyen los niveles de estrógenos, muchas mujeres perciben que su pelo ha perdido suavidad y lustre. La pérdida de estrógenos puede hacer que la punta del pelo vaya afinándose y se seque hasta desaparecer, con lo que el cabello que lo sustituya tendrá menos brillo y será menos dúctil. El crecimiento de cabello nuevo también va disminuyendo.

Tanto los cambios en la textura del pelo como la pérdida del mismo son reacciones comunes a los tratamientos de quimioterapia y radioterapia para el cáncer. Afortunadamente, estos cambios son por lo general pasajeros.

HECHO SIGNIFICATIVO

 El peluquero puede ser tu aliado de diversas maneras. Con frecuencia, los peluqueros son los primeros en darse cuenta y comentar los cambios de textura del cabello. Estos cambios pueden ser las primeras pistas de que existen problemas de tiroides y otras afecciones que pocas veces se diagnostican.

CAMBIOS DEL COLOR DEL PELO

El color del pelo, como el de los ojos y la piel, depende básicamente de la cantidad de *melanina* (pigmento que proporciona el color) que heredamos de nuestros padres.

HABLANDO DE SEÑALES

No me ofenden las burlas sobre las típicas rubias tontas porque sé que no soy tonta y también sé que no soy rubia.

DOLLY PARTON, cantante de country y western

Si te cambia el color del pelo sin haberlo teñido o decolorado, puede tratarse de una señal indicativa de diferentes factores, tanto internos como externos. Por ejemplo, el color del pelo, al igual que su textura, puede cambiar durante un tiempo debido a un tratamiento de quimioterapia. A una mujer rubia le puede afectar ver que le crece el pelo de un color castaño oscuro o negro, mientras que una morena puede emocionarse al comprobar que ha pasado a ser rubia. Los cambios de color del pelo también pueden revelar afecciones genéticas, metabólicas, nutricionales o de otro tipo.

Pelo de color verde

Muchas personas están deseando que llegue el verano para que el sol les aclare el pelo. Pero si observas que tu pelo adquiere un tono verdoso más que platino, la culpa no la tiene el sol. Lo más probable es que el cabello te esté diciendo que el agua de la piscina está tratada con demasiado cloro, o que se está filtrando cobre procedente de las tuberías de agua que la alimentan. De hecho, el color verde del pelo era algo muy corriente entre las personas que trabajaban con cobre y metales.

SEÑAL DE STOP

 Aclarándotelo con zumo de limón o con vinagre puedes hacer que el pelo verde recupere su color natural.

Si no te has bañado últimamente en una piscina, un pelo verde como el mar puede estar indicándote que usas una bañera que se limpia con productos que contienen cloro. Si el color verde no parece tener que ver con la piscina ni con la bañera, podría estar señalándote algo más grave, como un exceso de exposición al mercurio, que puede causar daños neurológicos, musculares, sensoriales y cognitivos.

HECHO SIGNIFICATIVO

La mayoría de los adultos tienen, en un momento dado, entre 100.000 y 150.000 pelos en la cabeza. Por término medio, las personas rubias son las que tienen más número de pelos (140.000) y las pelirrojas las que menos (90.000).

Pelo con bandas pigmentadas

El color verde del pelo puede no tener importancia desde el punto de vista médico, pero el pelo con bandas pigmentadas sí la tiene. Conocido con el nombre de *signo de la bandera*, el pelo con bandas presenta vetas de pelo descolorido o sin pigmentación. Las vetas —normalmente rubias, grises o rojizas— son a menudo signos de alarma que revelan graves carencias nutricionales, por ejemplo, de proteínas o de hierro. Aunque es mucho más habitual en los países subdesarrollados, el signo de la bandera se presenta en los niños que viven en la pobreza, sea donde sea.

El pelo con bandas pigmentadas puede ser también una señal de *colitis ulcerosa* o de otras enfermedades y episodios que agotan las reservas de proteínas, como el *síndrome del colon irritable* (véase el capítulo 8), o de intervenciones quirúrgicas importantes en el intestino. También podría ser una señal que nos indica la existencia del trastorno de la alimentación llamado *anorexia nerviosa*, a consecuencia del cual disminuye la ingesta de proteínas de una persona.

Proceso de encanecimiento prematuro

El pelo de color gris es en la mayoría de los casos un signo normal —aunque no precisamente bienvenido— de envejecimiento. A medida que vamos cumpliendo años producimos menos cantidad de melanina, el pigmento responsable del color del pelo y de la piel. Pero cuando el cabello adquiere un color gris antes de tiempo, puede deberse a una afección hereditaria inofensiva, o puede ser una señal que nos avisa de que algo no está funcionando debidamente. La definición del encanecimiento prematuro —médicamente conocido como *canicie*— varía de unos médicos a otros. Algunos dicen que consiste en tener la mitad del pelo de la cabeza de color gris a los cuarenta años de edad; otros, que es el encanecimiento del pelo antes de los veinte años en personas de raza blanca y antes de los treinta en las de raza negra.

HECHO SIGNIFICATIVO

 El pelo es el segundo tejido del cuerpo que más rápidamente crece. El más rápido es el tuétano del hueso.

Algunas personas que experimentan un encanecimiento prematuro pueden sufrir, sin saberlo, *anemia perniciosa*, que es una forma grave de anemia en la que tiene lugar una disminución del número de glóbulos rojos a causa de la incapacidad del organismo de absorber la vitamina B12. La anemia perniciosa se produce normalmente en personas ancianas. Otras señales típicas de la anemia perniciosa son la palidez, la debilidad, los problemas en la boca y en la lengua, la sensación de hormigueo o insensibilidad en manos y pies, y los andares vacilantes. Si esta enfermedad no se somete a tratamiento, puede ocasionar problemas gastrointestinales o neurológicos graves. Afortunadamente, no solamente es fácil de tratar sino que, una vez curada, lo normal es que el pelo recupere su color natural.

El encanecimiento prematuro puede revelar diferentes afecciones autoinmunes, entre otras la enfermedad de Graves, que es la forma más común de hipertiroidismo (véase el apéndice I). En un reciente estudio realizado en Irlanda se ha

HECHO SIGNIFICATIVO

El pelo de las personas de raza blanca suele empezar a ponerse gris cuando tienen unos treinta y cinco años, el de los asiáticos cuando se acercan a la cuarentena y el de los de raza negra más o menos a los cuarenta y cinco. Normalmente, los hombres empiezan a encanecer antes que las mujeres.

identificado el encanecimiento prematuro como una señal de baja densidad mineral ósea *(osteopenia)* en las mujeres que padecen la enfermedad de Graves. Otra afección autoinmune que puede manifestarse por un proceso de encanecimiento prematuro, así como por manchas blancas en la piel, es el *vitiligo* (véase el capítulo 9), que es una afección leve. No obstante, una de cada tres personas que tienen vitíligo también sufre una enfermedad tiroidea.

HECHO SIGNIFICATIVO

Los cambios en el color del pelo, incluido el encanecimiento prematuro, no siempre son permanentes. A veces la cabellera recupera su color originario cuando se trata la afección que ocasionó el problema, o una vez terminada la quimioterapia o la radioterapia. No es que el cabello recupere su color de siempre, sino que los pelos nuevos crecen con ese color anterior o aún más oscuros. De manera que el cambio completo tardará un tiempo en producirse.

Otra enfermedad autoinmune, la *alopecia areata*, que se caracteriza por la pérdida fragmentaria del pelo, se da algunas veces en personas jóvenes con el pelo gris (véase «Pérdida de pelo fragmentaria o irregular»).

También se han encontrado recientemente algunos signos inquietantes de que el encanecimiento prematuro puede ser una señal indicadora de la posible presencia de *diabetes, enfermedad cardíaca coronaria* o de un aumento del riesgo de ataque al corazón *(infarto de miocardio)*.

SEÑAL DE ADVERTENCIA

Parece ser que fumar está asociado a la pérdida de pelo y a las canas. Las sustancias tóxicas del humo del tabaco pueden dañar el ADN de los folículos capilares y los diminutos vasos sanguíneos que nutren el pelo y la piel. Estos y otros fenómenos aceleran prematuramente el proceso de envejecimiento.

Muchas personas creen que el pelo gris a una edad temprana revela estrés nervioso, y algo hay de verdad en ello. La hipótesis sería que el estrés precipita el desarrollo de enfermedades autoinmunes o alguna de las afecciones arriba mencionadas que pueden provocar el encanecimiento.

SEÑAL DE ADVERTENCIA

La combinación de un cabello gris y unas cejas negras puede resultar llamativa o sexy (pensemos en Sean Connery). Pero los hombres con esta particularidad tienen un riesgo elevado de diabetes, de acuerdo con un reciente estudio realizado en Alemania.

Pelo blanco de la noche a la mañana

Aunque el estrés pueda hacer que el pelo se vuelva gris, no es posible que esto suceda de la noche a la mañana. Se dice que a la reina María Antonieta y a sir Thomas More se les puso el pelo completamente blanco durante la noche anterior a su ejecución. A pesar de estas u otras anécdotas históricas, no existen pruebas médicas de que el pelo pueda volverse blanco o gris tan rápidamente. Una vez que se forman en los folículos capilares, los cabellos no pueden cambiar de color. La explicación de lo que pudo ocurrir en los casos anecdóticos anteriores podría estar en una *alopecia areata*

HABLANDO DE SEÑALES

La mediana edad es el momento de la vida en el que los compañeros de colegio están tan canosos, calvos y llenos de arrugas que ya no te reconocen.

BENNETT CERF, autor estadounidense del siglo xx y socio fundador de Random House

---

difusa, afección que algunas veces se desencadena por estrés y que hace que se pierda muy rápidamente una gran cantidad de pelo. (Véase «Caída del pelo».) En una persona que tenga el pelo en parte gris y en parte pigmentado de forma normal y que sufra esta anomalía, lo más probable es que sean los pelos pigmentados los que se desprendan quedando solo pelo gris o blanco.

PÉRDIDA DE CABELLO

El pelo de la cabeza crece más o menos a razón de 1,25 centímetros al mes. Aproximadamente el 90 % del mismo está en fase de crecimiento (anágena), que puede durar entre dos y

---

SIGNO DE SALUD

Si no tienes el pelo gris podrás parecer más joven y además vivir más años. Un extenso estudio danés llegó a la conclusión de que los índices de mortalidad de los hombres adultos que no tenían el pelo gris eran ligeramente inferiores a los de los hombres con el pelo gris.

---

seis años. El otro 10 % está en fase de reposo (telógena), que dura alrededor de dos o tres meses. Después, se cae. Por término medio, se nos caen entre cincuenta y cien pelos al día. El número exacto depende normalmente de factores que no podemos controlar: hereditarios, de edad, de sexo o de raza. La mayoría de las personas sufrimos algún tipo de pérdida de pelo durante la vida, bien sea poco a poco o en pequeños mechones. A los cincuenta años de edad, más de la mitad de las mujeres ya han perdido unos cuantos. Pero la cosa es mucho

---

SEÑAL DE ADVERTENCIA

Si eres hombre y estás tomando una medicina para recuperar el pelo que se llama finasteride (Propecia), no te olvides de decírselo a tu médico antes de someterte al test de medición del PSA para el diagnóstico del cáncer de próstata. Este fármaco puede afectar a la exactitud de los resultados de dicho test.

---

peor para los hombres. A esa misma edad, un 75 % de ellos habrá perdido pelo y el 25 % restante sufrirá calvicie.

Pérdida de pelo fragmentaria o irregular

Si notas que tienes zonas en la cabeza a las que les falta pelo, puede ser una señal de que padeces *alopecia areata*. Se trata de un trastorno autoinmune en el que los glóbulos blancos atacan a los folículos capilares haciendo que el pelo deje de crecer. Esto puede afectar no solo al cuero cabelludo.

Algunas personas pierden pelo por todo el cuerpo, lo que médicamente se conoce como *alopecia universal*. Algunas de las formas leves de los distintos tipos de alopecia se pueden tratar. Y hay ocasiones en las que el pelo vuelve a crecer espontáneamente sin recibir ningún tratamiento. Lo malo es que con frecuencia las personas con alopecia tienen, o son propensas a desarrollar, otras enfermedades autoinmunes, especialmente enfermedad tiroidea, diabetes y artritis reumatoide.

Alopecia areata

Las zonas en las que falta pelo pueden también revelar la existencia de una *tricotilomanía*, trastorno en el que el paciente se arranca compulsivamente el pelo de la cabeza e incluso las pestañas. Este trastorno del comportamiento, que se da en un porcentaje de entre el 3 % y el 5 % de la población en Estados Unidos, es mucho más frecuente en niños que en adultos. Pero puede presentarse a cualquier edad. A veces se confunde con la alopecia areata, pero lo que distingue a la tricotilomanía es la rotura de los pelos, que tienen frecuentemente diferentes longitudes, y la existencia de algo de pelo en las zonas de calvicie. Las personas que padecen esta enfermedad presentan a menudo síntomas de problemas psicológicos, como depresión, ansiedad, comportamiento obsesivo compulsivo y *síndrome de Tourette*, enfermedad nerviosa que normalmente empieza a desarrollarse en la infancia y que se caracteriza por una serie de tics vocales y del sistema motor. La tricotilomanía algunas veces afecta a varios miembros de una misma familia. De hecho, se han descubierto recientemente dos genes mutados que en algunos casos podrían ser responsables de la enfermedad.

HABLANDO DE SEÑALES

El pelo gris es un signo de edad, no de sabiduría.

Proverbio griego

El pelo gris es una corona de gloria. Uno logra tenerlo cuando lleva una vida virtuosa.

Proverbios 16:31

Los cabellos grises son las flores de la muerte.

Proverbio inglés

Si padeces pérdida irregular de pelo, es posible que tu cuerpo te esté diciendo bien a las claras que te tratas, cepillas o tiñes el pelo excesivamente. La pérdida de pelo por esta causa se conoce médicamente con el nombre de *alopecia traumática*. Así que no debes hacer caso de esas viejas historias que decían que hay que pasarse el cepillo por el pelo hasta cien veces al día. Aunque puede ser que consigas que te brille más, también puedes hacer que se caiga. Las coletas muy apretadas, las extensiones o las trenzas pueden provocar también la rotura o caída del pelo.

HABLANDO DE SEÑALES

 Mis cabellos son grises, pero no por la edad,
y no se volvieron blancos en una sola noche,
como a veces pasa ante un miedo súbito.

LORD BYRON,
El prisionero de Chillon, 1816

La pérdida de pelo fragmentaria puede indicarnos la presencia de una afección llamada *alopecia cicatrizal*, en la que se destruyen los folículos siendo sustituidos por tejido cicatrizal. Por desgracia, cuando se padece este tipo de pérdida de pelo, este no vuelve a crecer. La alopecia cicatrizal puede ser consecuencia de una quemadura, de una lesión física o de cualquier otra causa que también podría producir una cicatriz en otro lugar del cuerpo. O puede ser una señal de infecciones por bacterias o por hongos —incluida la temible *tiña*— y de otras diversas enfermedades de la piel, como el *lupus eritomatoso discoide*, trastorno autoinmune que afecta principalmente a las mujeres jóvenes. A diferencia de la forma más común de lupus sistémico (véanse el capítulo 9 y el apéndice I), que afecta a muchas partes del cuerpo, el lupus discoide solo afecta a la piel dando lugar a la aparición de cicatrices y a la pérdida de pelo.

LA CALVICIE EN LOS HOMBRES

Si eres un hombre joven y te estás quedando calvo puede ser que te sientas fatal y tengas miedo de que no solo estés perdiendo el pelo sino también la virilidad. Pero lo más probable es que tu calvicie sea simplemente la herencia inoportuna que recibes de una larga línea de varones «pelados» por parte paterna o materna. *El patrón de calvicie masculina*, conocido médicamente como *alopecia androgénica*, no es algo de lo que haya que preocuparse, al menos desde el punto de vista médico. Es una alteración genética cuya causa es un exceso de andrógenos. (Las mujeres también tienen andrógenos, pero en cantidades más pequeñas.)

HECHO SIGNIFICATIVO

Los hombres japoneses tienen menos probabilidades de quedarse calvos que los de raza blanca. Y los que terminan sucumbiendo a la calvicie suelen perder el pelo alrededor de diez años más tarde que los de raza blanca.

No obstante, un estudio reciente sobre hombres de alrededor de cuarenta y cinco años con patrón de calvicie masculina reveló que los que no tenían pelo en la parte frontal tenían una probabilidad ligeramente superior de sufrir enfermedades cardíacas coronarias que aquellos que no sufrían pérdida de pelo. Los que tenían calva la coronilla (lo que se conoce como *calvicie en la coronilla*) tenían unas probabilidades significativamente superiores de desarrollarlas que los que la tenían cubierta de pelo. Cuanto más grande sea la zona de calvicie, mayor es el riesgo. Los hombres que tenían calva la coronilla y presentaban además altos índices de colesterol, o elevada tensión sanguínea, eran los que tenían más riesgo de todos.

HABLANDO DE SEÑALES

 Es estúpido tirarse de los pelos cuando se está muy apenado, como si la tristeza se pudiera atenuar con la calvicie.

CICERÓN, orador y político de la antigua Roma

PÉRDIDA DE PELO EN LAS MUJERES

Si te separas el pelo desde el centro hacia los lados, ¿te recuerda a cuando Moisés abrió las aguas del mar Rojo? Si al hacerlo puedes ver cómo brilla tu cuero cabelludo, es posible que tengas un *patrón de calvicie femenina*. Esta afección capilar se denomina médicamente, como en los hombres, *alopecia*

Patrón de calvicie masculina   Patrón de calvicie femenina

andrógenica y puede heredarse de cualquiera de los dos progenitores. Debido a su relación con los andrógenos, el patrón de calvicie femenina puede ser el primer signo de un tipo de diabetes asociada con el exceso de andrógenos. Sin embargo, el patrón de calvicie en las mujeres es diferente que el de los hombres. En ellas, es más frecuente que se produzca un adelgazamiento del pelo del cuero cabelludo en lugar de presentarse zonas completas de calvicie o un retroceso de la línea donde comienza el cabello, que son las características de la calvicie masculina.

La pérdida de pelo en las mujeres también puede ser un signo normal de envejecimiento, así como de cambios hormonales, especialmente después de haber dado a luz o durante la menopausia. Muchas mujeres sufren caída de pelo unos cuantos meses después de dejar de tomar píldoras anticonceptivas, o tras una terapia de sustitución hormonal. Cu-

---

HABLANDO DE SEÑALES

Te dije que dejaras de usar lociones para el pelo.
¡Mira lo que te ha pasado!
No vale la pena que te lo tiñas.
¿Por qué no puedes dejarlo en paz?
Si se te está cayendo el pelo,
no tienes que echarle la culpa
a la envidia de la gente.
Tú misma te has puesto ese mejunje.
Ha sido cosa tuya. Tú tienes la culpa...

OVIDIO, poeta de la antigua Roma
Amores 1,14

---

riosamente, durante el embarazo baja la intensidad del proceso de pérdida de pelo y se acelera el crecimiento del mismo, dando lugar a una mayor abundancia de cabello y a que este adquiera más consistencia. Desgraciadamente, este feliz acontecimiento no es duradero; unos tres o cuatro meses después de que la mujer dé a luz, los cabellos de más se desprenden rápidamente. Pero el crecimiento del pelo volverá a la normalidad y las nuevas mamás recuperarán su abundante cabellera, probablemente cuando a sus hijos se les haya ya formado.

Caída del pelo

Ver unos mechones de pelo en la bañera después de ducharse, o en el cepillo, o en la almohada, no es agradable. Médicamente conocida como *pérdida de pelo difusa y repentina* o *efluvio telógeno*, es la segunda forma más común de pérdida de pelo. (El primer puesto se lo lleva el patrón de calvicie masculina.) Esta anomalía se produce cuando el pelo que se encuentra en la fase de crecimiento (anágena) pasa antes de tiempo a la fase de reposo (telógena). (Véase «Pérdida de cabello».) Como consecuencia, se desprende un mayor número de cabellos del normal. Esto ocurre por todo el cuero cabelludo sin seguir un patrón típico de calvicie.

SIGNO DE LOS TIEMPOS

Se dice que el compositor y pianista francopolaco Chopin tenía barba solo en el lado derecho de la cara, el que era visible para el público. Según el artista, el lado oculto no tenía importancia.

La pérdida repentina de una gran cantidad de pelo puede ser una señal de que estás siendo víctima de un gran estrés psicológico, de que has padecido recientemente un traumatismo físico, como un accidente de automóvil o una operación quirúrgica importante, o de que padeces un trastorno de la piel en forma de psoriasis (véase el capítulo 9) o eccema. Las causas de este trastorno son desconocidas.

Por desgracia, como todos nosotros bien sabemos, la pérdida repentina de pelo puede ser una reacción al tratamiento del cáncer con quimioterapia o radioterapia. Estos tratamientos, de la misma forma que detienen rápidamente la reproducción de las células cancerígenas impidiendo su multiplicación, también frenan el rápido crecimiento de las células capilares. Esto puede dar lugar a la pérdida de hasta el 90 % del pelo, normalmente durante el primer mes de tratamiento. Por fortuna, entre seis meses y un año después de terminado el tratamiento anticancerígeno, normalmente el pelo vuelve a crecer.

La caída repentina puede también ser una señal a posteriori de un proceso febril intenso reciente, o una indicación de que estás combatiendo en ese momento una infección por virus, bacterias u hongos. Pero si así fuera, lo más probable es que tengas otros síntomas, como picores, irritación cutá-

---

HECHO SIGNIFICATIVO

Si tienes patrón de calvicie masculina, no es probable que tengas la cocotera brillante de Yul Brynner, Michael Jordan o Bruce Willis, a no ser que te afeites la cabeza. La calvicie de patrón masculino siempre deja un borde de pelo en forma de herradura alrededor de la cabeza, que a menudo se llama *gorro de monje*.

nea, fiebre o dolor. También puede ser una señal que te esté advirtiendo de un posible trastorno hormonal, especialmente de una enfermedad tiroidea (véase el apéndice I) o de hipopituitarismo; de hecho, casi todos los desequilibrios hormonales pueden provocar la caída del pelo.

Si has modificado tus hábitos de alimentación, o te has sometido a una dieta de choque y estás perdiendo pelo además de peso, puede ser un indicio de que tienes un problema nutricional, como una deficiencia de hierro, proteínas o zinc. La pérdida de pelo también puede ser un signo revelador de que comes muchos huevos crudos. La ingestión de demasiada clara de huevo, o de alimentos que contengan clara de huevo como la mayonesa, la mousse, el filete tártaro o el aliño para ensaladas puede producir una rara afección denominada deficiencia de biotina (también conocida como *enfermedad de la clara de huevo*). Otros signos de advertencia pueden ser la sequedad de la piel, los sarpullidos y el pelo fino y quebradizo. Si esta dolencia no se somete a tratamiento, pueden presentarse problemas neurológicos e intestinales en cuestión de semanas. De manera que, si te gustan mucho las claras de huevo, acuérdate de calentarlas bien antes de tomarlas. Así, estarás matando dos pájaros de un tiro: reducirás el riesgo de enfermedad de la clara de huevo y de envenenamiento por salmonella.

Pero las deficiencias nutricionales no siempre tienen la culpa. La pérdida de pelo puede también ser la manera que tiene tu cuerpo de decirte que has tomado cantidades excesivas de algo que, en principio, es bueno. De hecho, un exceso de determinadas medicinas, o incluso de vitaminas y minerales esenciales (especialmente de *vitamina A* y *selenio*), puede hacer que pierdas pelo.

SIGNO DE LOS TIEMPOS

En la Inglaterra isabelina, la frente despejada se consideraba un rasgo de belleza. Las damas de alcurnia se afeitaban o depilaban la frente para adquirir ese aspecto. También se aplicaban en la zona vendas empapadas en vinagre y frotadas con heces de gato para depilársela.

EL PELO QUE HAY... O QUE NO HAY

La cantidad de pelo que tenemos —y dónde esté o no esté— depende en gran medida de la casualidad genética. Tanto la abundancia como la escasez de pelo suelen ser algo característico de una familia o de un determinado grupo étnico. Los hombres de origen norteamericano suelen tener muy poco pelo en la cara, o incluso nada. Y los hombres procedentes del este de África normalmente tienen mucho más pelo en la cara que los de África occidental. La cantidad de pelo en el pecho también varía en función de factores étnicos. Los hombres que exhiben más pelo en el pecho suelen ser los de Oriente Próximo, el sur de Asia y los europeos.

HECHO SIGNIFICATIVO

Mechones de Amor (locksoflove.org) es una organización sin ánimo de lucro que proporciona pelucas y postizos a niños que sufren pérdida de pelo a causa de tratamientos contra el cáncer u otras enfermedades. O sea, que si te sobran 25 o 30 centímetros de pelo sin canas, no lo dejes en el suelo de la peluquería: ¡dónalo a Mechones de Amor!

La raza puede también ser un factor que influye en el crecimiento del pelo en las mujeres. Las mujeres asiáticas y las de origen norteamericano tienden a tener poco pelo en el cuerpo, mientras que las orientales y las mediterráneas suelen tener una cantidad considerablemente mayor.

Nacido libre (de pelo)

Si eres el único hombre de la familia, y el único de tus amigos, que no se tiene que afeitar, y no tienes mucho pelo en el pecho, en el pubis o en las axilas, puede ser que padezcas un trastorno cromosómico conocido como *síndrome de Klinefelter*. Se trata de una anomalía relativamente infrecuente. Otras señales características de este síndrome son estatura más alta de lo normal, cuerpo con forma de pera, órganos genitales pequeños y algunas veces pechos grandes. (Véase el capítulo 7.) Pero puede ser que los hombres con este síndrome no presenten estos síntomas, o que no hagan caso de ellos. De hecho, un hombre puede no saber que lo padece hasta que él y su pareja consultan con un endocrinólogo u otro especialista en fertilidad, porque no consiguen que ella se quede embarazada. Dado que los hombres con Klinefelter suelen tener índices de testosterona anormalmente bajos y niveles altos de

---

HECHO SIGNIFICATIVO

Los pelos de la barba son los que crecen más rápidamente de todos los del cuerpo humano. A un hombre que no se afeitara nunca la barba, esta le crecería, por término medio, unos nueve metros.

estrógenos, con frecuencia sufren de esterilidad y de disfunciones sexuales.

SEÑAL DE ADVERTENCIA

Los hombres con síndrome de Klinefelter tienen un mayor riesgo de osteoporosis y de padecer algunos graves trastornos autoinmunes, como artritis reumatoide y lupus. También aumentan sus posibilidades de desarrollar un cáncer de mama, o de testículos, así como enfermedades pulmonares y *tumores extragonadales de células germen* que, aunque infrecuentes, pueden ser cancerosos.

Afortunadamente, muchos hombres aquejados de esta anomalía y que padecen esterilidad pueden tener hijos con la ayuda de técnicas reproductivas avanzadas. Y con un tratamiento a base de testosterona, puede crecerles el pelo y pueden llevar una vida sexual más satisfactoria.

PÉRDIDA DE CEJAS Y PESTAÑAS

Si percibes que tus pestañas y cejas, antes magníficas y muy pobladas, han desaparecido como por encanto, puede tratarse de otra desagradable señal de envejecimiento.

HABLANDO DE SEÑALES

 Un cuerpo velludo y unos brazos firmes y peludos son promesa de un alma varonil.

JUVENAL, poeta de la antigua Roma

Pero la pérdida de las pestañas —conocida médicamente como *madarosis*— puede ser también una señal sintomática de hipertiroidismo (véase «Proceso de encanecimiento prematuro») o una advertencia de que estás consumiendo demasiada vitamina A. Cuando son solo los pelos de la parte exterior de las cejas los que se caen, puede significar que padeces el *síndrome de Hashimoto*, un tipo crónico de hipotiroidismo. (Véase el capítulo 6.)

VAYAMOS HACIA ABAJO

Pérdida del pelo del pecho y del cuerpo

Para los antiguos griegos y romanos, el pecho de un varón libre de vello formaba parte del ideal estético, posiblemente porque representaba la juventud. Sin embargo, hoy en día, el pelo en el pecho de un hombre se considera en muchas culturas un signo de masculinidad y un motivo de orgullo. Como ocurre con el de la cabeza, cuando el pelo del pecho desaparece, el ego del hombre cae con él. La pérdida de pelo del pecho y el cuerpo puede ser un signo normal de envejecimiento o una señal de deficiencia andrógena, que a su vez está relacionada con el envejecimiento. También puede ser un síntoma de alopecia areata. (Véase «Pérdida de pelo fragmentaria o irregular».)

Pérdida del vello púbico

Muchos de nosotros decidimos depilarnos, afeitarnos, aplicarnos cera, quemar, o eliminar de cualquier otra manera, el pelo que no queremos tener en determinada parte del cuerpo. De hecho, una de las últimas modas que se ha impuesto entre algunas chicas consiste en afeitarse el vello púbico. Pero cuando el vello púbico se empieza a caer porque sí, puede que ya no sea una autoafirmación o un deseo de ir a la última.

El adelgazamiento del vello púbico en las mujeres es un signo de envejecimiento totalmente natural que indica que los niveles de estrógenos están disminuyendo, lo cual ocurre con la menopausia. Aunque los hombres también pueden perder vello púbico a medida que van cumpliendo años, en ellos es menos evidente.

SIGNO DE LOS TIEMPOS

En el siglo XVI, el zar ruso Iván el Terrible declaró que afeitarse la barba era pecado. Cuando Pedro el Grande accedió al trono, era de la opinión de que una cara afeitada era un signo progresista; consideraba que la barba era algo antiguo y ridículo. Procedió personalmente a cortar la barba de los miembros de la nobleza e impuso un «impuesto sobre la barba» a los hombres que seguían dejándosela crecer. Los sacerdotes y los campesinos estaban eximidos del pago de este impuesto.

Para cualquier edad y para cualquiera de los dos sexos, la escasez de vello púbico —al igual que la pérdida de pelo en las axilas— puede ser una señal de hipopituitarismo (véase «Caída del pelo»). También nos puede revelar la existencia de otro trastorno hormonal grave aunque poco frecuente: la *enfermedad de Addison*, afección potencialmente mortal que destruye las glándulas suprarrenales y afecta a las membranas mucosas y a la piel, así como al pelo. (Véase el capítulo 9 y el apéndice I.)

PELO... AQUÍ, ALLÁ Y ACULLÁ

Pelo... donde más molesta

Las mujeres barbudas han formado parte desde hace mucho tiempo de los números de circo y parques de atracciones. Pero si una mujer se da cuenta de que le empiezan a salir pelos en la barbilla, o a crecerle bigote, lo más probable es que el asunto no le divierta.

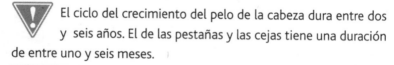

HECHO SIGNIFICATIVO

El ciclo del crecimiento del pelo de la cabeza dura entre dos y seis años. El de las pestañas y las cejas tiene una duración de entre uno y seis meses.

Ese horrible pelo en la cara puede ser un signo inofensivo de envejecimiento. Aunque muchas mujeres pierdan pelo durante la menopausia o se les vuelva más fino (véase «Pérdida de pelo en las mujeres»), a otras les puede pasar exactamente lo contrario, al producir proporcionalmente menos estrógenos y más andrógenos. Tanto las mujeres como los hombres tienen andrógenos y estrógenos, y es la cantidad de estas hormonas y la proporción entre ellas la que determina la cantidad de pelo que tenemos y dónde lo tenemos.

El crecimiento de pelo en lugares donde no debe crecer, así como su crecimiento excesivo, sea donde sea, son señales

SIGNO DE LOS TIEMPOS

En 2004, la firma Lloyd's de Londres empezó a ofertar un producto un tanto especial de seguro: cubría la caída del pelo del pecho de los hombres hasta un millón de libras.

típicas de exceso de andrógenos. Conocido médicamente con el nombre de *hirsutismo*, puede darse en ambos sexos. Mientras que para los hombres puede no representar un problema, es tremendamente desagradable para las mujeres. El pelo superfluo en las mujeres suele ser oscuro y áspero, y crece en los lugares en los que los hombres suelen tenerlo normalmente, como la barbilla, el pecho, encima del labio superior, los muslos, las orejas, la cara o alrededor de los pezones.

SEÑAL DE ADVERTENCIA

El lanugo —ese vello muy fino que tienen los recién nacidos— se puede observar a veces en personas adultas. Cuando es así, puede ser una señal del trastorno de la alimentación conocido como *anorexia nerviosa*.

Las mujeres que padecen hirsutismo tienen con frecuencia voz grave, músculos pronunciados, pechos pequeños, clítoris grande y períodos menstruales irregulares, características todas ellas de un trastorno hormonal de tipo andrógeno llamado *masculinización*.

Acompañado o no de estos otros signos, el hirsutismo puede ser un efecto secundario de medicamentos que contengan hormonas, como las píldoras anticonceptivas, los es-

SIGNO DE LOS TIEMPOS

En el siglo xv, las mujeres inglesas se afeitaban el vello púbico para prevenir la aparición de piojos. Se cubrían la zona afeitada con un merkin (o peluca púbica). Los merkin los utilizaban también mucho las prostitutas, aunque por otro motivo: les cubría las señales que revelaban que tenían sífilis u otras enfermedades venéreas.

teroides, los fármacos para la fertilidad y la testosterona. Y no debería sorprendernos que el crecimiento de pelo excesivo pueda ser un efecto secundario del minoxidil (Rogaina), medicamento contra la hipertensión que se usa habitualmente como tratamiento para la pérdida de cabello. El hirsutismo puede también revelar el abuso o mal uso de esteroides anabolizantes.

SEÑAL DE ADVERTENCIA

Las mujeres con un exceso de andrógenos provocado por enfermedades como el SOP o el síndrome de Cushing tienen un mayor riesgo de contraer cáncer de útero, de hacerse resistentes a la insulina y de tener niveles altos de colesterol. El SOP puede ser también un signo que nos revela la posibilidad de una enfermedad cardíaca.

El exceso de pelo en la cara y en el cuerpo en las mujeres es con frecuencia un signo del *síndrome del ovario poliquístico (SOP)*. También llamado *enfermedad ovárica poliquística (EOP)* y *síndrome de Stein-Leventhal*, es uno de los trastornos menos diagnosticados, o mal diagnosticados, de los que afectan a las mujeres en edad fértil. Otros síntomas comunes son el acné y el sobrepeso. En las mujeres afectadas por el SOP —cuya causa es la excesiva producción de andrógenos— los períodos de menstruación son irregulares o inexistentes. De hecho, el SOP es una importante causa de infertilidad.

HECHO SIGNIFICATIVO

¿Te has preguntado alguna vez por qué el vello de los brazos, axilas, pecho, piernas y pubis nunca crece mucho? La razón es que su fase de crecimiento solo dura unos pocos meses mientras que la de reposo se prolonga varios años.

El hirsutismo puede ser una señal de otro tipo de trastorno hormonal, conocido como *síndrome de Cushing* o *hipercortisolismo*. A diferencia del SOP, que es de tipo andrógeno, el excesivo crecimiento de pelo propio del síndrome de Cushing es debido a que las glándulas suprarrenales producen demasiada hormona del estrés o cortisol. Tanto las mujeres como los hombres pueden padecer esta enfermedad, que normalmente se presenta entre los veinte y los cincuenta años de edad. Las mujeres con este síndrome suelen tener pelo en la cara, el cuello, el pecho, el abdomen y los muslos. Otros síntomas comunes son períodos de menstruación irregulares o inexistentes, acné y otros problemas cutáneos, así como acumulación de grasa en la cintura.

El crecimiento excesivo de pelo puede también indicar la existencia de quistes de ovario. Estos tumores, que contienen sustancia líquida, y que se suelen dar durante los años de fertilidad, normalmente no son cancerosos. Sin embargo, las mujeres de más edad con quistes de ovario tienen un mayor

SEÑAL DE ADVERTENCIA

 Si te atormenta el exceso de pelo y el acné, y además estás demasiado cansado y dolorido, puede ser que tengas una hepatitis crónica o algún otro trastorno grave.

riesgo de desarrollar un cáncer de ovario. De hecho, el crecimiento de pelo en la cara de una mujer que haya pasado la menopausia puede ser una seria advertencia de que tiene un cáncer de ovario.

Hombres muy peludos

Al igual que las mujeres barbudas, los llamados hombres lobo han sido típicas atracciones de feria. Esta modalidad de crecimiento excesivo del vello en los hombres, conocida médicamente como *hipertricosis congénita*, es extraordinariamente infrecuente. Sin embargo, existe una forma menos severa y más común de esta anomalía que se conoce como *hipertricosis adquirida*, que se puede dar como reacción medicamento-

SIGNO DE LOS TIEMPOS

Vivian Wheeler padecía de hirsutismo. Su madre la obligaba a afeitarse la cara a la tierna edad de siete años. Cuando falleció su madre a principios del decenio de 1990 decidió que había llegado la hora de abandonar la pesada costumbre de afeitarse. En unos cuantos años, le había salido una barba de casi treinta centímetros. La contrataron para un espectáculo local de «rarezas» y llegó a ser incluida en el *Libro Guinness de los récords*.

sa a algunos esteroides de uso tópico, a antibióticos y a fármacos para tratar la epilepsia o para promover el crecimiento del pelo. Normalmente, cuando se deja de tomar el medicamento cesa el crecimiento. Este fenómeno de crecimiento desmesurado en los hombres también puede ser un síntoma de la enfermedad de la piel denominada *liquen simplex*, que comporta además el engrosamiento de la misma. (Véase el capítulo 9.) Por otro lado, el crecimiento capilar excesivo en los hombres puede ser indicativo de un trastorno metabólico que afecta a la piel y que se denomina *porfiria cutánea tarda*, que da lugar también a la formación de ampollas en zonas expuestas al sol. La porfiria cutánea tarda está asociada a diferentes problemas hepáticos graves, incluida la hepatitis C, que puede desembocar en cirrosis o incluso en cáncer de hígado si no la tratamos.

SEÑAL DE ADVERTENCIA

Las mujeres emparentadas con hombres muy peludos pueden tener el riesgo de contraer el síndrome del ovario poliquístico.

A MODO DE CONCLUSIÓN

Está claro que si tienes algún problema con el pelo no debes necesariamente soslayarlo como si solo fuera una preocupación de tipo estético. Aunque la pérdida de pelo no es por lo general una señal indicativa de algo que vaya a amenazar tu vida de forma inmediata, si aprecias signos relacionados con otros trastornos capilares deberías tenerlos en cuenta en su conjunto y consultar con tu médico de cabecera. Lo más probable es que resuelva tu problema o que te envíe a un especialista que pueda hacerlo. Los siguientes especialistas están preparados para diagnosticar y tratar muchos problemas relacionados con el pelo y el cuero cabelludo.

- *Dermatólogo*: médico con una formación especializada en el diagnóstico y tratamiento de enfermedades de la piel y del cabello. (Piensa que, en definitiva, el cabello es de hecho una forma que adopta la piel.)
- *Endocrinólogo*: médico especializado en evaluar y tratar los trastornos hormonales, muchos de los cuales son la causa de problemas relacionados con el pelo.

2

¿QUÉ DICEN TUS OJOS?

Él no habla y, sin embargo,
dentro de sus ojos
hay toda una conversación.

HENRY WADSWORTH LONGFELLOW,
The Hanging of the Crane, 1875

Los ojos, que tienen más de dos millones de componentes en funcionamiento, son el segundo órgano más complejo de nuestro cuerpo (el primero es el cerebro). Su función principal, la vista, es para muchos el más importante de los cinco sentidos. Pero el significado que tienen los ojos va más allá de su labor física.

Desde los tiempos remotos, los ojos han sido fuente de fascinación, pero también de temor. La capacidad que tienen de cautivar a quienes los contemplan reforzó la creencia muy extendida de que los ojos son poderosas fuentes de maldad. De hecho, una de las supersticiones más antiguas y universales consiste en creer en el «mal de ojo» y en el poder que tiene de hacer daño a los niños, a los adultos, al ganado e incluso a las cosechas. Pueden encontrarse referencias al mal de ojo en el Talmud, en la Biblia y en el Corán. La superchería del mal de ojo, llamado *mal occhio* por los italianos, *evil eye* por los ingleses y *ayin ha'ra* por los hebreos, subsiste en muchos países mediterráneos, latinoamericanos y de Oriente Próximo.

HECHO SIGNIFICATIVO

El «mal de ojo» figura en el Manual Diagnóstico y Estadístico de Trastornos Mentales de la Asociación Americana de Psiquiatría como un síndrome de carácter cultural que afecta a los niños en algunos países mediterráneos y latinoamericanos. Entre sus síntomas están la diarrea, el vómito, el insomnio y los ataques de llanto no provocado.

Pero en el antiguo Egipto y en otras culturas creían en el poder benefactor, protector y curativo de los ojos. El Ojo de Horus, símbolo que apareció por primera vez hace más de cinco mil años, es una de las representaciones positivas más antiguas del ojo: simboliza protección y poder. El ojo izquierdo representaba a la luna, y el derecho, conocido como el Ojo de Ra (o Re), al sol.

Creamos o no en el mal de ojo, todos atribuimos un enorme significado a los ojos. De hecho, cuando conocemos a una persona, o cuando saludamos a alguien, lo primero en que normalmente nos fijamos es en sus ojos. Son la parte más fácil de reconocer de la cara, e incluso de todo el cuerpo, lo cual explica por qué se han usado durante siglos máscaras que ocultan los ojos para que una persona no pueda ser identificada. Las máscaras siguen siendo un objeto primordial en festividades como Halloween y el carnaval de Mardi Gras, donde se usan simbólicamente para ocultar, de los demonios y

SIGNO DE LOS TIEMPOS

EL «ojo que todo lo sabe», que hoy figura en lo alto de la pirámide que hay en el reverso del billete de un dólar de Estados Unidos, está inspirado en el Ojo de Horus. Y se cree que el ojo derecho (el Ojo de Ra) es el origen del símbolo Rx que todavía se usa en las recetas médicas

otros seres malignos o simplemente a los compañeros de juerga, la identidad de quienes las llevan.

Considerados como «las ventanas del alma» o los «espejos del alma», los ojos transmiten toda la gama de las emociones humanas: amor, odio, alegría, enfado, envidia, deseo, pena y dolor. Se puede reír y llorar con los ojos. Si sabemos lo que buscamos, los ojos pueden también decirnos, y decir a los demás, muchas cosas sobre el estado de nuestra salud, ya que proporcionan señales de advertencia en relación con muchas posibles enfermedades. No debe sorprendernos que los médicos siempre nos miren los ojos en un reconocimiento físico.

SEÑALES DE LOS OJOS QUE LOS DEMÁS PUEDEN VER

Círculos debajo de los ojos

Cuando vemos que una persona tiene ojeras, lo más probable es que demos por sentado que la causa está en la falta de sueño, o tal vez en una resaca. Pero no siempre es así. Muchas personas tienen estos antiestéticos rasgos aunque duerman ocho horas.

HABLANDO DE SEÑALES

 La cara es el espejo del alma, y los ojos, sin necesidad de hablar, revelan los secretos del corazón.

SAN JERÓNIMO,
estudioso griego de la Biblia que vivió en los siglos IV y V

De hecho, los círculos de color oscuro pueden ser algo de lo que la mayoría podríamos culpar a nuestros padres. Todos tenemos la piel muy fina debajo de los ojos, pero en algunas personas esa piel es hereditariamente aún más delgada, más pálida y más transparente que en otras. Cuanto más fina, liviana y transparente sea, mayor será la probabilidad de que tengamos los vasos sanguíneos de alrededor de los ojos de un tono azulado. También pueden entrar en juego otros factores. Por ejemplo, los círculos oscuros pueden ser reveladores del estado hormonal de una mujer. Muchas mujeres se vuelven más pálidas durante la menstruación o el embarazo, lo que hace que los vasos sanguíneos que están debajo de los ojos sean más visibles. Y algunos medicamentos, como la aspirina, el Coumadin (warfarina) y otros anticoagulantes, pueden dilatar esos vasos sanguíneos, haciendo más visibles los propios vasos y los círculos.

Los círculos alrededor de los ojos pueden ser también una señal indicativa de algunos trastornos médicos latentes, siendo los más comunes los *eccemas* (afección de la piel que se caracteriza por su sequedad y porque produce picores) y las alergias. De hecho, a los círculos oscuros se les suele llamar «ojos amoratados alérgicos». Las alergias hacen que los vasos sanguíneos se congestionen y que la sangre se acumule debajo de los ojos. Por si fuera poco, las personas alérgicas suelen tener picor de ojos y, cuando se los frotan, pueden dañar e irritar el delicado tejido que está debajo de ellos, con lo que este se pone aún más oscuro.

SEÑAL DE ADVERTENCIA

Puedes creerte que adquieres un aspecto muy saludable cuando tomas el sol. Pero demasiado sol, no solo puede hacer que te salgan círculos bajo los ojos sino que aumenta de manera importante el riesgo de cataratas y de cáncer de piel.

Los círculos oscuros pueden ser también un serio aviso de que se ha tomado demasiado el sol. Todos sabemos que el exceso de exposición al sol hace que la piel se ponga roja u oscura; lo mismo ocurrirá con la piel que rodea a los ojos.

BOLSAS EN LOS OJOS

Esos abultamientos que están debajo de los ojos y que llamamos bolsas pueden ser una señal de depresión, al igual que las ojeras. Pero lo probable es que los causantes del problema sean el insomnio y el llanto que suelen acompañar a una depresión más que la depresión en sí. El llanto puede producir retención de fluidos que suelen acumularse bajo los ojos. La retención de líquidos y, por supuesto, las bolsas pueden también estar ocasionadas por la menstruación, el embarazo, la excesiva ingesta de sal y determinados medicamentos como los antidepresivos y las píldoras anticonceptivas. Y al revés, las bolsas pueden también ser un signo de deshidratación provocada por el alcohol, siendo en este caso la manera que tiene nuestro cuerpo de decirnos que estamos bebiendo demasiado. También pueden acumularse líquidos alrededor de los ojos mientras dormimos, razón por la que muchas veces nos despertamos con los ojos hinchados.

SEÑAL DE STOP

Dormir con la cabeza más alta que el cuerpo puede ayudarte a reducir la retención de líquidos debajo de los ojos. Y muchas personas dicen que aplicar unas rodajas de pepino frío o bolsitas de té muy frías en los párpados durante cinco o diez minutos ayuda a reducir el tamaño de las bolsas y la hinchazón.

Las bolsas en los ojos son también una señal de advertencia característica del *hipotiroidismo* o insuficiente actividad de la tiroides. (Véase el apéndice I.) Otros signos típicos son los ojos caídos (véase «Pestañas caídas»), la sensación constante de frío y la sequedad de la piel.

HECHO SIGNIFICATIVO

La piel de los párpados es la más fina de todo el cuerpo.

Por último, tanto las bolsas como las ojeras de color oscuro son importantes —e inevitables— signos de envejecimiento. A medida que vamos cumpliendo años, la piel que se encuentra debajo de los ojos se vuelve más fina y pierde elasticidad, haciendo que tienda a irse hacia abajo formando bolsas, las cuales producen sombras que hacen que las ojeras aparezcan aún más oscuras.

PARTES DEL OJO

Las principales partes del ojo son:

- La conjuntiva: membrana mucosa de color claro que recubre la superficie externa del ojo.
- La córnea: membrana central transparente que cubre la parte frontal del ojo.
- La esclerótica: la parte blanca del ojo.
- El iris: parte coloreada del ojo, que ayuda a controlar la cantidad de luz que penetra en el mismo.
- La pupila: espacio oscuro que está en el centro del iris.
- La retina: membrana donde se reciben las impresiones luminosas, que está en la parte posterior del ojo.
- El cristalino: cuerpo de forma esférica lenticular transparente situado detrás de la pupila que, junto con la córnea, enfoca la luz en la retina.

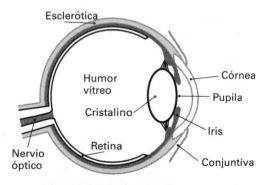

GLOBO OCULAR ADULTO

Arrugas debajo de los ojos

¿Te has fijado alguna vez, al ojear un álbum de fotos familiar, en un rasgo facial común consistente en una arruga o pliegue prominente de la piel situado en el párpado inferior? De ser así, puede tratarse de un signo de la afección genética llamada *pliegue de Denny Morgan*, que supone un síntoma ocular de *eccema*. Además de eccema, las personas que tienen pliegues de Denny Morgan —y muchos de sus parientes— con frecuencia sufren de *fiebre del heno* o de *asma*.

Párpados caídos

Mientras que los «ojos somnolientos» pueden resultar sexys, los párpados caídos —médicamente conocidos como *ptosis*— pueden ser francamente desagradables. Desgraciadamente, no suelen ser sino un signo inevitable más de envejecimiento. A medida que nos hacemos mayores, el tejido tendinoso de la parte superior de los ojos tiende a estirarse, lo que ocasiona la caída de los párpados. La ptosis asociada a la edad suele afectar a los dos ojos y normalmente no hay que preocuparse de ella. Sin embargo, los párpados pueden llegar a caer hasta el punto de impedir la visión.

Algunas veces, los párpados caídos no están relacionados con la edad sino que son un síntoma de *hipotiroidismo* (véase «Bolsas en los ojos») o de *miastenia gravis (MG)*, trastorno autoinmune que produce debilidad muscular en distintas partes del cuerpo, especialmente en los ojos. (Véase el apéndice I.) Otros signos que pueden revelar una MG son visión doble, dificultad para tragar y problemas para articular las palabras. Es más frecuente en las mujeres de menos de cuarenta años y en los hombres de más de sesenta.

SIGNO DE LOS TIEMPOS

Se dice que el enano Dormilón, uno de los siete enanitos de la película de Walt Dysney *Blancanieves y los siete enanitos*, que tenía los párpados caídos, estaba inspirado en un amigo de Walt Disney que padecía una miastenia gravis.

La ptosis puede también indicarnos la existencia de una *parálisis de Bell*, que es un tipo de parálisis facial en la que el nervio que controla las expresiones de la cara (el *séptimo nervio craneal*) está dañado por una lesión o por una enfermedad. La parálisis o debilidad facial puede sobrevenir muy rápidamente y normalmente afecta solo a un lado de la cara. Otras señales oculares características de la parálisis de Bell son la dificultad para cerrar los ojos o para parpadear, lo que a su vez puede dar lugar a un lagrimeo excesivo o a sequedad de ojos. (Véanse «Ojos llorosos y Ojos secos».) Afortunadamente, la paralización consecuencia de esta enfermedad muy pocas veces es permanente; normalmente, el problema se resuelve sin tratamiento en dos o tres semanas. Solo alrededor de un 10 % de las personas con esta afección sufren una recaída, que suele darse en el otro lado de la cara.

La caída de uno de los párpados puede ser una más entre diversas señales relacionadas con un daño nervioso que, tomadas en su conjunto, se conocen como *síndrome de Horner*. Normalmente, este síndrome se da en un solo lado de la cara. La pupila del ojo afectado se hace más pequeña, el globo ocular se hunde en la cara y el iris cambia de color. (Véase «Cambios en el color de los ojos».) Curiosamente, no se produce sudoración en esa parte de la cara *(anhidrosis)*. El síndrome de Horner suele ser señal de una lesión grave de los nervios faciales, causada posiblemente por una lesión en la cabeza o en el cuello, por un trastorno que afecta a la médula espinal, por un tumor cerebral o incluso por un cáncer de pulmón. En algunas raras ocasiones, el Horner se presenta desde el nacimiento.

SEÑAL DE PELIGRO

Si el párpado de un ojo que antes era normal se viene hacia abajo de repente, llama inmediatamente a tu médico o vete a la sala de urgencias de un hospital. Puedes tener una lesión o un tumor cerebral. Si, además, notas que ves doble y sientes debilidad en los músculos faciales o en los de otra parte del cuerpo, tienes un fuerte dolor de cabeza o dificultad para hablar o para tragar, puedes estar experimentando un derrame cerebral.

Un solo párpado caído puede también indicarnos la presencia de varios trastornos neurológicos o sistémicos graves, algunos de los cuales pueden ser mortales. Por ejemplo, puede ser una señal que revela un derrame cerebral, una infección, un tumor, diabetes o un aneurisma (zona especialmente fina y debilitada de la pared de un vaso sanguíneo, que puede desgarrarse).

Ojos saltones

Todos hemos conocido personas a quienes parece que los ojos se les van a salir de las órbitas. ¿Te acuerdas de Rodney Dangerfield? ¿Y quién podría olvidarse de aquel Igor de ojos saltones interpretado por Marty Feldman en la película *El jovencito Frankenstein* de Mel Brooks?

Cuando una persona tiene ojos saltones de nacimiento, normalmente se trata de un rasgo familiar completamente inocuo. Pero si en algún momento de tu vida notas que los ojos tienden a salirse de las órbitas —trastorno denominado *exoftalmos* (a veces se le llama *exoftalmus*) o *proptosis*— puede tratarse de una seria advertencia de que padeces *hipertiroidismo*, o sea hiperactividad de la tiroides. (Véase el apéndice I.) Tanto los ojos saltones de Dangerfield como los de Feldman eran consecuencia de esta anomalía. De hecho, este rasgo facial es uno de los síntomas más frecuentes de la *enfermedad de Graves*, que es la forma más común de hipertiroidismo. (Véase el capítulo 6.)

La enfermedad de Graves es una afección autoinmune en la que los anticuerpos atacan la glándula tiroides, haciendo que produzca una cantidad excesiva de hormona tiroidea con lo que el metabolismo se acelera, algunas veces hasta extremos peligrosos.

El exceso de hormonas también puede hacer que los músculos, los tejidos y la grasa que hay dentro y alrededor del ojo se hinchen y empujen a este hacia fuera, dando lugar a unos ojos saltones, lo que se conoce como *oftalmopatía de Graves* o

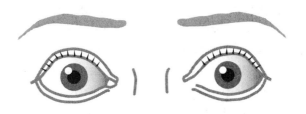

EXOFTALMUS

enfermedad ocular tiroidea. Alrededor de la mitad de las personas que padecen la enfermedad de Graves está afectada también por la enfermedad ocular tiroidea. De hecho, en algunas personas, los síntomas que se presentan en los ojos aparecen antes que los demás signos característicos de la enfermedad de Graves, como palpitaciones, temblores de manos, insomnio, intolerancia al calor, hambre o sed excesivas y pérdida de peso. La enfermedad de Graves es más o menos ocho veces más frecuente en las mujeres que en los hombres, y aquellas tienen un número de probabilidades cinco veces mayor que el de estos de tener exoftalmos relacionado con la tiroides.

SEÑALES DE ADVERTENCIA

Las señales que revelan oftalmopatía de Graves son:
- Ojos saltones (exoftalmos).
- Párpados hinchados.
- Ojos arenosos.
- Lagrimeo excesivo.
- Visión doble.
- Visión borrosa.
- Visión disminuida.
- Movimientos oculares nerviosos incontrolables (nistagmus).

Si no estás seguro de si tus ojos, o los de otra persona, son patológicamente saltones, o prominentes por naturaleza, mira de cerca la parte blanca del ojo (esclerótica). En la mayoría de la gente, incluidas las personas que tienen ojos prominentes, *no se puede* ver la parte blanca entre el borde del iris y el párpado superior. Sin embargo, en las personas que padecen exoftalmos, puede verse muy claramente la parte blanca del ojo encima o debajo del iris. Los que padecen la enfermedad ocular tiroidea también tienen dificultad para parpadear, lo que hace que parezca que te están mirando fijamente.

SIGNO DE LOS TIEMPOS

Al presidente George H.W. Bush le diagnosticaron la enfermedad de Graves dieciocho meses después de que a su esposa, Barbara, le fuera diagnosticada la misma dolencia. La probabilidad de que esta afección se presente tan próxima en el tiempo en dos personas sin lazos de consanguinidad que vivan en la misma casa —fenómeno conocido como *enfermedad de Graves conyugal*— es aproximadamente de una entre tres millones. ¡Según algunas personas, el agua de la Casa Blanca, de Camp David o de la casa del matrimonio Bush en Kennebunkport fue envenenada nada menos que por Sadam Husein!

Unos ojos que no parpadean adecuadamente producen un insuficiente lagrimeo, lo que provoca que estén secos, arenosos e irritados. En algunos casos, al paciente le resulta difícil cerrar completamente los ojos, lo que los hace vulnerables a lesiones importantes, como la *ulceración de la córnea* (llaga abierta en la córnea) o una posible perforación de la misma. Por último, si no se puede cerrar los ojos completamente durante la noche, resulta muy difícil dormir.

SEÑAL DE ADVERTENCIA

El exoftalmos normalmente afecta a los dos ojos. Si se presenta de manera repentina en uno de ellos, puede ser una señal de hemorragia o de una inflamación importante de la cuenca (órbita) del ojo o del conducto de los senos nasales.

Si los ojos saltones no tienen como causa una enfermedad tiroidea, pueden revelar una *infección* o un *glaucoma*, o algo aún más grave como la *leucemia* o un *tumor ocular*. Si se trata la enfermedad tiroidea, u otra, que ocasiona la anomalía, muchas veces los ojos recuperan su aspecto normal. Pero otras veces, la prominencia de los ojos es de carácter permanente. En los casos muy graves de exoftalmos, puede ser necesario intervenir quirúrgicamente para descomprimir el globo ocular.

Párpados vueltos hacia fuera

Si te das la vuelta una noche en la cama y ves que el párpado superior de tu pareja está vuelto hacia fuera no te dejes llevar por el pánico. La eversión del párpado es la consecuencia más probable de una anomalía identificada recientemente, el *síndrome del párpado flácido*, que se da con mucha más frecuencia en las personas obesas. Los párpados flácidos pueden revelar varios problemas importantes relacionados con la obesidad, como *apnea del sueño, hipertensión* y *diabetes*.

SÍNDROME DEL PÁRPADO FLÁCIDO

Bultos en los párpados

Aunque no presentan un aspecto tan sumamente extraño como los párpados vueltos hacia fuera, los bultos en los párpados —al igual que los que se presentan en cualquier parte del cuerpo— son preocupantes y desagradables. Y pueden ser perturbadores para ti y para tu vista. Si estos bultos son amarillentos probablemente son *xantelasmas*, o sea unos depósitos de grasa bajo la piel, indoloros pero antiestéticos. Normalmente, se producen en la esquina interior del párpado superior. (Cuando aparecen en otras partes del cuerpo se les llama *xantomas*.) Con independencia de su localización, suelen darse en personas mayores de sesenta años, y más o menos el doble de veces en las mujeres que en los hombres.

SEÑAL DE ADVERTENCIA

Si tienes bultos amarillentos en los párpados y la coloración de tu piel también es amarillenta (*ictericia*), y sientes además un picor intenso (*prurito*), podría ser que padezcas una cirrosis biliar primaria (CBP), enfermedad del hígado muy poco frecuente pero potencialmente mortal. Esta dolencia, en el 90 % de los casos, afecta a mujeres de mediana edad. Es un trastorno autoinmune progresivo que desemboca en cirrosis, insuficiencia hepática y muerte.

Aunque los xantelasmas normalmente son inofensivos por sí mismos, en la mitad de las ocasiones indican niveles elevados de colesterol LDL (el colesterol malo), o niveles bajos de colesterol HDL (el colesterol bueno), circunstancias que suponen un factor de riesgo para el corazón. Y como los xantelasmas pueden llegar a ser bastante grandes, podría ocurrir que interfieran en la visión, con lo que sería necesario eliminarlos quirúrgicamente, aunque podrían volver a salir.

Abultamientos y protuberancias en el globo ocular

Si percibes un abultamiento o protuberancia de color blanco o amarillento en la aparte blanca del ojo, no te asustes. Esa especie de burbuja con un aspecto horrible no es probablemente más que una señal reveladora de una afección ocular bastante común y benigna con el imposible nombre de *pinguécula*. Se suelen presentar en la parte del globo ocular más próxima a la nariz. (Cuando se extienden a la superficie de la córnea se les llama *pterigia*.) Las pinguéculas son, de hecho, lunares que salen con la edad y, como los de la piel, son consecuencia de la exposición al sol durante años. Estos abultamientos en el globo ocular, que crecen muy lentamente, son también una señal indicativa de una excesiva exposición al viento y al polvo. Pero, a diferencia de muchas otras manchas de edad relacionadas con la exposición al sol, normalmente no se vuelven cancerosas. Sin embargo, pueden irritarse y crecer hasta el punto de interferir en la visión o entorpecer la colocación de unas lentillas.

SEÑAL DE STOP

STOP Aunque se eliminen quirúrgicamente, las pinguéculas y pterigias suelen volver a crecer aún más grandes y más rápidamente. Llevar gafas de sol con un 100 % de protección contra los rayos ultravioleta puede impedir o retrasar su reaparición.

OJOS ENROJECIDOS

Cuando ves a una persona con los ojos enrojecidos, puedes pensar que ha estado llorando o que se ha tomado una copa de más. Y es posible que tengas razón. Cuando «lloras como una Magdalena» los pequeños vasos sanguíneos de los ojos se dilatan o se inflaman. Beber demasiado alcohol puede tener un efecto similar.

Los ojos inyectados pueden también ser una señal de que estás pasando un resfriado o de que atraviesas un proceso alérgico. Pero si siguen en ese estado varios días después y es-

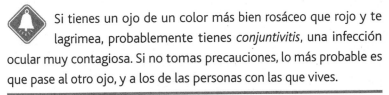

SEÑAL DE ADVERTENCIA

Si tienes un ojo de un color más bien rosáceo que rojo y te lagrimea, probablemente tienes *conjuntivitis*, una infección ocular muy contagiosa. Si no tomas precauciones, lo más probable es que pase al otro ojo, y a los de las personas con las que vives.

tás tomando medicamentos anticoagulantes, puede ser que seas víctima de una desagradable reacción a los mismos. Estos medicamentos algunas veces pueden provocar hemorragias en los ojos o en otras partes del cuerpo.

Los ojos crónicamente rojizos pueden ser una seria advertencia de que padeces *rosácea ocular*. La rosácea es una afección común de la piel que hace que la cara se ponga roja y grasienta, y que le salgan granos. (Véase el capítulo 9.) Alrededor del 60 % de las personas que padecen rosácea tienen también rosácea ocular, que puede también dar lugar a otros problemas oculares como los ojos llorosos, los ojos secos, la irritación de ojos y la hipersensibilidad a la luz. Si no se somete a tratamiento, la rosácea ocular puede ocasionar daños en la córnea y problemas de visión.

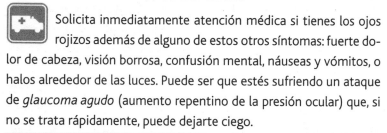

SEÑAL DE PELIGRO

Solicita inmediatamente atención médica si tienes los ojos rojizos además de alguno de estos otros síntomas: fuerte dolor de cabeza, visión borrosa, confusión mental, náuseas y vómitos, o halos alrededor de las luces. Puede ser que estés sufriendo un ataque de *glaucoma agudo* (aumento repentino de la presión ocular) que, si no se trata rápidamente, puede dejarte ciego.

OJOS AMARILLOS

Una cosa es tener los ojos rojos, pero cuando la parte blanca del ojo se vuelve de color amarillo, puede invocar imágenes de extraterrestres o demoníacas. Los ojos amarillos son el sello distintivo de la *ictericia*, enfermedad en la que la piel y los ojos se ponen amarillos debido a un exceso de bilirrubina, pigmento amarillo anaranjado que hay en la sangre. Los ojos ictéricos suelen ser una señal que nos advierte de una grave enfermedad del hígado, como hepatitis, cirrosis o cáncer de hígado.

HABLANDO DE SEÑALES

Cuando un hombre dice la verdad y su ánimo es sincero, sus ojos son tan claros como el cielo. Cuando sus intenciones son abyectas y habla con falsedad, sus ojos son turbios y algunas veces bizcos.

RALPH WALDO EMERSON, *Spiritual Laws*, Ensayo IV

Unos ojos amarillos pueden indicar también un cáncer de páncreas, anemia de células falciformes y fiebre amarilla, enfermedad tropical que se transmite por la picadura de un mosquito.

Los ojos amarillos puede ser un síntoma del *síndrome de Gilbert*, forma hereditaria de ictericia que afecta a hasta un 10 % de los caucasianos y que no suele producir problemas médicos. De hecho, aparte de unos índices elevados de bilirrubina, las personas con este síndrome no presentan otros síntomas y tienen una esperanza de vida normal. La ictericia suele ser leve y algunas veces se produce a causa del estrés, de una infección, del ayuno o del esfuerzo.

MOTAS EN LOS OJOS

¿Has observado alguna vez los ojos de una persona que tenga motas en la parte blanca del ojo? Las motas de color rojo brillante con aspecto de sangre en la esclerótica pueden ser señal de una afección indolora y normalmente benigna llamada *hemorragia subconjuntival*. Estas motas en realidad son vasos sanguíneos que han explotado por una fuerte tos o estornudo, por un vómito o por una lesión en el ojo. Pueden ser un signo de tensión sanguínea elevada, especialmente en personas mayores.

Las motas rojas en el ojo pueden también ser un síntoma de *esclerótica traslúcida senil focal*, afección en la que la existencia de depósitos de calcio hace que aparezcan zonas oscuras en la parte blanca del ojo. Aunque resulta desconcertante, esta afección es también otro signo normal, inofensivo, aunque poco atractivo, de envejecimiento. Sin embargo, las motas rojas recurrentes pueden ser indicativas de tensión sanguínea elevada o de un trastorno de la coagulación de la sangre.

Anillos alrededor del iris

Si ves un anillo, un arco o un halo que rodea el iris de una persona puede ser que estés ante otro signo común de envejecimiento, el *arco senil*. Conocidos también con el nombre de *arcos corneales*, estos anillos de color blanco amarillento están compuestos de colesterol que se deposita alrededor del iris o del borde de la córnea. Son más frecuentes en los hombres que en las mujeres y en las personas de ascendencia africana

---

HECHO SIGNIFICATIVO

 La córnea es el único tejido vivo del cuerpo que no contiene vasos sanguíneos.

---

que en las de raza blanca. Afortunadamente, no perjudican la visión. Hay cierta controversia sobre el significado médico de estos anillos. Se han asociado a las xantelasmas (véase «Bultos en el párpado»), así como a niveles altos de colesterol, diabetes, tensión sanguínea elevada, y a otros factores que aumentan el riesgo de enfermedades del corazón y derrames cerebrales. Los jóvenes con arcos corneales tienen un riesgo especial. Un reciente estudio danés mostró que las mujeres con arcos seniles tenían una esperanza de vida menor que las mujeres sin este signo.

Pupilas de diferente tamaño

Una de cada cinco personas tiene una pupila más pequeña que la otra, lo cual se conoce con el nombre de *anisocoria*.

Aunque la mayoría de quienes tienen esta característica la adquirieron al nacer, hay algunas que la desarrollan durante su vida.

El tamaño de las pupilas (pequeños espacios oscuros que están en el centro del ojo y a través de los cuales la luz llega a la retina) está determinado por el iris, que las dilata y las contrae para regular la cantidad de luz que entra en el ojo. Las pupilas alcanzan su mayor tamaño cuando tenemos entre trece y diecinueve años y empiezan a achicarse hasta los sesenta. A partir de esa edad, más o menos conservan el mismo tamaño.

SIGNO DE LOS TIEMPOS

Cuando tenía doce años, la estrella del rock and roll David Bowie tuvo una pelea a causa de una chica y su rival le dio un puñetazo en un ojo. Como consecuencia, le quedaron las pupilas de diferente tamaño.

Por regla general, tener las pupilas de tamaño diferente es un rasgo hereditario normal que no causa problemas. Pero el tamaño de una pupila puede cambiar como consecuencia de un traumatismo físico o puede producirse sin razón aparente *(idiopático)*. Cuando se producen estos cambios, muchas veces las pupilas vuelven a la normalidad espontáneamente.

Sin embargo, algunas veces, un cambio repentino en el tamaño de una pupila puede revelar una anomalía potencialmente mortal como por ejemplo una hemorragia cerebral, un tumor cerebral, una meningitis, una encefalitis o un aneurisma.

SEÑALES DE PELIGRO

 Pide inmediatamente atención médica si descubres que tienes las pupilas de diferente tamaño en alguna de estas circunstancias:

- Después de una lesión en un ojo o en la cabeza.
- Cuando, además, tengas dolor de cabeza, náuseas, vómitos, visión borrosa o visión doble.
- Cuando, además, tengas fiebre, poca sensibilidad, el cuello rígido o dolor de cabeza que empeora cuando te inclinas hacia delante.
- Cuando, además, te duelan mucho los ojos y/o pierdas la visión.

COLOR DE LOS OJOS

Al igual que el color del pelo, el color de los ojos está determinado genéticamente. La mayoría de la gente tiene los ojos de color negro o castaño. Comparativamente, los ojos azules son relativamente poco frecuentes y se dan sobre todo en personas de ascendencia norteeuropea. La mayor concentra-

---

HECHO SIGNIFICATIVO

 Las personas de ojos azules suelen tener las pupilas más grandes que las de ojos castaños.

---

ción de personas de ojos azules —un 90 % de la población— se encuentra en Finlandia. Los ojos verdes son aún menos frecuentes; suelen darse entre las personas de origen celta, germano y eslavo, siendo Hungría el país en el que más abundan. Son tan comunes entre los pastunes, que viven en Afganistán y Pakistán, que este grupo étnico es conocido como *hare ank-heim vaale*, o sea «pueblo de los ojos verdes».

SEÑAL DE ADVERTENCIA

Las personas de ojos azules tienen más probabilidades que las personas de ojos oscuros de sufrir daños oculares a causa del sol. Por lo tanto, suelen tener un mayor riesgo de desarrollar cataratas y degeneración macular, enfermedad ocular progresiva que es una de las causas más frecuentes de ceguera. Con independencia del color de tus ojos, las gafas oscuras pueden ayudarte a protegerte de estos y de otros trastornos oculares.

Cambios en el color de los ojos

De la misma manera que los genes determinan el color de los ojos, parece que también son responsables de los cambios del mismo relacionados con la edad. Entre un 10 y un 15 % de los caucasianos experimentan cambios en el color de los ojos en la adolescencia o en la edad adulta. Los ojos color avellana o castaño de los niños pueden volverse más claros, mientras que los de los que los tienen grises o verdes tienden a oscurecerse. Y los ojos azules de muchas personas adquieren una tonalidad azul más intensa a medida que van cumpliendo años, lo que les da el aspecto típico de muñeca china.

Ojos de diferente color

Si ves a alguien que tiene los ojos de diferente color, podrías pensar que se ha puesto por error un par de lentillas coloreadas de manera distinta o que está siguiendo una moda. Pero lo más probable es que tenga *heterocromia iridium*, alteración en la que una persona tiene los ojos o, para ser exactos, los iris, de distinto color. Si bien este es un rasgo bastante común en los perros, los gatos y los caballos, la heterocromia iridium es muy rara en los seres humanos. Otra forma de esta alteración es la *heterocromia iridis*, en la que los diferentes colores se presentan en el mismo ojo, creando un efecto pinto o jaspeado. Los dos tipos de heterocromia pueden ser congénitos o sobrevenir a causa de una enfermedad, lesión o reacción a un medicamento.

SIGNO DE LOS TIEMPOS

Los antiguos griegos temían a las personas de ojos azules porque creían que podían echar el «mal de ojo». Para alejar la amenaza llevaban unos colgantes que imitaban unos ojos azules. Hoy en día, muchos griegos —lo mismo que otras gentes del sur de Europa y de Oriente Próximo— siguen llevando esos amuletos de color azul.

Los ojos de diferente color pueden ser uno más de los diversos síntomas del conocido como *síndrome de Horner*. (Véase «Párpados caídos».) La discrepancia del color de los ojos puede también ser una señal característica de *iridociclitis heterocrómica de Fuchs*, un trastorno ocular que afecta sobre todo a personas adultas jóvenes. Muchas veces, quienes padecen esta perturbación —que suele afectar solo a un ojo— tienen también partículas flotantes en el humor vítreo y visión borrosa, así como un mayor riesgo de desarrollar cataratas o glaucoma.

SIGNO DE LOS TIEMPOS

Se dice que Aristóteles, Alejandro Magno y Louis Pasteur tenían los ojos de distinto color. Hay unas cuantas personas famosas en la actualidad —como Kate Borworth, Jane Seymour, Kiefer Sutherland y Christopher Walken— a las que les sucede lo mismo.

La discrepancia de color en los ojos también es un signo que distingue a un tipo de glaucoma llamado *glaucoma pigmentario*, que afecta principalmente a hombres jóvenes. Otras señales de glaucoma pigmentario pueden ser visión borrosa y dolor ocasional después del ejercicio o esfuerzo físico.

Los ojos de distinto color pueden también indicar una antigua lesión ocular. Y también pueden ser una señal, poco frecuente, de tumores benignos en la piel y de cáncer de piel.

SEÑAL DE ADVERTENCIA

Resulta interesante comprobar cómo algunos colirios que se usan para tratar el glaucoma, como el latanoprost (Xalatan), pueden oscurecer el iris. Si te pones las gotas solo en uno de ellos, puedes quedarte con los ojos de color diferente. Los médicos podrían considerar, a la hora de prescribir este medicamento a personas de ojos azules, que el oscurecimiento es irreversible. También se ha observado este fenómeno en pestañas y párpados.

LÁGRIMAS

Todos sabemos que las lágrimas son un signo normal que revela una emoción intensa, tanto de tristeza como de alegría.

Pero solo algunos se dan cuenta de que hay dos tipos de lágrimas, las de la emoción y las lubricantes, y que cada uno de ellos tiene una composición química diferente. Los científicos han descubierto recientemente que las lágrimas de la emoción contienen más proteínas y más hormonas relacionadas con el estrés que las que normalmente bañan los ojos.

SIGNO DE LOS TIEMPOS

Llorar copiosamente no siempre ha sido un signo vergonzoso de debilidad. En el siglo VIII, el más famoso guerrero medieval francés, Roland (sobrino de Carlomagno, que fue inmortalizado en el poema épico *La Chanson de Roland*), murió en el campo de batalla. Cuando los caballeros que lo acompañaban —más de 20.000— se enteraron de su muerte, quedaron tan abrumados por el dolor que se pusieron a llorar desconsoladamente, hasta el punto de desmayarse y caer de sus monturas.

Las lágrimas tienen tres capas: una de mucosidad pringosa, que ayuda a que se adhieran al ojo protegiendo la córnea, otra acuosa, que humedece y nutre el ojo, y otra oleaginosa, que sella las lágrimas haciendo que su evaporación sea más lenta.

Las lágrimas están constantemente bañando y limpiando los ojos, haciendo que salgan el polvo y los pequeños cuerpos extraños que pueden dañar las sensibles córneas. Las lágrimas pueden incluso matar a las bacterias que penetran en los ojos. Y cada vez que parpadeamos, toda la superficie del ojo se baña de lágrimas, que tienen un efecto lubricante y limpiador.

Ojos llorosos

Si se te caen las lágrimas a borbotones por toda la cara aunque no tengas ninguna razón para llorar, tampoco la tienes para reír. De la misma manera que el moqueo excesivo, el lagrimeo puede ser un signo de alergia. De modo que si te lloran los ojos a menudo y no estás lleno de tristeza, o de felicidad, puede ser que el ambiente en el que vives sea para ti demasiado ventoso o polvoriento, o que haya un exceso de flores.

En algunas ocasiones, la superabundancia de lágrimas puede ser una señal de *deficiencia de vitamina B2 (riboflavina)*, esencial para la salud de los ojos y de la piel. Los ojos llorosos también pueden ser un síntoma de rosácea, el trastorno de la piel que puede hacer que los ojos y la piel se pongan rojos. (Véanse «Ojos rojizos» y el capítulo 9.) O pueden indicar trastornos más importantes, como el bloqueo de un lagrimal, un pólipo nasal o la enfermedad de Graves. (Véase «Ojos saltones».)

Sequedad de ojos

Cuando los ojos no producen suficientes lágrimas, o estas contienen sustancias químicas que hacen que se evaporen demasiado rápidamente, terminamos contrayendo el trastorno llamado *ojo seco*, que normalmente afecta a los dos ojos. La gente con este trastorno se suele quejar de que le pican los ojos o de que los tiene arenosos. La afección es muy común, sobre todo a medida que envejecemos, y es más frecuente en las mujeres. El cuerpo de la mujer produce menos grasa a medida que envejece, especialmente después de la menopausia, debido a la menor producción de estrógenos. Al tener menos grasa, la última capa de la lágrima no se fija bien a la acuosa, con lo que las lágrimas se evaporan más rápidamente.

HECHO SIGNIFICATIVO

Por término medio, un parpadeo dura un tercio de segundo, y parpadeamos unas quince veces por minuto, lo que supone un parpadeo cada cuatro segundos.

Paradójicamente, unos ojos llorosos pueden ser síntoma de ojo seco. Si las lágrimas no son lo suficientemente pegajosas como para permanecer en el lugar que les corresponde y humedecer los ojos, caen hacia abajo. Y el ojo seco crónico, lo mismo que los ojos llorosos, puede ser una señal de que no vivimos en el ambiente idóneo. De hecho, las personas que viven en lugares calurosos, secos, ventosos o a gran altitud, o en una casa con demasiada calefacción, o aire acondicionado excesivo, tienen mayor riesgo de tener ojo seco.

El ojo seco es una reacción habitual a determinados medicamentos, como los antihistamínicos, los antidepresivos y los que tratan la hipertensión. Este trastorno puede también ser la manera que tiene tu cuerpo de decirte que lees demasiado o que pasas demasiadas horas en el ordenador. Cuanto más nos concentramos y mantenemos fija la vista, menos parpadeamos y menos lubricamos los ojos.

Aunque el ojo seco no es normalmente una señal especialmente importante, en algunos casos, al igual que los ojos llorosos, podría ser un síntoma de enfermedad de Graves o de otro trastorno tiroideo. (Véase «Ojos saltones».) El ojo seco también puede ser señal de algunos trastornos autoinmunes graves, como la artritis reumatoide y el *lupus eritomatoso sis-*

témico (*LES* o lupus), una enfermedad crónica muy grave que se caracteriza por la inflamación de muchas partes del cuerpo y por lesiones en las mismas. (Véase el apéndice I.)

Si tienes los ojos y la boca resecos y padeces de inflamación de las articulaciones, la combinación de estos tres síntomas apunta directamente a otra enfermedad autoinmune conocida como *síndrome de Sjögren*. (Véase el apéndice I.) Cuando se tiene este trastorno, que afecta sobre todo a las mujeres, el cuerpo ataca a unas glándulas que producen humedad. El 90 % de las personas con Sjögren son mujeres, y la edad media a la que se inicia es los cuarenta años. Si no se trata, el Sjögren puede dañar gravemente la córnea y afectar a otros órganos, especialmente la boca, el tracto digestivo y el aparato reproductivo de la mujer.

Si tienes los ojos resecos y el tratamiento no lo soluciona, parpadeas mucho, tienes espasmos faciales incontrolables y problemas para mantener los ojos abiertos, incluso cuando no estás cansado o aburrido, puede ser que estés ante los signos que indican una enfermedad neurológica poco frecuente denominada *síndrome de Meige*. Si el mentón se te va hacia delante cuando parpadeas, es un síntoma infalible de esta en-

---

SIGNO DE LOS TIEMPOS

El síndrome de Meige recibió su nombre en honor de Henri Meige, un neurólogo francés que fue quien lo describió por primera vez en 1910. Pero este trastorno ya se conocía desde hacía siglos. De hecho, en su cuadro *De Caper*, el famoso pintor flamenco Brueghel (1525-1569) retrató a una mujer con la cara y el cuello crispados por esta enfermedad. Para denominar esta dolencia también se utiliza el término «síndrome de Brueghel», además del de síndrome de Meige.

---

fermedad, también conocida como *espasmo hemifacial* o como *síndrome de Brueghel*.

El síndrome de Meige, que suele afectar a personas de mediana edad, es más frecuente en las mujeres que en los hombres. Por desgracia las personas que padecen esta enfermedad, que tiene tratamiento, a menudo han sido mal diagnosticadas, atribuyéndoseles un problema psicológico. En la mayoría de los casos, el Meige es más molesto y penoso que debilitante. Pero en los casos graves, los espasmos pueden hacer que cueste abrir la boca, dificultando extraordinariamente la masticación y el habla. Y en muy raros casos, puede indicar un tumor cerebral.

MOVIMIENTOS ESPASMÓDICOS DE LOS OJOS

¿Te ha ocurrido alguna vez, estando en un lugar público, que los párpados se empiecen a mover sin control? La gente podría pensar que les estás guiñando el ojo. No te preocupes. Aunque tú puedas sentir el movimiento, probablemente los demás no lo notan mucho. Lo más seguro es que tengas *mioquimia palpebral*, un espasmo involuntario del

---

SIGNO DE LOS TIEMPOS

En algunas culturas, guiñar el ojo era una manera de «echar el mal de ojo» a alguien. El término «guiñador» se usaba en algunas zonas rurales de Inglaterra para designar a los que podían transmitir el mal de ojo. Incluso se decía de las vacas que estaban enfermas que las habían «guiñado».

---

párpado que es inofensivo, aunque resulta molesto y distrae la atención.

Estos temblores espasmódicos de los ojos —que pueden afectar tanto al parpado superior como al inferior— normalmente no son algo de lo que haya que preocuparse. Pueden estar desencadenados por la fatiga, el estrés o el exceso de cafeína, o también por estar delante de la pantalla del ordenador, o viendo la televisión, o frente a alguna fuente de luz parpadeante, durante demasiado tiempo. Pueden durar unos pocos segundos o varios días seguidos, y pueden ir y venir.

Aunque normalmente es benigna, la mioquimia palpebral puede ser un signo que nos avisa de la posibilidad de que padezcamos el síndrome de Meige (véase «Sequedad de ojos») o *blefarospasmo*, con el que a menudo se confunde. En el caso del blefarospasmo, los párpados se cierran del todo repetidamente en lugar de temblar; los ojos se suelen irritar y son muy sensibles a la luz. Y, a diferencia de la mioquimia, el blefarospasmo, si no se trata, puede producir daños en la visión.

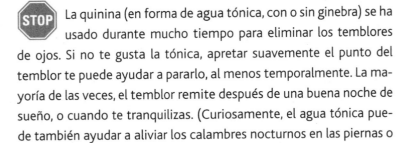

SEÑAL DE STOP

La quinina (en forma de agua tónica, con o sin ginebra) se ha usado durante mucho tiempo para eliminar los temblores de ojos. Si no te gusta la tónica, apretar suavemente el punto del temblor te puede ayudar a pararlo, al menos temporalmente. La mayoría de las veces, el temblor remite después de una buena noche de sueño, o cuando te tranquilizas. (Curiosamente, el agua tónica puede también ayudar a aliviar los calambres nocturnos en las piernas o en los pies.)

Ojos inquietos

Si ves a alguien que mueve constantemente los ojos de un lado para otro puede ser que no esté tramando nada bueno. O quizá estés ante un caso de *nistagmo*, anomalía caracterizada por el movimiento involuntario y brusco de los ojos, que suele afectar a los dos. El nistagmo puede hacer que uno o los dos ojos se muevan de un lado a otro, hacia arriba y hacia abajo, e incluso en círculos. El movimiento puede ser constante o esporádico, y durar unos cuantos minutos o varias horas. A no ser que les afecte a la visión, o que otros se lo digan, las personas con nistagmo a veces no son conscientes del problema.

El nistagmo puede ser un síntoma de la enfermedad de Graves (véase «Ojos saltones»), así como una señal de trastornos del oído interno, como la *enfermedad de Ménière* (véase el capítulo 3). Y, en algunas ocasiones, puede también ser una señal indicativa de afecciones más graves como un derrame o un tumor cerebrales.

SEÑALES DE LOS OJOS QUE SOLO TÚ PUEDES VER

Partículas flotantes

¿Has visto alguna vez una especie de motas o pequeñas burbujas frente a ti? Pueden hacerte creer que tienes en el ojo algún cuerpo extraño, o algo peor, pero no puedes localizarlo. Si te frotas los ojos para quitártelo no lo consigues y su aspecto puede empeorar. Esto se debe a que lo que notas no es ningún cuerpo extraño, sino que estás viendo «partículas flotantes», médicamente conocidas como *opacificaciones* o *condensaciones*.

Las partículas flotantes pueden tener el aspecto de motas, telarañas, pelos, polvo o pequeños insectos que se deslizan por tu campo de visión. Pero en realidad no están en la superficie del ojo y por eso no desaparecen cuando te lo frotas. Son pequeñas partículas de *humor vítreo*, un líquido gelatinoso que está dentro del globo ocular. Lo más probable es que se hagan visibles al mirar directamente a un fondo sólido de color claro, como una pared blanca o un cielo azul. Normalmente, solo se notan durante unos cuantos segundos, a veces minutos, y van y vienen cambiando de posición. Aunque por lo general son permanentes, muchas personas dejan de verlas pasado un rato.

Si estas partículas te molestan, piensa que no eres el único; prácticamente todo el mundo las ve de vez en cuando. Las personas con mucha miopía y las que han pasado por una intervención quirúrgica en los ojos tienen más probabilidades de verlas que otras personas. Normalmente aparecen por primera vez a los quince o dieciséis años y van a más con la edad. Esto es así porque el humor vítreo comienza a «escapar» de la retina a medida que cumplimos años y pequeñas partículas de este líquido gelatinoso se rompen y flotan por nuestro campo de visión.

Las partículas flotantes son por lo general solo un molesto signo de la edad. Sin embargo, algunas veces pueden indicar un problema importante, especialmente cuando se empiezan a ver muchas más de lo normal, cuando son de más tamaño, cuando se perciben al mirar a un fondo oscuro o cuando se acumulan en un punto. Todos estos casos son síntomas muy frecuentes de cataratas, inflamaciones de los ojos, hemorragias oculares y otros problemas de consideración. Y si, de pronto, se produce una verdadera lluvia de estas partículas, puede ser que estemos ante algo aún más peligroso, como un desgarramiento o un desprendimiento de retina. El desprendimiento de retina es una emergencia médica que requiere atención inmediata. Si no se diagnostica, o no se trata, puede provocar ceguera permanente.

SEÑAL DE PELIGRO

Si experimentas un cambio repentino en la visión —especialmente si empiezas a ver doble, o las cosas adquieren un aspecto borroso— llama a tu oculista inmediatamente o vete a la sala de urgencias de un hospital. Si has tenido recientemente una lesión en la cabeza o en la cara, estos cambios podrían ser señales de conmoción cerebral. Pero aunque no sea así, en cualquier caso podrían ser signos reveladores de una afección grave que precise atención médica inmediata.

Destellos luminosos

Si alguna vez has tenido un golpe en la cabeza, es probable que hayas visto estrellas o resplandores de luz, que médicamente se conocen como *fosfenos*. Los fosfenos pueden verse tanto con los ojos cerrados como con los ojos abiertos; muchas veces aparecen en la visión periférica y duran unos pocos segundos. Algunas personas dicen que parecen estrellas fugaces, otras los describen como un «lluvia de chispas».

La sensación de que vemos destellos luminosos se llama *fotopsia*. Los estudiantes en época de exámenes y aquellas personas cuya actividad les mantiene despiertos por la noche, experimentan a veces fotopsia cuando están faltos de sueño o pasan noches enteras sin dormir. Además de un porrazo en la cabeza, los estornudos o los frotamientos de los ojos pueden desencadenar un aluvión de estos destellos.

SEÑAL DE PELIGRO

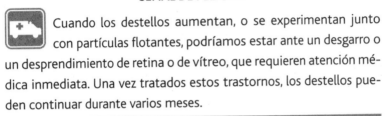

Cuando los destellos aumentan, o se experimentan junto con partículas flotantes, podríamos estar ante un desgarro o un desprendimiento de retina o de vítreo, que requieren atención médica inmediata. Una vez tratados estos trastornos, los destellos pueden continuar durante varios meses.

Si se tienen destellos ocasionalmente, se trata de algo normal y uno no debe preocuparse. La mayoría de ellos, como las partículas flotantes (véase «Partículas flotantes»), son un signo normal de envejecimiento. Pero cuando estos destellos persisten, o se presentan con frecuencia, pueden ser una señal de baja tensión sanguínea, especialmente si se producen cuando nos levantamos muy rápidamente. También pueden preceder a una jaqueca; de hecho son el signo más corriente —llamado *aura*— de una migraña inminente. En este caso, los destellos están provocados por espasmos de los vasos sanguíneos.

SEÑAL DE ADVERTENCIA

Recientemente, un famoso estudio realizado en Harvard sobre la salud del personal sanitario reveló que las mujeres que sufren migrañas precedidas de aura visual tienen un mayor riesgo de ataque al corazón o derrame cerebral. Los investigadores aún no saben si esto es verdad también para los hombres.

Paradójicamente, algunas personas que sufren migrañas tienen aura visual pero no sienten dolor de cabeza. (Las migrañas no siempre lo provocan.) Además de dar lugar a destellos luminosos, este tipo de migraña —a la que a veces se llama *migraña oftálmica* o *migraña silenciosa*— puede producir otras perturbaciones visuales, así como náuseas y congestión nasal. Algunas personas con migrañas oftálmicas experimentan años más tarde migrañas con dolor de cabeza.

VISIONES FANTASMA

Ver partículas flotantes y destellos luminosos es una cosa, pero ¿qué pensarías si empezaras a ver flores, bandadas de pájaros y gatos jugueteando que solo están en tu imaginación? No te dejes llevar por el pánico. Probablemente no te estás volviendo loco sino que estás experimentando el *síndrome de Charles Bonnet*. Las personas que padecen este trastorno, aunque estén mentalmente sanas, tienen visiones imaginarias, un tipo de alucinaciones. Algunos han declarado ver escenas agradables como grupos de niños o de animales, formas visuales de gran viveza o incluso bucólicas escenas campestres. Pueden durar unos cuantos segundos o varios minutos y a veces se presentan de manera periódica, durante meses o incluso años.

SIGNO DE LOS TIEMPOS

El síndrome de Charles Bonnet recibió su nombre de un naturalista suizo del siglo XVIII que fue la primera persona que lo describió. Su abuelo de ochenta y siete años de edad, que estaba casi ciego, veía personas, pájaros, carruajes, edificios y formas inexistentes. Parece ser que el propio Bonnet experimentó visiones fantasma cuando su vista se deterioró.

Hay personas que no solo disfrutan de estas visiones sino que pueden modificarlas a voluntad. Sin embargo, otras las encuentran muy molestas y hasta aterradoras, porque les hacen pensar que están perdiendo la cabeza. Pero los que sufren este síndrome —a diferencia de muchos enfermos mentales— son conscientes de que lo que ven no es real. Y, por otro lado, las visiones *nunca* van acompañadas de alucinaciones sonoras, signo muy frecuente de psicosis.

SIGNO DE LOS TIEMPOS

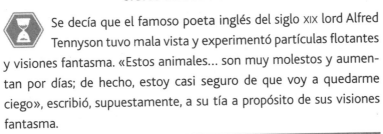

Se decía que el famoso poeta inglés del siglo XIX lord Alfred Tennyson tuvo mala vista y experimentó partículas flotantes y visiones fantasma. «Estos animales... son muy molestos y aumentan por días; de hecho, estoy casi seguro de que voy a quedarme ciego», escribió, supuestamente, a su tía a propósito de sus visiones fantasma.

En vez de perder la cabeza, lo que seguramente están perdiendo los que tienen visiones fantasma es la vista. De hecho, en la mayoría de los casos, estas visiones imaginarias son signos de vista escasa o deteriorada o de otros problemas oculares, como glaucoma, cataratas o, especialmente, *degeneración macular senil* (DMS). La DMS es una enfermedad ocular degenerativa grave muy común que es la causa más importante de pérdida de visión en personas adultas. Las mujeres, las personas de raza blanca, las de ojos claros, las fumadoras y las obesas tienen un riesgo mayor de padecerla. El factor genético parece tener también su importancia.

SEÑALES DE ADVERTENCIA

Estas son las señales que pueden revelar una degeneración macular senil:

- Visión borrosa.
- Visión deficiente por la noche.
- Las líneas rectas se tuercen o se curvan.
- Mala visión central o zonas en blanco en el centro del campo visual.
- Dificultad para reconocer las caras.
- Dificultad para adaptarse a la escasez de luz.
- Aumento de la dificultad para ver de lejos.
- Dificultad para distinguir colores, o menos nitidez en los colores.
- Aumento de la dificultad en tareas en las que el detalle es importante, como coser o leer.
- Visiones fantasma.

Las visiones fantasma son, de hecho, bastante corrientes entre las personas con mala vista; las estimaciones de su incidencia en este caso van del 10 al 40 %. Se cree que son algo similar al *síndrome de miembro fantasma* —o sea, el hecho de sentir un brazo o una pierna después de que hayan sido amputados— y pueden consistir en intentos de los ojos de compensar la visión perdida a base de recordar imágenes. La simple mejora de la iluminación del hogar puede ayudar a que estas visiones desaparezcan. Resulta interesante comprobar que cuando algunas personas con la vista deteriorada se quedan totalmente ciegas dejan de tener visiones fantasma.

Cuando las visiones fantasma se dan en personas con una vista normal, pueden ser un signo de la enfermedad de Alzheimer, de Parkinson, de derrame cerebral o de otra afección neurológica. Por desgracia, las personas que experimentan este fenómeno suelen dudar a la hora de contárselo a su médico por miedo a que las tomen por psicóticas, dementes o drogadictas. Como consecuencia, puede ser que no reciban el tratamiento necesario que ayudaría a salvarles la vista o a atender a la causa subyacente.

SEÑAL DE ADVERTENCIA

Si tienes dificultades para ver las cosas que tienes a los lados, o estás perdiendo la visión periférica, puede ser un aviso de un posible glaucoma, de una degeneración de la retina o incluso de un derrame cerebral.

HIPERSENSIBILIDAD A LA LUZ

El sol nos hace entornar los ojos, lo que indica que tenemos lo que médicamente se llama *fotofobia*, que significa literalmente «miedo a la luz». Pero si te das cuenta de que te proteges constantemente los ojos, o recurres a las gafas de sol cada vez más a menudo y, además, tienes gran sensibilidad a la luz interior, tu fotofobia puede estar indicándote diversos trastornos. La hipersensibilidad a la luz es más frecuente en las personas de ojos azules y en las que sufren migraña.

SIGNO DE LOS TIEMPOS

La primera operación de cataratas de la historia la realizó en el siglo v a. C. Sushruta, el padre de la cirugía y la oftalmología indias.

La fotofobia puede ser un signo que revele afecciones como cataratas, desprendimiento de retina y abrasiones de la córnea. Puede deberse a una reacción a sustancias como la tetraciclina, la doxiciclina, la belladona e incluso la quinina, y también a una deficiencia de vitamina B2. La sensibilidad a la luz puede en otros casos delatar que una persona ha abusado del alcohol, de la cocaína, de las anfetaminas o de otras drogas.

Algunas veces, la fotofobia es una señal de trastornos importantes, pero que pueden tratarse, como el sarampión, la hipertensión o la enfermedad de Graves (véase «Ojos saltones»), así como de enfermedades potencialmente mortales como la meningitis, la encefalitis, el botulismo, la rabia y el envenenamiento por mercurio. Sin embargo, si tuvieras alguna de estas enfermedades potencialmente mortales, tendrías otros síntomas mucho más graves además de la hipersensibilidad a la luz.

CEGUERA NOCTURNA

La ceguera nocturna puede ir acechándonos gradualmente, dificultando cada vez más que veamos lo que nos espera en la oscuridad, de malo o de agradable. No ver bien en la oscuridad —lo que médicamente se conoce como *nictalopia*— es, una vez más, un signo normal aunque desagradable de envejecimiento.

La ceguera nocturna también es una señal típica de cataratas. Y es uno de los primeros síntomas de deficiencia de vitamina A (retinol), que puede hacer que la córnea se reseque así como provocar daños en la retina.

SIGNO DE LOS TIEMPOS

En el antiguo Egipto se pensaba que comer hígado curaba la ceguera nocturna. Miles de años después se ha descubierto que el hígado es rico en vitamina A. La investigación de nuestro tiempo ha determinado que la vitamina A enlentece la progresión de la retinitis pigmentosa.

Sin embargo, si eres joven y tienes ceguera nocturna, podría ser la primera señal de una afección genética llamada *retinitis pigmentosa*, enfermedad degenerativa de la retina que puede en algunos casos perjudicar seriamente la visión.

CAMBIOS DE LOS COLORES

Entre los «aficionados al ácido» y otras personas que toman alucinógenos, ver cómo las cosas adquieren colores extraños es una experiencia muy normal y, por supuesto, deseada. Pero si no te gusta tomar drogas, la visión de objetos con un color anormal —lo que se conoce médicamente como *cromatopsia*— puede ser una señal de enfermedad diabética ocular. Incluso las fluctuaciones más ligeras de los niveles de azúcar en la sangre pueden producir rápidamente estos cambios en la visión. Si tienes diabetes, estas distorsiones de los colores pueden dificultarte la lectura de las tiras reactivas para control personal del nivel de azúcar. Esta es una razón más para no comer pasteles.

Sin embargo, si las cosas empiezan a parecer de color amarillo podrías tener un tipo de cromatopsia llamada *xantopsia*,

---

SEÑAL DE ADVERTENCIA

No es raro que los atletas que padecen diabetes experimenten vívidos cambios en la visión de los colores después de agotadoras sesiones de entrenamiento o tras una competición. Podría tratarse de una primera señal de enfermedad diabética ocular.

---

que a su vez puede ser un síntoma de ictericia derivada de una enfermedad hepática grave. Si ves que los objetos están amarillentos o rodeados por un halo y estás tomando digital (medicamento que se utiliza mucho para tratar determinados tipos de enfermedades cardíacas), puedes estar ante una señal de alarma de que tienes una *intoxicación digitálica*, la cual constituye una emergencia médica: puede provocar arritmias o un fallo cardíaco mortal.

SIGNO DE LOS TIEMPOS

Se cree que el gran uso que hizo Van Gogh del color amarillo en algunas de sus pinturas, como *Noche* y *Los girasoles*, era consecuencia del digital que tomaba para tratar la manía y la epilepsia. El digital —planta de la familia de las plantagináceas— se ha usado durante siglos para tratar la ansiedad, las manías, las convulsiones y las enfermedades cardíacas.

Si tu pareja, que siempre ha visto la vida de color de rosa, empieza a quejarse de que las cosas parecen azules, puede no deberse a que está deprimido. Más bien podría ser una señal de que está tomando demasiada cantidad de algo bueno. De hecho, apreciar que los objetos tienen un tono azulado

—a menudo acompañado de hipersensibilidad a la luz— es uno de los efectos secundarios más comunes de las pastillas Viagra, Cialis y Levitra, que se usan para tratar la disfunción eréctil (DE).

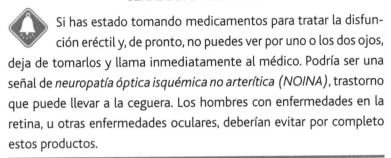

SEÑAL DE ADVERTENCIA

Si has estado tomando medicamentos para tratar la disfunción eréctil y, de pronto, no puedes ver por uno o los dos ojos, deja de tomarlos y llama inmediatamente al médico. Podría ser una señal de *neuropatía óptica isquémica no arterítica (NOINA)*, trastorno que puede llevar a la ceguera. Los hombres con enfermedades en la retina, u otras enfermedades oculares, deberían evitar por completo estos productos.

A MODO DE CONCLUSIÓN

Las señales oculares descritas pueden, o no, requerir tratamiento médico. Si tienes alguna duda, visita a un oftalmólogo lo antes posible. Y si tienes algún síntoma ocular con dolor, cambios súbitos en la visión (especialmente con náuseas o vómitos) o persistentes destellos luminosos, llama inmediatamente al médico.

Y, por supuesto, tengas o no tengas síntomas oculares, las revisiones médicas periódicas de los ojos no solo pueden ayudarte a conservar la vista, sino también a detectar los primeros signos de muchos otros problemas médicos. Las revisiones de la vista son especialmente importantes si eres diabético. Estos son los especialistas capaces de diagnosticar y tratar los problemas de los ojos y de la vista:

- *Oftalmólogo*: médico especializado en diagnosticar y tratar enfermedades y trastornos oculares.

- *Óptico*: tampoco es un médico, pero está especializado en confeccionar y ajustar cristales para gafas y otros instrumentos ópticos a partir de recetas expedidas por un oftalmólogo o por un optometrista.

- *Optometrista*: aunque no sea un médico, un doctor en optometría tiene una formación especializada en problemas de la vista y puede tratarlos con gafas, lentes de contacto y terapias de la visión. Los optometristas están preparados para hacer pruebas diagnósticas de glaucoma, cataratas y degeneración macular, y pueden recetar medicamentos para algunas enfermedades oculares.

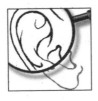

3

ESCUCHA TUS OÍDOS

Si te cuelgan las orejas,
y se mueven de aquí para allá,
átalas con un lazo.

Canción popular infantil

Los niños no son los únicos que piensan que las orejas son algo un tanto estúpido. La mayoría de los adultos tampoco se las toman muy en serio. Sin duda, pocas partes del cuerpo tienen un aspecto más ridículo. Desde hace cientos de años se han venido corrigiendo quirúrgicamente los pabellones auditivos deformes o poco atractivos ya que, por otro lado, se les ha dado importancia estética. De hecho, las orejas y los oídos han tenido un papel destacado en la mitología y la religión. Por ejemplo, los antiguos egipcios consideraban que los oídos eran el instrumento por el que se recibía el aliento de la vida. Creían que el «aire de la vida» entraba por el oído derecho, mientras que el «aire de la muerte» lo hacía por el izquierdo. Y los egipcios, como las gentes de otras antiguas civilizaciones, se perforaban las orejas pensando que el metal con el que lo hacían impediría que los espíritus malignos penetraran en su cuerpo. Siglos más tarde, muchos marinos siguieron esa misma práctica en la creencia de que de esa manera conseguirían agudizar su vista.

El oído fue también un símbolo importante en los albores del cristianismo; se decía que María concibió a Jesús sirviéndose de sus oídos, mediante los que «escuchó la palabra de Dios». De hecho, muchas pinturas de aquella época representaban al Niño Jesús bajando del cielo hacia los oídos de María.

SIGNO DE LOS TIEMPOS

El ser humano momificado más antiguo que se conoce tiene las orejas perforadas. Descubierto en 1991 en un glaciar austríaco, esta momia de cinco mil años de edad presenta unos agujeros en las orejas que miden entre 0,60 y 1,25 centímetros de diámetro.

No es de extrañar, por otro lado, que hayan adquirido un gran significado simbólico, ya que sin ellos no podríamos apreciar la música ni escuchar las voces de nuestros seres queridos… ni los sonidos que anuncian la llegada del enemigo. Aunque todos somos conscientes de que somos capaces de oír gracias a lo que se conoce como «oído interno», la parte externa del aparato auditivo, llamada *pabellón auricular* o sencillamente oreja, también es fundamental. Aumenta nuestra capacidad de oír dirigiendo el sonido hacia el oído interno. Además de su capacidad para recibir ondas sonoras, las orejas pueden también enviar señales sobre nuestra salud.

SEÑALES DE LAS OREJAS Y OÍDOS
QUE LOS DEMÁS PUEDEN PERCIBIR

OREJAS ROJIZAS

Cuando vemos que una persona tiene las orejas rojas, podemos pensar que está avergonzada por algo, y tal vez tengamos razón. Cuando nos ruborizamos, las orejas, al igual que la cara y otras partes visibles del cuerpo, suelen enrojecer. Pero las orejas rojas pueden ser también un aviso para que dejemos de tomar el sol. Teniendo en cuenta que las orejas sobresalen del cuerpo, están muy expuestas a las quemaduras de sol.

SIGNO DE LOS TIEMPOS

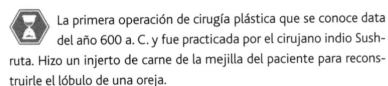 La primera operación de cirugía plástica que se conoce data del año 600 a. C. y fue practicada por el cirujano indio Sushruta. Hizo un injerto de carne de la mejilla del paciente para reconstruirle el lóbulo de una oreja.

Las orejas rojizas pueden también ser signos de alarma que delatan infecciones de oído y otras enfermedades de la piel, como la *psoriasis* o la *rosácea* (véase el capítulo 9*)*. También nos pueden indicar un trastorno, con el muy lógico nombre de *síndrome de la oreja roja,* en el que una de las orejas suele enrojecer y ponerse caliente, y a veces doler. Distintas cosas aparentemente inocuas, como tocarse una oreja, girar el cuello, masticar, estornudar o toser pueden desencadenar el síndrome de la oreja roja, que se presenta principalmente en niños y adultos jóvenes. Pero, al margen de la edad, muchas veces está asociado a una migraña que afecta al mismo lado de la oreja enrojecida.

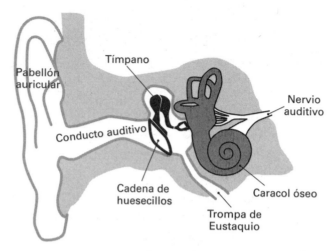

ANATOMÍA DEL OÍDO

SIGNO DE LOS TIEMPOS

En las estatuas del emperador romano Adriano (76-138 d. C.) se aprecia claramente que tenía surcos en las dos orejas. Los historiadores señalan que también padecía frecuentes hemorragias nasales, signo común de hipertensión. Se cree que falleció debido a un fallo cardíaco provocado por su elevada tensión sanguínea.

Surco en el lóbulo de la oreja

Si al mirarte al espejo ves una especie de arruga en diagonal en el lóbulo de la oreja, puede ser un signo de que has dormido demasiado tiempo apoyado en ese lado o de que has estado hablando demasiado tiempo por teléfono. Pero si ese surco está siempre ahí, podría ser una señal de que tienes un riesgo elevado de padecer una enfermedad cardíaca coronaria o una diabetes. Parece ser que estos surcos tienden a darse en los miembros de una misma familia y suelen ser más frecuentes en los hombres que en las mujeres.

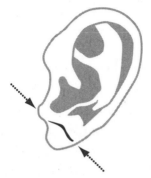

SURCO EN EL LÓBULO DE LA OREJA

Desde que, en 1973, S. T. Frank habló por primera vez del tema, se ha discutido la relación entre las enfermedades del corazón y la diabetes y el *surco diagonal en el lóbulo de la oreja* o *signo de Frank*, como a veces se lo llama. Algunos estudios recientes parecen confirmarla.

OREJAS DEFORMADAS

Normalmente, las personas que tienen las orejas deformadas las tienen así desde que nacieron. Y aunque por lo general solo representen una preocupación de tipo estético, algunas veces pueden ser señal de una enfermedad hereditaria o de un trastorno congénito. Estas posibles enfermedades, entre las que se encuentran el síndrome de Down y el síndrome X Frágil, suponen problemas médicos más evidentes y graves que la simple deformación de las orejas.

Una oreja con forma extraña puede ser algo adquirido, en contraposición a congénito, como es el caso de la tristemente famosa *oreja de coliflor*, que normalmente revela que ha recibido repetidos golpes, razón por la cual esta anomalía recibe también el nombre de *oreja de luchador*. Sin embargo, la oreja de coliflor no se da solo en personas que practican deportes de contacto. A cualquiera que le hayan dado un buen golpe en la oreja puede quedarle una marca. Un golpe contundente en la oreja puede hacer que se formen coágulos

de sangre alrededor del cartílago o incluso en el propio cartílago. Si no se tratan inmediatamente, se forma tejido cicatrizal y la oreja queda deformada de manera permanente.

SEÑAL DE ADVERTENCIA

La oreja de coliflor en personas que no hacen deporte puede ser un signo revelador de maltrato físico por parte del cónyuge o de otra persona.

Exceso de cera en los oídos

Todos sabemos lo que es la cera de los oídos: esa sustancia molesta, pegajosa, algunas veces maloliente, que puede llegar a salir por el oído. Médicamente conocida como *cerumen*, está compuesta principalmente por un tipo especial de cera y por sebo (un tipo de aceite), además de por más de cuarenta otras sustancias, incluyendo células muertas de piel. La cera de los oídos puede ser húmeda o seca, estando determinado genéticamente de cuál de los dos tipos la tiene cada persona.

HECHO SIGNIFICATIVO

Las personas de ascendencia europea y africana normalmente tienen en los oídos cera húmeda, pegajosa y de color marrón; las de procedencia nativa americana y asiática tienden a tener una cera seca, frágil y de color gris o beige. Las mujeres con cera húmeda parecen tener mayor riesgo de contraer cáncer de mama. De hecho, entre las mujeres japonesas que tienen la cera de los oídos húmeda, como los europeos, se dan más casos de cáncer de mama que entre las que la tienen seca, del tipo asiático.

Si encuentras a veces que hay cera en tu almohada, lo más probable es que sea una señal de que el oído se está limpiando, lo cual es bueno. La cera protege los oídos del agua, de los hongos y de multitud de gérmenes. También hace que se peguen a ella el polvo y la suciedad que entran constantemente en los oídos, o incluso un pequeño insecto o una hormiga intrusos. Pero si el oído exuda mucha cera puede ser una señal, poco frecuente, de una dieta demasiado baja en grasas.

El exceso de cera también puede ser un signo indicativo de que nos esmeramos demasiado al limpiarnos los oídos. Paradójicamente, una limpieza demasiado enérgica puede afectar al oído impregnándolo de cera, y la introducción de un objeto rígido, como un bastoncito de algodón o el dedo meñique, podría provocar una perforación de tímpano que permitiría la entrada en el oído interno de peligrosas bacterias, hongos y virus.

SEÑAL DE STOP

STOP Si te dicen que la limpieza natural de los oídos utilizando una vela hueca y aplicando la técnica denominada «*ear coning*» es buena para quitarse la cera de los oídos, ¡escucha lo que te digo! Varios estudios recientes han echado por tierra esta teoría, demostrando que la limpieza natural de los oídos colocando en el oído un tubo hueco impregnado de cera y encendiendo el extremo exterior puede no solo dañar el oído interno sino quemar el oído y la cara. Según uno de los estudios, cuantas más veces se haga es peor, ya que queda depositada en el oído cera fundida procedente de la vela.

Secreciones acuosas de los oídos

Todos estamos muy acostumbrados a que nos moquee la nariz, pero si nos sale líquido de los oídos la cosa cambia. Como ocurre con la cera, que salga agua de los oídos —lo que médicamente se conoce como *otorrea*— puede indicar que se están depurando.

Pero la secreción de líquido por el oído podría ser un signo de varios trastornos que, si no se tratan, tal vez desembocarían en problemas más importantes. Por ejemplo, la exudación indolora del oído puede ser señal de una infección del aparato respiratorio, o de una infección del oído por bacterias, hongos o virus.

SEÑAL DE PELIGRO

 Si te sale un líquido sanguinolento del oído, llama inmediatamente al médico o vete a un servicio de urgencias de un hospital. Puede ser señal de un tumor en el conducto del oído externo, o en el del oído medio. Si has recibido recientemente un golpe en la cabeza, o te han intervenido quirúrgicamente en la misma, puede ser que tengas una fuga de líquido espinal, lo cual puede ser mortal.

Si te sale por los oídos un líquido amarillento parecido al pus, que puede o no desprender olor, podría ser señal de una perforación permanente del tímpano o de una infección crónica del oído medio, conocida médicamente como *otitis media crónica*. Las infecciones crónicas del oído medio pueden provocar pérdida de audición, pólipos, *colesteatomas* (quistes

---

SIGNO DE LOS TIEMPOS

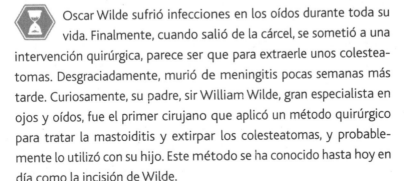 Oscar Wilde sufrió infecciones en los oídos durante toda su vida. Finalmente, cuando salió de la cárcel, se sometió a una intervención quirúrgica, parece ser que para extraerle unos colesteatomas. Desgraciadamente, murió de meningitis pocas semanas más tarde. Curiosamente, su padre, sir William Wilde, gran especialista en ojos y oídos, fue el primer cirujano que aplicó un método quirúrgico para tratar la mastoiditis y extirpar los colesteatomas, y probablemente lo utilizó con su hijo. Este método se ha conocido hasta hoy en día como la incisión de Wilde.

---

con aspecto de piel en el oído medio) y *mastoiditis* (infección grave de la estructura ósea que está detrás del oído). Si no se tratan, tanto los colesteatomas como la mastoiditis pueden dar lugar a una meningitis e incluso pueden ser mortales.

SEÑALES DE LOS OÍDOS QUE SOLO TÚ PUEDES PERCIBIR

PICOR DE LOS OÍDOS

Sentir picor en un sitio que no te puedes rascar —como los oídos— te puede volver loco. El picor de oídos es un signo de alergia o de alguna enfermedad de la piel, como eccema o psoriasis. También puede ser una señal de que te los limpias demasiado, dejándolos secos y desprotegidos de bacterias y hongos. (Véase «Exceso de cera en los oídos».) De hecho, el picor de oídos puede estar provocado en primer lugar por una producción insuficiente de cera.

SIGNO DE LOS TIEMPOS

Los antiguos egipcios utilizaban bórax, grasa de pato y leche de vaca para tratar las infecciones del oído medio. Hipócrates era más partidario de la leche humana y también aconsejaba a sus pacientes beber vino dulce y evitar la exposición al viento y al sol, así como las habitaciones con mucho humo.

También puede ser el primer síntoma del *oído de nadador* (*otitis externa*), afección en la que el conducto auditivo externo se infecta por bacterias u hongos. Entre los síntomas del oído de nadador que se manifiestan más tarde están las excreciones de color amarillento, algunas veces malolientes, y el dolor. Aunque el oído de nadador pueda parecer algo inocuo, si no se trata puede convertirse en una infección ósea extremadamente dolorosa y potencialmente mortal que se llama *otitis externa maligna*.

Oídos taponados

¿Tienes a veces la sensación de que tus oídos están taponados con algodón? Si has volado alguna vez, probablemente no te será extraña esa sensación de que los tienes llenos de algo. De hecho, al referirse a este fenómeno, médicamente conocido como *barotrauma*, con frecuencia se utiliza la expresión «oídos de avión». Está provocado por un rápido cambio de presión (normalmente como consecuencia de la diferencia de altitud). Es muy común entre los pilotos, los submarinistas, los escaladores y los aficionados a la montaña rusa.

SIGNO DE LOS TIEMPOS

La forma de la oreja, como la huella dactilar, es única en cada persona. Casi un siglo antes de que empezaran a usarse las huellas dactilares, Johann Caspar Lavater (1741-1801), teólogo y fisonomista suizo, clasificó en categorías a las personas según la forma de su oreja. Desde entonces, la otomorfología (estudio de la forma de la oreja) se ha utilizado en ocasiones por los científicos forenses para la identificación de delincuentes. Las «huellas de oreja» se siguen aún utilizando ocasionalmente como prueba —aunque sin éxito— en los tribunales de Estados Unidos.

La misma sensación puede significar que el oído está literalmente taponado por un exceso de cera, por trocitos de bastoncitos de algodón o incluso por un insecto. O, lo cual resulta más grave, puede ser indicativo de varias enfermedades, como infecciones del oído medio, trastorno de la articulación temporomandibular (ATM) y colesteatomas. (Véase «Secreciones acuosas de los oídos».) La obstrucción de los oídos puede ser también un síntoma de la *enfermedad de Ménière*, afección del oído interno que puede provocar episodios de mareo, pérdida de audición y pitidos en los oídos. También puede ser una señal de *otosclerosis*, enfermedad degenerativa que afecta a los huesos del oído medio. (Véase «Pérdida gradual de la audición».)

Pitidos en los oídos

¿Oyes música donde en realidad no suena? Si es así, puede ser que estés experimentando un síntoma de *tinnitus*, trastorno en el que se «oyen» pitidos u otros sonidos que no se están produciendo realmente. De hecho, la palabra *tinnitus* viene

---

SIGNO DE LOS TIEMPOS

En el siglo XIX, los fisonomistas creían que se podía predecir el comportamiento criminal de una persona a partir del tamaño y la forma de sus orejas. Cesare Lombroso (1835-1909), el criminalista italiano más importante de su época, escribió que «las orejas de tamaño anormal, o en algunas ocasiones las muy pequeñas, o las que sobresalen mucho como las de los chimpancés» eran propias de un criminal nato.

---

del latín y significa «tintinear o sonar como una campana». Algunas personas que padecen tinnitus oyen latidos, zumbidos, rugidos e incluso cantos de grillo. Unas oyen estos sonidos solo en un oído, otras en los dos. Los sonidos pueden ser desde ligeramente molestos hasta enloquecedores. Pueden interferir en todo lo que hagamos, desde trabajar hasta ver la televisión, dormir, conducir o incluso hacer el amor.

Dependiendo de cuál sea su causa, el tinnitus puede ser transitorio, pero en la mayoría de los casos el trastorno dura toda la vida. Para algunos puede ser solo uno más de esos molestos signos de envejecimiento. De hecho, en las personas mayores, el tinnitus y la sordera se presentan muchas veces al mismo tiempo.

SEÑAL DE STOP

STOP Engañar al cerebro para que se olvide de los sonidos falsos ayuda algunas veces a atenuar el tinnitus. Si, por ejemplo, cuando intentas dormirte se manifiesta el tinnitus de manera clara y fuerte, pon música a bajo volumen o sitúa un reloj en la mesilla de noche de manera que oigas un suave tictac. También pueden ayudarte algunas veces los ejercicios de relajación y concentración.

Si tus gustos musicales se acercan más al heavy metal que a la música melódica, los sonidos en la cabeza pueden ser señal de daño en el nervio auditivo por escuchar música a demasiado volumen.

Al igual que la sensación de tener los oídos llenos (véase «Oídos taponados»), el pitido puede ser señal de un exceso de cera o una indicación de que tienes en el oído un cuerpo extraño, como un bastoncito de algodón o incluso un insecto.

En ocasiones, el pitido en los oídos puede ser una reacción a algo que hayas tomado, como alcohol, cafeína o alguna medicina, especialmente aspirina y otros medicamentos antiinflamatorios no esteroideos y determinados antibióticos.

SIGNO DE LOS TIEMPOS

 Los artistas medievales utilizaban cera de los oídos como aglutinante en pintura. La mezclaban con pigmentos y usaban la mixtura para pintar manuscritos de colores brillantes.

El tinnitus puede también ser señal de una infección de oídos o senos nasales, de ATM, de otosclerosis o de síndrome de Ménière (véase «Oídos taponados»). También puede ser una seria advertencia de múltiples afecciones no relacionadas con los oídos, como alergias, anemia, hipotiroidismo, hipertensión, endurecimiento de las arterias *(arterosclerosis)*, e incluso una lesión en el cerebro. En ocasiones muy poco frecuentes, el tinnitus es un signo que nos alerta del peligro de un tumor o de un *aneurisma* cerebral, que consiste en el debilitamiento de la pared de un vaso sanguíneo que puede dar lugar a un derrame.

SEÑAL DE ADVERTENCIA

 Los siguientes signos, en caso de presentarse de manera recurrente, podrían estar revelando la presencia de la enfermedad de Ménière:

- Pérdida de audición.
- Mareos o vértigos.
- Pitidos en los oídos.
- Presión o sensación de tapón en los oídos.

OÍR LOS LATIDOS DEL CORAZÓN

Si en alguna ocasión te parece que estás oyendo los latidos del corazón, puede ser que estés en lo cierto. Muchas personas los notan cuando están acostadas en la cama con un oído apoyado en la almohada. En ese caso, es un signo normal, aunque molesto, que puede interferir en lo que oyes y en tu sueño, y

---

HABLANDO DE SEÑALES

 La naturaleza ha dado al hombre una lengua y dos oídos, para que podamos escuchar dos veces más de lo que podemos hablar.

ZENON DE ELEA,
Fragmentos VI, siglo v a. C.

---

desde luego en tu tranquilidad. Pero algunas personas experimentan una sensación similar, como un sonido palpitante, en uno de los oídos aunque no estén tumbadas. Llamado *tinnitus pulsátil* (conocido también como *tinnitus objetivo*, porque el sonido puede oírse de hecho en una revisión médica), puede indicar un trastorno vascular, como un soplo en el corazón, hipertensión o un endurecimiento de los vasos sanguíneos del corazón o del cuello.

SEÑAL DE PELIGRO

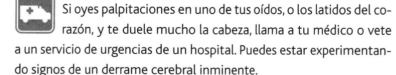 Si oyes palpitaciones en uno de tus oídos, o los latidos del corazón, y te duele mucho la cabeza, llama a tu médico o vete a un servicio de urgencias de un hospital. Puedes estar experimentando signos de un derrame cerebral inminente.

HIPERSENSIBILIDAD AL SONIDO

¿Te parece que el volumen de la voz de tu suegra ha pasado de ser un poco molesto a ser completamente insoportable? Puede que no sea culpa de ella, especialmente si también hay otras voces y sonidos que te atormentan los oídos. Tal vez se trate del signo clásico de sensibilidad extrema al sonido, médicamente conocida como *hiperacusis*, un trastorno muy poco común que afecta a una de cada cincuenta mil personas. La sensibilidad extrema al sonido es a veces precursora del tinnitus. (Véase «Pitidos en los oídos».) Paradójicamente, las personas con problemas de audición a veces son hipersensibles a determinados sonidos.

SIGNO DE LOS TIEMPOS

Beethoven empezó a quedarse sordo cuando tenía veintisiete años (parece ser que por una otosclerosis), pero además sufrió de hipersensibilidad al sonido y de tinnitus. Cuando llegó a los cincuenta años estaba completamente sordo, a pesar de lo cual siguió componiendo hasta que murió varios años después.

La hipersensibilidad al sonido puede ser una reacción al edulcorante artificial aspartamo, así como a algunos antibióticos, analgésicos y medicamentos contra la alergia. También puede ser una señal de *deficiencia de magnesio*. Y que un sonido normal nos resulte molesto puede ser un síntoma de lesiones y traumatismos en la cabeza, así como de depresión y de *síndrome de estrés postraumático*. También puede indicar diversos trastornos médicos, como infecciones crónicas en los oídos, determinadas alteraciones autoinmunes, enfermedad de Lyme, ATM o parálisis de Bell, una forma especial de parálisis facial.

Oír una fuerte explosión mientras se duerme

Si te despiertas por la noche porque oyes sonidos que se parecen a grandes explosiones (¡BOOM!) y nadie más los oye, puede que todo esté en tu cabeza. Despertarse de vez en cuando al escuchar en tu interior una fuerte explosión es una señal auténtica, aunque poco frecuente, de un trastorno al que se denomina con toda la razón *síndrome de la cabeza explosiva*. Las personas que lo padecen se despiertan porque oyen un ruido fuerte y breve, muchas veces aterrador, cuando se quedan dormidas o poco tiempo después. Los médicos no saben por qué hay personas —normalmente adultos de cierta edad— que experimentan este problema tan extraño.

SIGNO DE LOS TIEMPOS

Algunas veces, los estudiantes se quejan de hipersensibilidad al sonido durante la época de exámenes. Puede que no estén haciendo teatro para no estudiar. Esa sensibilidad al sonido puede ser consecuencia de que consumen demasiados refrescos con aspartamo.

Afortunadamente, no es necesario meter la cabeza debajo de la almohada durante épocas muy largas porque estas explosiones suelen cesar después de unas cuantas semanas o meses. De manera que, aunque esta pueda ser una de las señales relacionadas con el sonido más horripilantes de las que hayas oído hablar, probablemente es una de las más benignas. Y lo mejor de todo es que no tiene relación con ningún problema médico.

Oír sonidos que los demás no oyen

Tal vez te asustes mucho si empiezas a oír cosas como una canción que en realidad no está sonando. Es verdad que siempre hemos oído decir que los esquizofrénicos oyen a menudo voces, lo que se llama *alucinaciones auditivas*. Pero oír sonidos que otras personas no oyen puede también ser una señal de algunos otros trastornos graves, como la *demencia de*

HECHO SIGNIFICATIVO

El hueso más pequeño del cuerpo está en el oído. Se llama *estribo* y tiene más o menos el tamaño de un grano de arroz.

---

cuerpos de Lewy (DCL) o la demencia en la enfermedad de Parkinson. No está claro si estas enfermedades neurodegenerativas, u otro problema neurológico, son la causa de las alucinaciones auditivas, o si estas están provocadas por los medicamentos que se utilizan para tratar aquellas.

Pérdida gradual de la audición

¿Estás todo el tiempo preguntando «¿qué dices?»? ¿Se queja tu familia de que pones muy alto el volumen del televisor? A la mayoría de la gente, la pérdida de la capacidad auditiva le va afectando poco a poco. En las personas mayores, este tipo de pérdida de la audición —médicamente conocida como *presbicusis*— es muy común, presentándose en el 75 % de las de más de sesenta años, y afecta más a los hombres que a las mujeres. La pérdida de la capacidad auditiva puede progresar tan lentamente que no te das cuenta de ella hasta que, en vez de usar los oídos, tienes que fijarte en el movimiento de los labios de la persona con la que estás hablando para saber lo que dice.

HABLANDO DE SEÑALES

Qué humillación sentí cuando alguien a mi lado oyó sonar una flauta a lo lejos y yo no oí nada, o cuando la persona que estaba conmigo oyó el canto de un pastor y yo tampoco lo percibí. Estos incidentes me llevaron a una desesperación casi total; un poco más y me habría suicidado. Solo mi arte pudo contenerme.

LUDWIG VAN BEETHOVEN,
extracto de una carta a su hermano, 1802

Las personas con presbicusis normalmente oyen mal por los dos oídos y suelen tener dificultades con los tonos agudos. Afortunadamente, la presbicusis raras veces desemboca en una sordera total.

La pérdida de audición no es solo un problema que afecta a los «viejos camaradas». También se presenta de manera gradual en algunas personas jóvenes y puede ser una señal de otosclerosis (véase «Oídos taponados»). De hecho, esta enfermedad —que puede empezar a manifestarse antes de los veinte años— es la principal causa de pérdida de audición en adultos jóvenes.

HECHOS SIGNIFICATIVOS

Siempre se ha venido acusando a los hombres de que nunca escuchan a las mujeres. Ahora tenemos una base científica para saber que es verdad. Según un estudio oficial, los hombres oyen peor que las mujeres. Los investigadores han descubierto también que los adultos de raza negra tienen mejor oído que los de raza blanca.

Las mujeres jóvenes, de raza blanca y de clase media son quienes tienen mayor riesgo de padecer otosclerosis, y los cambios hormonales que se producen durante el embarazo pueden hacer que empeore. Aunque la otosclerosis normalmente afecta a los dos oídos, algunas veces se da solo en uno, especialmente en el caso de los hombres. La causa exacta de la otosclerosis no está clara, pero se cree que es un trastorno hereditario.

La pérdida gradual de la audición puede también indicar que trabajas o pasas tu tiempo libre en lugares muy ruidosos. De hecho, frecuentar restaurantes donde hay mucho ruido o trabajar en una fábrica, con niveles de alrededor de 85 decibelios, es suficiente para que la capacidad de audición se deteriore pasado un tiempo. Para hacerse una idea, el nivel de decibelios del motor de un avión llega a los 140 y en un concierto de rock se pueden alcanzar los 150.

SIGNO DE LOS TIEMPOS

En los decenios de 1960 y 1970, eran los conciertos de rock. En el nuevo milenio, son los MP3 los que, según los médicos, tienen la culpa de lo que se teme pueda convertirse en una epidemia de pérdida de la capacidad auditiva.

Además, la pérdida paulatina de la capacidad auditiva puede servir de llamada de atención sobre diversos trastornos médicos, entre ellos el hipotiroidismo, la artritis reumatoide, la diabetes y algunas enfermedades del riñón. La pérdida de la capacidad auditiva en un oído —especialmente si se sienten pitidos y mareos— puede ser señal de *neuroma acústico*, tumor en el nervio que controla la audición. No es canceroso pero puede ser mortal.

Pérdida repentina de la audición

Si al despertarte una mañana te das cuenta de que, de pronto, apenas puedes oír cómo pían los pájaros al otro lado de la ventana, o cómo se pelean tus hijos por los cereales del desayuno, puedes estar experimentando una *pérdida de audición sonsorineural repentina*, más comúnmente conocida como *sordera súbita*. Se define como la pérdida de la audición de un oído que se desarrolla en setenta y dos horas o menos. De hecho, una de cada tres personas afectadas se despiertan sordas de un oído. El resto de los que padecen este trastorno suelen sentir al principio un ligero estallido o un pitido en los oídos. (Véase «Pitidos en los oídos».)

SIGNO DE LOS TIEMPOS

Educación Auditiva y Concienciación para Roqueros es una asociación que fue creada por un grupo de músicos de rock famosos que habían perdido parte de su capacidad auditiva tras haber pasado años tocando y oyendo música a gran volumen. Querían llamar la atención sobre los peligros de la música excesivamente fuerte e indicar cómo protegerse los oídos y conservar la capacidad auditiva.

Esta pérdida de la audición es más frecuente en personas entre los treinta y los sesenta años, y con frecuencia viene acompañada de mareos. En un tercio de los casos el paciente recupera la audición y en otro tercio de ellos mejora ligeramente. Desgraciadamente, la tercera parte restante de las personas que experimentan una sordera súbita pierde ese oído.

La pérdida repentina de la audición puede ser señal de varias enfermedades graves, incluida la enfermedad de Ménière (véase «Oídos taponados») y el neuroma acústico (véase «Pérdida gradual de la audición»). También puede ser un signo de *enfermedad autoinmune del oído interno (EAOI)*, afección inflamatoria del oído en la que el sistema inmunológico del organismo actúa de manera demencial atacando por error a las células del oído interno. A menudo, las personas afectadas por este trastorno presentan otros síntomas además de la pérdida de audición, como aturdimiento, falta de coordinación, tinnitus o sensación de oídos taponados.

La pérdida repentina de audición puede también indicar algunos trastornos sistémicos tan graves como la esclerosis múltiple, la anemia de células falciformes, una infección vírica o bacteriana, lupus eritomatoso y cáncer.

SEÑAL DE ADVERTENCIA

He aquí dos razones más para dejar de fumar: los fumadores tienen un 70 % más de probabilidades de sufrir pérdidas auditivas que los no fumadores, y vivir con un fumador multiplica por dos el riesgo de pérdida de audición.

A MODO DE CONCLUSIÓN

Las señales de tipo auditivo son a veces tan sutiles que apenas las notamos. Sin embargo, otras veces son bien claras. Recuerda que la pérdida repentina de audición, el dolor de oídos, las excreciones anormales o sangrar por los oídos te exigen que llames inmediatamente al médico o que vayas a un hospital. Otras señales relacionadas con la capacidad de audición, o con el órgano del oído, pueden ser valoradas y tratadas por diversos profesionales sanitarios. En general, el protocolo de revisión de un profesional médico de atención primaria —como un internista o un médico de familia— debería incluir un examen de los oídos, así como la realización de pruebas periódicas de audición, a medida que se van cumpliendo años.

Dado que los oídos están interrelacionados con los demás órganos sensoriales, muchos especialistas del oído también están preparados para diagnosticar y tratar trastornos de nariz y de garganta. Estos son algunos de los especialistas médicos y de los oídos a los que podrías tener que recurrir para que te examinen.

- *Audiólogo*: profesional sanitario formado para realizar pruebas auditivas y para tratar problemas de audición y otros relacionados con el oído, como los trastornos del equilibrio. También pueden colocar audífonos y prestar servicios de rehabilitación auditiva.
- *Otólogo*: otorrinolaringólogo con una formación especial en el tratamiento de afecciones del oído.
- *Otorrinolaringólogo*: médico especializado en diagnosticar y tratar enfermedades y trastornos de la garganta, la nariz y los oídos.

4

LO QUE SABE TU NARIZ

¡Ya sé que es enorme!…
Sabed que estoy orgulloso
de semejante apéndice.
Es bien sabido que una gran nariz
es propia de un alma afable, bondadosa,
cortés, liberal, valiente…

EDMOND ROSTAND,
Cyrano de Bergerac, 1897

La nariz ha tenido una gran importancia a lo largo de la historia. Prácticamente en todas las épocas y culturas, los pueblos se han esforzado en agradar y aplacar a sus dioses, santos y demonios quemando incienso aromático. La nariz tuvo un papel protagonista en la Biblia: según el libro del Génesis, Dios creó al ser humano soplando «aliento de vida» en la nariz de Adán. Más tarde, Jacob pidió a Dios que enviara a los hombres una señal para que supieran que estaban mortalmente enfermos, dándoles tiempo suficiente para arrepentirse antes de morir. El deseo de Jacob le fue concedido: Dios creó el estornudo. No es de extrañar que los antiguos israelitas creyeran que el estornudo anunciaba un desastre para la salud. Por su parte, Aristóteles y los antiguos griegos creían que el estornudo era un buen presagio.

Las antiguas culturas, que apreciaban la estética, conocían el valor de una nariz bonita. De hecho, las primeras intervenciones en la nariz de las que se tiene noticia, realizadas por médicos egipcios, están descritas en papiros que datan de alrededor del año 3000 a. C. Para el año 600 a. C., el cirujano indio Sushruta había perfeccionado una técnica que llegó a ser muy necesaria en aquella época, ya que algunos grupos de salvajes bandidos tenían la costumbre de cortar la nariz a sus innumerables víctimas, para humillarlas después de haberles robado sus pertenencias. La amputación de la nariz (y de los órganos genitales) era un castigo habitual en aquellos pacíficos tiempos en caso de infidelidad conyugal.

SIGNO DE LOS TIEMPOS

Durante el siglo XIX y principios del XX, se creía que una nariz abultada era señal de obsesión sexual y que delataba el hábito de la masturbación. Tanto los hombres como las mujeres eran sometidos por algunos médicos a intervenciones quirúrgicas en la nariz para que dejaran de hacer y de pensar cosas que se consideraban anormales. Incluso Freud prescribió este tipo de cirugía a alguna de las mujeres a las que trató. Curiosamente, a partir de entonces, los científicos han descubierto que la nariz, como ocurre con el pene y el clítoris, aumenta un poco su tamaño con la excitación sexual.

En épocas más recientes, la nariz adquirió connotaciones sexuales. Incluso antes de Freud, se pensaba que la nariz representaba los genitales masculinos o femeninos, dependiendo de quién sostuviera la teoría.

La belleza y el carácter de las personas se han venido valorando desde hace mucho tiempo por el tamaño y la forma de la nariz. En los siglos XVIII y XIX, por ejemplo, un grupo de seudocientíficos, conocidos como fisonomistas, valoraban la estatura moral y la personalidad de las personas en base a su nariz, a sus orejas y a otras partes visibles del cuerpo.

En 1848, George Jabet, fisonomista inglés, fue aún más lejos. En su libro *Nasology, or Hints Towards a Classification of Noses*, escribió que era la mente la que daba forma a la nariz. Clasificó seis tipos de nariz, cada uno de ellos con sus propias cualidades estéticas y morales. Hoy en día se cree que Jabet —que cuando redactó el libro utilizó un nombre de mujer (Eden Warnik)— lo escribió en broma.

SIGNO DE LOS TIEMPOS

Por desgracia, las teorías de Jabet sobre la nariz —así como las de otros fisonomistas— se tomaron en serio y contribuyeron a allanar el camino al racismo en la Alemania nazi y en otros lugares.

La nariz desempeña un papel clave, no solo en cómo se nos percibe, sino en la percepción que tenemos del mundo. Porque no hay que olvidar que sin la nariz no podríamos oler las rosas. Y dado que el olfato y el gusto están tan estrechamente relacionados entre sí, la nariz nos permite apreciar los sabores de nuestros platos y bebidas preferidos.

Pero la nariz también puede olfatear el peligro. De hecho, lo que olemos o somos incapaces de oler, así como lo que sale de nuestra nariz, puede darnos pistas sobre los problemas

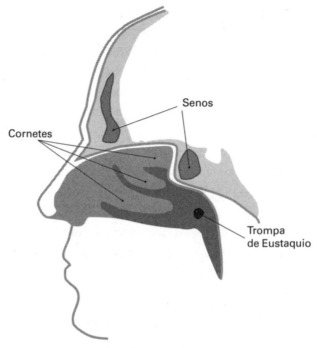

ANATOMÍA DE LA NARIZ

que podrían estar gestándose dentro de nosotros. Y, efectivamente, también su aspecto puede orientarnos sobre nuestro estado de salud.

SEÑALES DE LA NARIZ QUE LOS DEMÁS PUEDEN VER

NARIZ ROJIZA

Mientras que los niños asocian una nariz roja a los payasos y a Rudolf, el reno de Santa Claus, la mayoría de los adultos la consideran un exceso de exposición al sol o el producto de una alergia o de un resfriado. Pero una nariz rojiza puede ser una señal de que se padece *rosácea*, trastorno en el que la piel se vuelve anormalmente roja. (Véase el capítulo 9.) Y, a veces, es un signo delator de abuso de alcohol. El alcohol hace que se dilaten los vasos sanguíneos que están cerca de la superficie de la piel, dando a esta un tono rojizo.

Nariz bulbosa

Muchos de nosotros consideramos que una nariz grande, roja y llena de bultos es un signo de alcoholismo, y puede ser que acertemos. Sin embargo, muchos abstemios tienen esta anomalía, que médicamente se conoce como *rinofima* y más comúnmente como *nariz bulbosa*. El difunto actor cómico W. C. Fields era un ejemplo paradigmático de este trastorno, que se presenta casi exclusivamente en hombres de más de cuarenta años. La nariz bulbosa puede ser en algunos casos una manifestación acusada —aunque relativamente infrecuente— de rosácea. (Véase «Nariz rojiza».)

SIGNO DE LOS TIEMPOS

Charles Darwin tenía nariz bulbosa. Por este motivo, le faltó poco para no poder embarcar en el *Beagle*, barco que le llevaría a las Islas Galápagos, donde realizó importantes observaciones en las que se basó para desarrollar la teoría de la evolución. El capitán del barco era discípulo del famoso fisonomista Lavater. Darwin escribió en su autobiografía: «El capitán dudaba de si alguien con mi nariz podría tener la suficiente energía y decisión para soportar la travesía».

Normalmente, las personas con este trastorno presentan otros signos, como un exceso de piel, o del grosor de la misma, en la nariz. Debido al aumento de glándulas sebáceas, otra de las señales características del rinofima es una piel nasal cerosa, grasienta y amarillenta.

Aunque la nariz bulbosa es médicamente benigna, su aspecto antiestético puede provocar vergüenza y problemas sociales. Una solución podría estar en la cirugía plástica, pero el problema puede reaparecer.

SURCOS ENCIMA DE LA NARIZ

¿Has visto alguna vez a alguien con una arruga en el puente de la nariz? Podría ser señal de una alergia nasal persistente. La arruga es consecuencia de lo que se conoce como *saludo alérgico*. Las personas que sufren de alergia —especialmente

---

HABLANDO DE SEÑALES

Un caballero con una nariz chata es una contradicción.

EDGAR ALLAN POE

---

las que la padecen durante todo el año— suelen intentar aliviar el incesante picor de nariz frotándosela constantemente hacia arriba con la palma de la mano. Como consecuencia, se les forma una arruga en el puente de la nariz.

ESTORNUDOS DEBIDOS A LA LUZ SOLAR

Todos sabemos que el polvo, el polen, la pimienta y los perfumes provocan estornudos en muchas personas. Pero ¿qué pasa con el sol? Si te pones a estornudar cuando te expones al sol, no tienes de qué preocuparte: no eres el único. De hecho, alrededor de una cuarta parte de las personas experimentan este fenómeno, que se conoce de diversas maneras: *reflejo de estornudo fótico*, *reflejo de estornudo solar*, *reflejo*

SIGNO DE LOS TIEMPOS

 Los egipcios pensaban que mirar al sol y estornudar daba buena suerte.

---

de estornudo por luz brillante y, por último, nada más y nada menos que *síndrome de estornudos helioftálmicos incoercibles autosómico dominante*. Aunque la causa exacta de este fenómeno no se conoce, puede deberse a un cruce en el cerebro de señales reflejas de la vista y el olfato. Descrito desde los tiempos de la antigua Grecia, no ha sido objeto de mucho estudio en la literatura científica, porque es muy común y además no tiene la más mínima importancia desde un punto de vista médico. Los que lo experimentan también suelen ignorarlo porque los estornudos cesan tan rápidamente como se presentan.

INCAPACIDAD PARA ESTORNUDAR

Mientras que el estornudo —médicamente conocido como *estornudación*— es, de hecho, un signo de salud de que la nariz desempeña bien la función de autolimpieza, no poder estornudar cuando se siente la imperiosa necesidad de hacerlo es muy desagradable. Puede ser síntoma de un tumor cere-

---

HABLANDO DE SEÑALES

En todo el mundo, la gente sigue bendiciendo o deseando buena salud a alguien que estornuda. He aquí unas cuantas de las diferentes maneras que se emplean para hacerlo:

- En español: salud.
- En alemán: *gesundheit* (que tengas buena salud).
- En polaco: *sto lat* (cien años vivas).
- En francés: *à vos souhaits* (por tus deseos).
- En finlandés: *terveydeski* (a tu salud).
- En hebreo: *labriut* (bendito seas).
- En rumano: *noroc* (buena suerte).

---

bral. Y, algunas veces, las personas que se están recuperando de un derrame cerebral tienen dificultades para estornudar. Un psiquiatra de la India, que llamó a este trastorno *asneezia*, lo observó muchas veces en pacientes con esquizofrenia o depresiones profundas.

RONQUIDOS

Puede ser que hagas oídos sordos a un estornudo por luz solar, pero es difícil hacer caso omiso de los ronquidos. Es posible que no puedas dormir bien porque tu pareja parece estar emitiendo una sinfonía por la nariz. O que tus serenatas nocturnas vuelvan loca a la persona que duerme contigo, mandándola al diván de la sala de estar o al del psiquiatra... o incluso al despacho de un abogado matrimonialista.

HECHO SIGNIFICATIVO

La apnea del sueño puede tener consecuencias más importantes que pasar una mala noche. Las personas con apnea del sueño tienen de dos a siete veces más probabilidades de sufrir un accidente de automóvil. Y los hombres con apnea del sueño pueden ver cómo su rendimiento sexual desciende en picado.

Para algunas personas, los ronquidos pueden actuar de malvado delator de que han bebido demasiado, especialmente justo antes de ir a dormir. Aunque es fácil esconder una botella para que tu pareja no la vea, es mucho más difícil acallar esos molestos sonidos nasales, médicamente conocidos como *estertores*. Los ronquidos pueden también ser una señal que nos indica que comemos demasiado. De hecho, el sobrepeso y los ronquidos suelen ir acompañados.

Pero también pueden ser algo más que unos sonidos molestos, o provocados por un comportamiento que podamos cambiar. Pueden indicar diferentes trastornos médicos, algunos más graves que otros. A veces son simplemente una señal de congestión nasal debida a un resfriado o a una alergia, otras veces se deben a la obstrucción de la nariz derivada de

SIGNO DE LOS TIEMPOS

Miguel Ángel quedó con la nariz permanentemente desfigurada a consecuencia de una pelea a puñetazos. Un compañero de estudios de arte en Florencia, Pietro Torigiano, tenía tanta envidia del talento del joven artista que le golpeó en la nariz. Miguel Ángel —que ya era una persona tímida e introvertida— se hizo aún más retraído. Torigiano fue desterrado de Florencia.

la desviación del tabique nasal (la estructura que divide en dos la parte interna de la nariz), o a unos *cornetes* (estructuras óseas nasales cubiertas por membranas mucosas, que ayudan a mantener el aire cálido y a limpiarlo) anormalmente grandes. Los ronquidos pueden deberse a unas amígdalas, o a unas vegetaciones, de tamaño demasiado grande, a una lengua excesivamente gruesa o a una campanilla (lo que cuelga en la parte de atrás de la boca) voluminosa. También podrían indicar que el flujo del aire por la nariz está siendo obstruido por un bulto, no canceroso o canceroso.

Los ronquidos pueden ser la manera que tiene tu cuerpo de hacer sonar la alarma sobre un trastorno potencialmente importante llamado *apnea del sueño*. Durante un episodio de apnea del sueño puede quedar interrumpida la respiración, o ser extremadamente superficial. En algunos casos, estas interrupciones de la respiración se producen muchas veces a la hora, haciendo que el nivel de oxígeno en la sangre descienda de manera considerable, lo que el cuerpo interpreta como una emergencia. Entonces, el corazón late más rápidamente y la tensión sanguínea sube en picado. Para empeorar las cosas, la fluctuación de los niveles de oxígeno puede producir inflamaciones y obstruir las arterias, lo cual expone a la persona a un ataque al corazón o a un derrame cerebral.

Algunas veces, la apnea del sueño es algo hereditario y, en general, es más frecuente en los hombres que en las mujeres.

HECHO SIGNIFICATIVO

 Casi la mitad de los adultos roncan en alguna ocasión y un 25 % de ellos son roncadores habituales. Los hombres roncan más que las mujeres.

Los afroamericanos, los oriundos de las islas del Pacífico y los mexicanos tienen un mayor riesgo de padecer este trastorno. Curiosamente, los mexicanos más que otros hispanos. El sobrepeso y especialmente la grasa alrededor del cuello aumentan el riesgo de padecer apnea del sueño.

SEÑAL DE ADVERTENCIA

Si eres roncador y vas a someterte a una intervención quirúrgica, no te olvides de decírselo al cirujano y al anestesista. Los ronquidos son un signo habitual de apnea del sueño. La anestesia puede tener más riesgo en pacientes con este problema, por lo que deberían tomarse especiales precauciones.

Moqueo abundante

El moqueo —conocido médicamente como *rinitis*— indica normalmente un simple resfriado o alergia. Pero si a alguien le salen constantemente mocos por la nariz, puede ser una señal acusadora de que esa persona esnifa cocaína, heroína u otra droga.

Si no consumes drogas, no estás resfriado y no tienes alergia, pero te salen muchos mocos de color claro por la nariz, podría deberse a un problema grave, como un tumor.

HABLANDO DE SEÑALES

Cuando quiero que se haga un trabajo que requiera inteligencia, siempre elijo a un hombre y, a ser posible, que tenga la nariz grande.

NAPOLEÓN BONAPARTE

SEÑAL DE PELIGRO

 Si tienes una secreción acuosa por la nariz después de haber recibido un golpe en la cabeza, llama inmediatamente al médico. Puede ser una señal de rotura de cráneo.

Si la secreción nasal es espesa e incolora puede ser una señal de infección de senos nasales, especialmente si además respiras mal y tienes dolor o fiebre. La respiración dificultosa y la disminución del sentido del olfato pueden indicar también la presencia de un pólipo nasal (véase «Perdida del olfato»).

HECHO SIGNIFICATIVO

Aunque no es algo frecuente, se ha conocido la existencia de episodios de estornudos constantes —fenómeno médicamente conocido como *estornudo paroxístico intratable*— de hasta dos mil veces al día. Se cree que este trastorno agotador tiene origen psicológico y suele afectar a chicas adolescentes.

Normalmente, los pólipos nasales no son cancerosos, pero pueden dificultar la respiración. Y aunque se pueden extirpar quirúrgicamente, con frecuencia vuelven a crecer.

SEÑAL DE ADVERTENCIA

Las personas con pólipos nasales pueden ser alérgicas a la aspirina y a otros medicamentos antiinflamatorios no esteroideos (AINES), como el ibuprofeno y el naproxen. Dado que una reacción alérgica a estos medicamentos podría ser mortal, deben evitarse a no ser que se tomen bajo la estrecha supervisión de un médico.

Sequedad de nariz

La sequedad de nariz puede ser tan molesta como el moqueo. Y aunque probablemente no sea algo de lo que haya que preocuparse demasiado, puede ser un signo del *síndrome de Sjögren*, enfermedad autoinmune poco frecuente pero grave que interfiere en la producción de mucosidad y saliva. (Véase el apéndice I.) Si no se trata, este síndrome, que afecta principalmente a las mujeres, puede dar lugar a problemas oculares, reproductivos o de otra índole.

La sequedad de nariz es también un signo bastante común de consumo (o consumo excesivo) de algunos medicamentos que se utilizan para tratar la obstrucción de la nariz, el asma y otros trastornos nasales. Entre los medicamentos que pueden producirla están los antihistamínicos, los sprays nasales y los broncodilatadores, especialmente los que contienen atropina, que es un relajante muscular.

SIGNO DE SALUD

La sequedad de la mucosa nasal —comúnmente conocida como moco seco— puede parecer burda e indecorosa, por no decir que es difícil de remediar, al menos en público. Pero es un signo de que las membranas mucosas están trabajando bien, excretando una sustancia viscosa que ayuda a retener y recubrir la suciedad y el polvo de manera muy parecida a como las ostras producen las perlas.

Si tienes la nariz crónicamente obstruida y seca puede ser que padezcas un trastorno poco frecuente llamado *síndrome de la nariz vacía (SNV)*. El síndrome de la nariz vacía se presenta principalmente en personas que han sufrido intervenciones quirúrgicas en los senos nasales o en otras partes de la nariz, por razones médicas o estéticas. Puede ser que en el proceso quirúrgico se hayan extirpado por error más cornetes de los necesarios (véase «Ronquidos»), con lo que la nariz queda literalmente vacía. Los cornetes también pueden resultar dañados en el curso de una radioterapia, o a causa de un traumatismo físico en la nariz. Las personas que sufren el síndrome de la nariz vacía dicen que tienen una sensación muy desagradable de que no pueden tomar suficiente aire al respirar. Paradójicamente, suelen decir que notan que la nariz está simultáneamente vacía y bloqueada.

Otros signos comunes del síndrome de la nariz vacía son la escasez de aliento y otras dificultades respiratorias, la disminución de los sentidos del gusto y del olfato, la nariz maloliente (véase «Nariz maloliente»), los trastornos del sueño y la

---

HECHO SIGNIFICATIVO

El primer estudio de la historia sobre personas que se hurgan la nariz para sacarse los mocos se llevó a cabo en Wisconsin en 1991. Más del 90 % de los encuestados confesaron que lo hacían. Los lugares más frecuentes de «pesca» eran las oficinas y los coches. Mientras que un 22 % de los encuestados lo hacía de dos a cinco veces al día, un 1 % se hurgaba compulsivamente, lo que médicamente se conoce como *rinotilexomanía*.

Un estudio similar llevado a cabo recientemente en la India concluyó que la frecuencia con la que las personas se hurgan la nariz es de cuatro veces al día por término medio. Alrededor del 8 % de los encuestados eran «pescadores de primera», que se hurgaban la nariz más de veinte veces al día. Y nada menos que un 17 % admitieron que este asunto constituía para ellos un problema.

---

apnea. Frecuentemente, estos síntomas se presentan muchos años después de la intervención quirúrgica o del daño infligido a los cornetes.

NARIZ MALOLIENTE

La nariz está preparada para oler otras cosas, pero a veces es ella la que huele, y además mal. Si tu nariz despide un olor nauseabundo puede ser que tú no lo notes, pero los demás seguro que sí.

Un olor desagradable que emana de la nariz puede ser un síntoma de *ocena*, enfermedad crónica en la que se atrofia la estructura nasal. (El término «ocena» viene de una palabra griega que significa «hedor».) La ocena es frecuentemente un signo revelador del llamado *síndrome de la nariz vacía* (veáse «Sequedad de nariz»), o de una forma más grave de esta enfermedad denominada *rinitis atrófica secundaria*. (Con frecuencia se utilizan indistintamente las dos denominaciones.) Pero la llamemos como la llamemos, puede destruir la calidad de vida de una persona. Avergonzados por el olor, los que sufren esta enfermedad tienden a evitar las relaciones sociales o a darse cuenta de que son los demás los que huyen de ellos. Como consecuencia, pueden deprimirse seriamente.

SIGNO DE LOS TIEMPOS

Tagliacozzi, un prestigioso cirujano italiano del siglo XVI, escribió el primer libro de texto sobre cirugía plástica. Reconstruía narices —a menudo maltrechas en algún duelo— utilizando la piel de las nalgas del paciente. Desgraciadamente, la Iglesia metió las narices en lo que Tagliacozzi hacía y lo excomulgó.

SEÑALES DE LA NARIZ QUE SOLO TÚ PUEDES NOTAR

PROBLEMAS DE OLFATO

El olfato mejora nuestra vida en innumerables sentidos; piensa en el campo en primavera, en exóticos perfumes, en unos sabrosos pastelitos o en la cata de un buen vino. Y determinados olores pueden despertar nuestra memoria y transportarnos a la niñez.

SEÑAL DE ADVERTENCIA

Cuando pierdes el sentido del olfato, hay más en juego de lo que piensas. Lo más probable es que también pierdas el sentido del gusto. De hecho, dos terceras partes de las personas que piden ayuda por la pérdida del olfato se quejan también de pérdida del gusto.

Pero el hecho de que la capacidad olfativa sea fundamental para la supervivencia es aún más importante.

El sentido del olfato nos alerta de todo tipo de peligros, advirtiéndonos de la presencia de gases nocivos, de que un alimento está en mal estado o de que se ha desatado un incendio. Si perdemos el sentido del olfato, aumentamos el riesgo de inhalar gases tóxicos, de envenenarnos con algún alimento o de quemarnos.

Pérdida del olfato

¿Te parece que tu perfume favorito, o la loción para después del afeitado, ya no desprende la fragancia de antes? Dependiendo de tu edad, puede tratarse de una más de las desagradables señales de envejecimiento. De la misma manera que el oído, la vista y la memoria se deterioran con la edad, también se va perdiendo el sentido del olfato.

HECHO SIGNIFICATIVO

El sentido del olfato es el más fino de los que tenemos. Es diez mil veces más intenso que el sentido del gusto. De hecho, hasta un 90 % de lo que percibimos como un sabor es en realidad un olor.

La disminución de la capacidad olfativa se conoce médicamente como *hiposmia*, y su pérdida total se llama *anosmia*. Para confundir más las cosas, cuando la disminución de la capacidad olfativa es debida a la edad, se llama *presbiosmia*. El olfato está plenamente desarrollado cuando nacemos y alcanza su máxima capacidad desde la adolescencia hasta los sesenta años. A partir de entonces va decayendo. Cuando ya hemos cumplido ochenta años, el olfato solo tiene la mitad de la capacidad que tenía cincuenta años antes.

SEÑAL DE ADVERTENCIA

Dado que el sentido del olfato es clave para percibir el peligro, una persona que lo haya perdido debería tener en su casa detectores de humo y de gas. También es importante que conozca exactamente la fecha de caducidad de los alimentos para evitar la ingestión de los que se hayan pasado. Estas precauciones de seguridad son especialmente importantes para quienes viven solos y tienen cierta edad.

No resulta nada extraño que la pérdida del olfato, como la nariz taponada, sea a menudo un signo de que los conductos nasales están obstruidos debido a un resfriado, a una alergia, a una infección de los senos nasales, a un pólipo o a un tumor. Pero también puede ser un signo que indica deficiencia de zinc. (El zinc, de hecho, se usa algunas veces para ayudar a recuperar el sentido del olfato.) La pérdida del olfato por estas causas suele presentarse poco a poco y normalmente es temporal. Una vez tratada la causa, la capacidad olfativa normalmente se recupera.

HECHO SIGNIFICATIVO

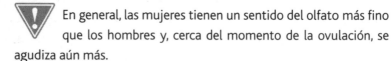

En general, las mujeres tienen un sentido del olfato más fino que los hombres y, cerca del momento de la ovulación, se agudiza aún más.

Una pérdida repentina del olfato en personas de más de sesenta años es con frecuencia un signo de infección del aparato respiratorio superior. Pero la pérdida repentina del olfato puede tener como causa muchas veces un traumatismo en la cabeza, especialmente en gente joven. De hecho, una de cada diez personas afectadas por una lesión en la cabeza tiene peor olfato y, desgraciadamente, puede ser que de manera permanente.

Si tu sentido del olfato no es igual de penetrante que en otros tiempos, puede ser que la nariz te esté avisando de que has estado expuesto a productos químicos peligrosos o a toxinas medioambientales. Si bien la pérdida del olfato por estas causas puede ser permanente, un rápido tratamiento podría hacer que lo recuperaras.

SIGNO DE LOS TIEMPOS

Paradójicamente, la cocaína se usaba corrientemente para tratar los trastornos nasales. Freud utilizaba su «droga mágica», como él la llamaba, para aliviar sus propios problemas nasales crónicos. No solamente quedó «enganchado» a la droga sino que sus problemas empeoraron.

Si te has sometido recientemente a una intervención quirúrgica en la nariz, la disminución del sentido del olfato puede estar indicando que algo no fue bien en la operación. También puede ser consecuencia de una reacción a la radioterapia o a la quimioterapia, así como a ciertos medicamentos, como los descongestionantes y los que se recetan para el hipertiroidismo. Y en cuanto a las sustancias prohibidas, la pérdida del olfato —al igual que el moqueo— puede estar provocada por esnifar cocaína u otra droga. También puede ser la manera que tiene el cuerpo de decirte que estás fumando o bebiendo demasiado.

SEÑAL DE PELIGRO

Fumar puede provocar la pérdida del sentido del olfato, por no mencionar la pérdida de la vida. Además de estar más expuestos a enfermedades pulmonares y cardíacas y al cáncer, los fumadores tienen un riesgo mayor de provocar incendios o de verse implicados en ellos.

La pérdida del olfato también puede ser la única señal de advertencia de un tipo de tumor cerebral llamado *meningioma olfativo del surco*. Afortunadamente, este tumor no suele ser canceroso y puede tratarse. Lo malo es que si no se hace nada, tiende a crecer y a afectar no solo al sentido del olfato sino también al de la vista. El meningioma olfativo del surco se da con mayor frecuencia en las mujeres que en los hombres y normalmente afecta a personas que están entre los cuarenta y los setenta años de edad.

HECHO SIGNIFICATIVO

 Las personas con un sentido del olfato normal pueden percibir alrededor de diez mil olores diferentes.

La pérdida de olfato puede ser también una señal indicativa de toda una pléyade de trastornos médicos, como la diabetes, el hipotiroidismo, la epilepsia, la esclerosis múltiple, algunas enfermedades de pulmón e incluso la esquizofrenia.

HABLANDO DE SEÑALES

 El gusto y el olfato son en realidad un mismo sentido, del cual la boca es el laboratorio y la nariz la chimenea.

BRILLAT-SAVARIN, padre de la gastronomía moderna, en
The Psicology of Taste, 1825

Finalmente, la pérdida de olfato puede ser un signo muy precoz de dos trastornos neurológicos: *enfermedad de Alzheimer* y *enfermedad de Parkinson*. (Véase el capítulo 7.) Desgraciadamente, estas dos enfermedades pasan inadvertidas, o se diagnostican mal, al principio de su desarrollo. Las pruebas olfativas son una importante herramienta de diagnóstico que ayuda a distinguir estos trastornos neurológicos de otras afecciones.

Hipersensibilidad olfativa

¿Levantas o arrugas la nariz cuando percibes olores que nadie más parece notar? De la misma manera que la jovencita del cuento de hadas danés *La princesa y el guisante* era hipersensible al tacto, algunas personas son hipersensibles a los olores. Médicamente conocido como *hiperosmia*, la hipersensibilidad olfativa es por lo general un signo benigno, aunque molesto. Sin embargo, si padeces esta alteración, los olores ligeramente desagradables pueden producirte náuseas. Aunque también percibirás con mayor intensidad los olores agradables. Por ejemplo, una persona con hiperosmia puede muchas veces detectar la fragancia del perfume de una mujer mucho después de que esta haya abandonado la habitación.

HECHO SIGNIFICATIVO

Según los especialistas, el olor a carne podrida es, con seguridad, el más desagradable del mundo. Este hecho tiene aplicaciones prácticas: el Departamento de Defensa de Estados Unidos ha intentado reproducir este olor para fabricar una bomba fétida más eficaz.

Con frecuencia se cree que la hipersensibilidad a los olores es un trastorno psicosomático y un signo de neurosis. Pero no te precipites a ir corriendo a un loquero. Puede ser que estés embarazada. Y la hiperosmia puede ser también un síntoma de *enfermedad de Addison*, trastorno hormonal grave, aunque poco frecuente, que afecta a las membranas mucosas y a la piel. (Véanse el capítulo 9 y el apéndice I.)

Olores malolientes que solo tú puedes oler

La tarta de manzana que hace tu madre, ¿huele últimamente más a pizza? No le eches la culpa a ella sin antes hacer que te examinen la nariz. Puede ser que tengas el signo típico de la *disosmia*, o distorsión del sentido del olfato. Pero si el olor de un invernadero parece más bien el de una letrina, puede tratarse de un signo de *cacosmia*, trastorno en el que los olores resultan pútridos o repugnantes para una persona cuando las demás los sienten tal y como son.

HABLANDO DE SEÑALES

La verdad del hombre está en su nariz.

OVIDIO

Si eres la única persona en la habitación que percibe un olor, probablemente padezcas *fantosmia* u *olores fantasma*. A diferencia de las visiones fantasma, en las que a menudo se ven animales muy bonitos o escenas agradables (véase el capítulo 2), los olores fantasma normalmente son muy desagradables. De hecho, la mayoría de las veces son directamente repugnantes. Las personas que sufren fantosmia describen olores tan hediondos como el de la carne podrida, el de las heces o el de los vómitos, que parecen no provenir de ninguna parte.

En algunas personas, los olores fantasma pueden ser un signo de esquizofrenia u otros trastornos psiquiátricos. En estos casos, es muy probable que los que los sufran tengan también alucinaciones visuales y auditivas u otros síntomas psiquiátricos graves.

Como la hipersensibilidad olfativa, los olores fantasma, la disosmia y la cacosmia pueden ser signos normales de embarazo. Pero si no estás embarazada, pueden ser una señal de epilepsia. De hecho, algunas personas experimentan un halo de olor justamente antes de un ataque. Curiosamente, los olores alterados o extraños, así como los olores fantasma, pueden ser indicativos de un determinado tipo de epilepsia en el que no se producen ataques. También pueden anunciar una migraña inminente.

SEÑAL DE PELIGRO

Los trastornos graves del olfato —como los que hacen que la comida huela a podrido— pueden perjudicar de tal manera la calidad de vida de una persona que a menudo dan lugar a graves depresiones. De hecho, un cirujano del Centro Médico de la Universidad de Nebraska informó de que casi la mitad de sus pacientes con distorsiones del olfato habían considerado seriamente la posibilidad del suicidio.

Como era de esperar, todos estos trastornos pueden ser un signo de lesión del nervio olfativo, que puede estar ocasionada por muchas de las mismas causas, incluidas infecciones, traumatismos en la cabeza, intervenciones quirúrgicas, toxinas medioambientales y drogas, que dan lugar a la pérdida del olfato. (Véase «Pérdida del olfato».)

Si el trastorno subyacente puede tratarse, las distorsiones o alucinaciones olfativas probablemente desaparecerán. Pero es fundamental obtener un diagnóstico preciso y precoz.

A MODO DE CONCLUSIÓN

Los médicos de atención primaria, los médicos de familia y los especialistas en medicina interna pueden diagnosticar y tratar numerosos problemas nasales, desde el resfriado común hasta las alergias. Pero muchos problemas de la nariz están relacionados con otros trastornos médicos que requieren para su evaluación y tratamiento una formación especializada. Ten presente que si te duele la nariz, o sangras excesivamente por ella, debes llamar al médico inmediatamente.

Así que, ¿cuáles de ellos saben más sobre los problemas nasales? Si padeces un problema de este tipo y necesitas visitar a un especialista, podrías consultar con uno de los siguientes profesionales:

- *Alergólogo/inmunólogo*: médico que tiene el título de medicina interna o de pediatría, además de una formación adicional en alergología e inmunología.
- *Especialista en trastornos del sueño*: médico u otro especialista que tiene una formación específica sobre trastornos del sueño.
- *Otolaringólogo* (también conocido como *otorrinolaringólogo*): médico especializado en evaluar y tratar problemas de garganta, nariz y oído.
- *Rinólogo*: médico que tiene el título de otolaringología, además de una formación adicional para el tratamiento de problemas de nariz y senos nasales.

5

FÍJATE EN LOS LABIOS Y EN LA BOCA

> Labios, dientes, punta de la lengua.
> Labios, dientes, punta de la lengua.
>
> Ejercicio vocal de preparación para actores

Los labios y la boca son la puerta de acceso para disfrutar de algunos de los placeres más sensuales: chupar, beber, comer, degustar y besar. Tal vez esa es la razón por la que la gente ha estado obsesionada con su boca desde la Antigüedad. Existen escritos e inscripciones sumerios, chinos y egipcios que datan de tiempos tan remotos como el año 5000 a. C. en los que se describen remedios medicinales para problemas relacionados con ella, desde el mal aliento hasta el dolor de muelas. Alguna de estas pócimas contenía ingredientes como vino y orina de niños, que con el tiempo se ha descubierto que tienen propiedades antisépticas.

Aunque los dientes no tienen el mismo atractivo sexual que la boca y los labios, son ciertamente de gran utilidad. No solamente se ocupan de masticar los alimentos, sino que definen los límites que hacen que la lengua esté en su sitio. En cuanto a la lengua, no solo sirve para degustar, hablar y despertar atracción sexual; también tiene la misión de mover de un lado a otro los alimentos para que podamos masticarlos mejor antes de tragarlos, aparte por supuesto del papel que desempeña en la función del habla.

SIGNO DE LOS TIEMPOS

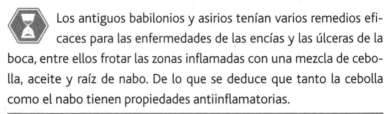

Los antiguos babilonios y asirios tenían varios remedios eficaces para las enfermedades de las encías y las úlceras de la boca, entre ellos frotar las zonas inflamadas con una mezcla de cebolla, aceite y raíz de nabo. De lo que se deduce que tanto la cebolla como el nabo tienen propiedades antiinflamatorias.

Aunque la boca puede ser una fuente inagotable de placer para nosotros y para otras personas, también puede ser causa de gran cantidad de problemas: es capaz de besar... y también de revelar secretos. La boca nos dice muchas cosas sobre lo que está pasando en el interior del cuerpo; desde el color y la textura de los labios y de la lengua, hasta el olor del aliento, hay en ella muchos factores significativos en relación con la salud. No en vano, una de las primeras cosas que le dice el médico a su paciente cuando le está examinando es: «Abra la boca y saque la lengua».

LOS LABIOS Y LA BOCA

Labios abultados

Durante siglos, unos labios carnosos han sido un signo de belleza y sensualidad en la mujer. En la época victoriana, las mujeres jóvenes pronunciaban repetidamente palabras que empeza-

SIGNO DE LOS TIEMPOS

La tradición de hacer un regalo a los niños cuando se les cae un diente data de la época de los vikingos. Se creía que los dientes de leche protegían de las brujas y espíritus malignos. El «ratoncito Pérez» ha llegado hasta nuestros días: el niño deja el diente debajo de la almohada esperando con ilusión que el ratoncito Pérez se lo lleve a cambio de una moneda o un pequeño regalo. Según una revista financiera de ámbito nacional, el ratoncito Pérez paga unos dos euros por diente.

ran por la letra *p* como entrenamiento para desarrollar unos labios bonitos, risueños e insinuantes que atrajeran a los varones.

Hoy en día, aunque algunas mujeres están genéticamente dotadas de unos seductores labios (como Scarlett Johansson), los labios carnosos más bien delatan una inyección de colágeno que la práctica de ejercicios para desarrollarlos (pensemos en Goldie Hawn en *El club de las primeras esposas*). Pero unos labios abultados o hinchados pueden ser tam-

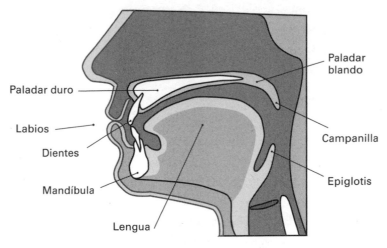

ANATOMÍA DE LA BOCA

bién consecuencia de una reacción alérgica a algún alimento o bebida, o a algún adorno colocado para realzarlos.

HABLANDO DE SEÑALES

 «Papá», «patata», «papagayo», «pasas» y «prisma» son palabras muy buenas para los labios, especialmente papá y papagayo.

CHARLES DICKENS,
La pequeña Dorrit, 1855

Si tienes el labio inferior abultado y con pequeños lunares rojos o blancos, o con heridas, puede ser que padezcas *queilosis actínica*, erosión progresiva a causa del sol. Este trastorno normalmente se presenta a partir de los cincuenta años y es más frecuente en los hombres que en las mujeres. Por desgracia, el daño que ocasiona en el labio es permanente. Como ocurre con la mayoría de los problemas de piel asociados al sol, las personas de piel delicada están más expuestas a padecerlo. La queilosis actínica es muchas veces una afección precancerosa, aunque también puede ser un signo de que ya se ha producido un cáncer de piel en el labio inferior.

SEÑAL DE ADVERTENCIA

Un bulto o una herida en los labios, de bordes duros y con el centro de color marrón, puede ser un signo de *queratoacantoma*, lesión de la piel de rápido crecimiento que normalmente se presenta en los labios. Como muchos de los abultamientos en la piel, está relacionado con la acción del sol. Aunque a veces desaparece espontáneamente, dejando solo una pequeña marca, puede ser precanceroso.

Unos labios crónicamente abultados pueden ser una señal del síndrome de *Melkersson Rosenthal,* trastorno neurológico que suele ser hereditario. Normalmente hace su aparición en los primeros años de la vida adulta y las personas que lo padecen pueden presentar también hinchazón en la cara, parálisis del nervio facial y fisuras en la lengua. (Véase «Fisuras en la lengua».) Con el tiempo, pueden presentarse otros signos

---

SIGNO DE LOS TIEMPOS

Leonardo da Vinci tardó diez años en pintar los labios de la *Mona Lisa.*

---

como labios endurecidos, agrietados y escamosos. Estos mismos síntomas son frecuentes en personas que padecen *sarcoidosis,* grave trastorno de tipo inflamatorio que afecta a muchas otras partes del cuerpo, como los ojos, los oídos y la nariz, así como a órganos internos. (Véanse el capítulo 9 y el apéndice I.)

SEÑAL DE PELIGRO

Si se te hinchan de repente los labios y tienes dificultades para tragar o para respirar, pide atención médica inmediata. Puedes tener una reacción alérgica con riesgo de muerte (shock anafiláctico).

LABIOS FRUNCIDOS

Cuando ves a una persona con los labios fruncidos pueden venirte a la cabeza las palabras *remilgado* o *mezquino.* Pero unos labios fruncidos pueden ser señal de un trastorno inmunológico grave llamado *escleroderma*, que provoca el endurecimiento de la piel y cicatrices en los órganos internos. (Véase el capítulo 9.) Al estirarse la piel que los rodea, haciendo difícil abrir la boca, los labios parecen estar fruncidos o arrugados.

HECHO SIGNIFICATIVO

En muchas culturas, unos labios carnosos y rojos se consideran muy sexys. Los científicos creen que hay una razón que lo explica: los labios gruesos son un signo de fertilidad. De hecho, los labios de las niñas que llegan a la pubertad se hinchan cuando estas se excitan sexualmente.

Labios secos y agrietados

Cuando hace mucho frío, se pueden agrietar los labios. Aunque normalmente es un signo sin importancia que depende de causas externas, unos labios secos pueden indicar deshidratación. Paradójicamente, chuparse los labios puede agravar el problema. La sequedad crónica de los labios puede indicar también una deficiencia nutricional, así como el *síndrome de Sjögren*, enfermedad autoinmune que afecta a las glándulas que producen la humedad. (Véanse «Boca seca o exceso de sed» y el apéndice I.)

Labios azulados

Puede ser que una persona tenga los labios azules porque quiera ir a la última moda, aunque lo más probable es que haya pasado mucho tiempo a la intemperie en un día muy frío. Pero unos labios azulados pueden ser un signo de la *enfermedad de Raynaud*, trastorno en el que las arterias de menor tamaño, normalmente las de los dedos de las manos y de los pies, pero algunas veces las de otras partes del cuerpo, se contraen por el frío o por una tensión emocional. Esto impide que las partes del cuerpo afectadas obtengan suficiente oxígeno, lo que les da un aspecto azulado. (Véanse los capítulos 7 y 9.) Médicamente conocidos como *labios cianóticos*, los labios azulados pueden ser una señal de alarma de que el cuerpo no está obteniendo oxígeno suficiente a causa de uno o varios posibles trastornos respiratorios, como neumonía, asma, bronquitis crónica y edema pulmonar. La falta de oxígeno puede también deberse al exceso de tabaco, ya que el monóxido de carbono del humo priva de oxígeno a los pulmones y a otros órganos. Los labios azulados podrían también indicar una deficiencia de hierro (anemia).

SEÑAL DE ADVERTENCIA

 Si se te ponen los labios azules y estás embarazada, puede que tengas falta de hierro. Esto es algo muy común en el embarazo y es un problema potencialmente serio.

CALOR Y COSQUILLEO EN LOS LABIOS O EN LA BOCA

El cosquilleo, quemazón o incluso insensibilidad en los labios al final de una velada romántica pueden ser señal de que la relación es muy prometedora… o también la primera manifestación de la aparición de una llaga que se conoce médicamente como *herpes simple* (también conocido como *herpes bucal*). De ser así, lo mejor que puedes hacer es dar un beso de despedida a tu pareja, o mejor decirle lo que te pasa, porque el herpes es muy contagioso.

HECHO SIGNIFICATIVO

Además de comer, la boca tiene otra importante función en la alimentación: enfría o calienta la comida de forma que adquiere la temperatura adecuada para su ingestión. Esto ayuda a impedir la dolorosa sensación de quemadura y el llamado «dolor de cabeza del helado».

Si sientes un cosquilleo en los labios cuya causa no sea el herpes, puede ser un signo de deficiencia de calcio o de vitamina D. La sensación de cosquilleo o adormecimiento en los labios, o en algún otro lugar —fenómeno médicamente conocido como *parestesia* (véase el capítulo 7)—, puede ser uno de los primeros síntomas de una enfermedad renal. El cosquilleo en la boca puede indicar también diabetes: cuando el nivel de azúcar en la sangre no es normal, los nervios de la boca, o de otras partes del cuerpo, pueden resultar dañados.

Si esta sensación persiste, puede ser una señal de irritación debida a la rotura de algún diente o de la dentadura postiza, a alergia a algún alimento, a deficiencias nutricionales o incluso a la reacción a un enjuague bucal. Y la quemazón en la boca puede ser un signo de *candidiasis*, infección por levadura (también conocida como *afta*). Algunas veces, las aftas se dan en personas que han tomado antibióticos o esteroides inhalados, o de uso tópico, o que tienen la boca seca (véase «Boca seca o exceso de sed»). También es frecuente en personas cuyo sistema inmunológico está deprimido a causa de enfermedades como la diabetes, el sida o el cáncer, o por un tratamiento anticanceroso. De hecho, las aftas, cuando van acompañadas de manchas en la boca, son a menudo el primer síntoma del sida.

SEÑAL DE STOP

 Si tienes el síndrome de boca seca, puede ayudarte algo tan simple como cambiar de marca de pasta de dientes o de líquido para enjuagar la boca.

Pecas en los labios o en la boca

Las pecas en la nariz pueden ser muy atractivas pero ¿alguien querría tenerlas en los labios? Unas pocas manchitas de color marrón y forma extraña en los labios, llamadas *máculas melanóticas*, son frecuentes y no tienen ninguna relevancia médica. Aunque no haya que alarmarse por ellas, pueden permanecer durante años.

También pueden aparecer pecas dentro de la boca. Estos cambios en la coloración de la piel, que constituyen lo que se llama *melanosis de la mucosa oral*, son muchas veces un signo muy precoz de la *enfermedad de Addison*, trastorno hormonal poco frecuente de las glándulas suprarrenales. (Véanse el capítulo 9 y el apéndice I.) También pueden ser un síntoma de otros trastornos o cambios hormonales. Como ocurre con todas las manchas en la piel, si los puntitos o pecas cambian de color, de forma o de textura, existe la posibilidad de que se haya desarrollado un cáncer en la piel.

SEÑAL DE ADVERTENCIA

Un tono amarillento (ictericia) en el paladar o debajo de la lengua puede ser señal de hepatitis.

ZONAS BLANCAS O GRISES EN LA BOCA

Descubrir zonas blancas o grises en la lengua es suficiente para que uno pierda el apetito. Médicamente conocidas como *leucoplaquia*, pueden aparecer por cualquier sitio dentro de la boca, incluida la lengua y las encías. Las manchas, que suelen permanecer durante semanas o meses, responden a un crecimiento excesivo de células. Pueden estar provocadas por una dentadura postiza que no encaje bien, por un mordisco en la parte interior de la mejilla o por otras causas que produzcan irritación. La leucoplaquia puede también ser una reacción a una pasta de dientes o a una loción para la boca que contengan sanguinarina, una sustancia antiséptica.

Si las manchas se presentan de manera un tanto repentina pueden ser un signo de aftas. (Véase «Calor y cosquilleo en los labios o en la boca».) Pero, con mayor frecuencia, la aparición repentina de estas manchas es un signo delator de exceso en el consumo de tabaco o alcohol. Por desgracia, la leucoplaquia en los fumadores y en los grandes bebedores muchas veces es precancerosa. De hecho, cualquier cambio de color en la boca de alguien que fuma, o que ha fumado, puede ser una «señal de humo» que avisa de que puede producirse un cáncer de piel.

SEÑALES DE PELIGRO

El cáncer bucal, una de las formas de cáncer más mortíferas, tiene los siguientes síntomas:

- Un lunar o bulto áspero, rugoso o desigual dentro de la boca.
- Dificultad para masticar, tragar, hablar o mover la lengua o la mandíbula.
- Puntos o zonas de color gris, rojo o blanco en la boca.
- Irritación, sensibilidad, quemazón o una herida en la boca que no se cura.
- Sensibilidad, adormecimiento o dolor en la boca o en los labios.

ESTRÍAS BLANCAS EN LA BOCA

Unas estrías blancas en la parte interior de la mejilla, o en las encías y la lengua, son normalmente un signo de *liquen plano*, enfermedad crónica que suele afectar a la piel. (Véase el capítulo 9.) Estas lesiones aparecen y desaparecen de manera aparentemente caprichosa. Aunque hay dudas al respecto, se cree que el liquen plano es en algunos casos un signo que anuncia una *hepatitis C*, grave infección vírica.

ENCÍAS ROJAS O HINCHADAS

Si tienes las encías rojas, más que un signo de salud puede ser un primer síntoma de *gingivitis*, que es una inflamación de las encías. La gingivitis es con frecuencia un signo que indica que no hemos seguido una buena higiene bucal. Pero si las encías están hinchadas, blandas y sensibles al dolor quiere decir que

---

SIGNOS DE SALUD

 Unas encías sanas son de color rosáceo o coral. Deben ser firmes y resistentes. Y, por supuesto, no deben sangrar ni doler.

---

estás a las puertas de contraer una enfermedad de las encías denominada *periodontitis*. Esta afección, que hace que se pierda hueso y parte del tejido conectivo que mantiene los dientes en su sitio, puede ocasionar la pérdida de la dentadura. Pero, por otro lado, si se trata a tiempo, la enfermedad es reversible.

SEÑAL DE ADVERTENCIA

 La enfermedad de las encías (periodontitis) incrementa en quien la padece el riesgo de ataque al corazón y de derrame cerebral.

Las encías hinchadas pueden ser un signo delator de que eres fumador o de que aprietas o rechinas mucho los dientes. También pueden hincharse como reacción a determinados fármacos, como los anticonceptivos orales, los antidepresivos y algunos medicamentos para el corazón.

La hinchazón de las encías puede también ser un signo de diabetes. De hecho, una tercera parte de las personas con diabetes tienen las encías considerablemente deterioradas. Es

SEÑALES DE ADVERTENCIA

Estos son los síntomas normales de la enfermedad de las encías:

- Huecos entre los dientes.
- Pus entre los dientes y las encías.
- Encías retraídas.
- Mal aliento.
- Picor en la boca.
- Llagas en la boca.
- Cambios en la forma de morder o en la manera en que encaja la dentadura postiza.

interesante constatar que el tratamiento de la enfermedad de las encías puede ayudar a controlar el nivel de azúcar en la sangre.

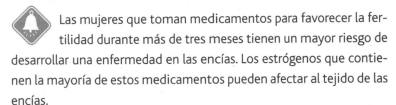

SEÑAL DE ADVERTENCIA

Las mujeres que toman medicamentos para favorecer la fertilidad durante más de tres meses tienen un mayor riesgo de desarrollar una enfermedad en las encías. Los estrógenos que contienen la mayoría de estos medicamentos pueden afectar al tejido de las encías.

Unas encías inflamadas pueden ser también un signo de la infección bacteriana llamada *estomatitis de Vincent* o *gingivitis necrosante* (también conocida como *boca de trinchera*). En los casos graves puede dañar el hueso de la boca y el tejido de las encías.

Bulto o agujero en el paladar

Si notas, o siendo más precisos si tu lengua nota, que tienes un bulto en el paladar, no te pongas nervioso. Lo más probable es que esta protuberancia sea un signo de *deformidad del paladar (toro palatino)*, consistente en abultamientos óseos en el mismo. Aunque pueda parecer mentira, estas protuberancias son benignas y frecuentemente están ocasionadas por algo tan simple como comer alimentos duros que irritan el paladar. De hecho, puede ocurrir que te des cuenta por primera vez de la presencia de estas estructuras óseas al masticar un bollo. Si los bultos se hacen muy grandes, a pesar de ser benignos, pueden causar problemas en el habla o a la hora de fijar la dentadura postiza.

Si lo que palpas con la lengua es un pequeño cráter en el paladar, podría ser indicativo de una afección que, aunque tiene un nombre inquietante, es indolora y normalmente poco importante: la *sialometaplasia necrosante*. Estas anomalías normalmente indican alguna lesión en el interior de la boca. Muchas veces, se curan solas en unos pocos meses. Desgraciadamente, algunas de ellas resultan ser cancerosas.

SEÑAL DE ADVERTENCIA

Las úlceras o heridas recurrentes en la boca pueden ser un primer síntoma de dos importantes afecciones gastrointestinales, la enfermedad de Crohn y la colitis ulcerosa. Pueden también ser un signo de advertencia sobre el trastorno autoinmune conocido como lupus.

BOCA SECA O EXCESO DE SED

¿Sientes a menudo que tienes la boca como si fuera de lija o estuviera rellena de algodón? Si es así, puede ser que tengas *xerostomía*, palabreja médica para decir «boca seca». A veces, la boca seca es algo normal, generalmente un síntoma de deshidratación por ingestión excesiva de sal o de alcohol, o por el calor. También puede ser la forma que tiene tu cuerpo de decirte que estás estresado y necesitas calmarte.

HECHO SIGNIFICATIVO

La saliva nos ayuda a humedecer los alimentos que ingerimos de manera que podamos masticarlos, tragarlos y digerirlos más fácilmente. Y elimina restos de comida y bacterias, evitando así el mal aliento, el deterioro de los dientes y las enfermedades de las encías. Sin saliva, perderíamos toda la dentadura en seis meses.

Pero si sientes como si tuvieras un pepino reseco pegado a la boca, puede tratarse de una reacción a una, o a varias, de más de cuatrocientas medicinas o sustancias. Los principales causantes de este problema son los antihistamínicos, los diu-

---

SIGNO DE LOS TIEMPOS

Cuando descubrieron que la ansiedad puede hacer que no fluya la saliva, los antiguos chinos inventaron lo que tal vez haya sido la primera prueba para detectar mentiras. Para saber si una persona sospechosa estaba diciendo la verdad, le ponían arroz seco en la boca. Si el acusado no era capaz de escupir el arroz, se le consideraba culpable.

---

réticos, los enjuagues bucales astringentes, los antidepresivos y algunos medicamentos para la tensión sanguínea.

En algunos casos, la boca reseca puede ser un signo delator de que consumes drogas ilegales como marihuana, cocaína o metanfetamina. O puede ser un testigo de cargo que te acusa de beber demasiado; el alcohol es muy deshidratante.

SEÑAL DE ADVERTENCIA

 Si introduces una galleta salada en la boca y tienes dificultades para masticarla o tragarla, has suspendido el «test de la galleta», lo que indica que tienes «boca seca».

Algunas veces, la sequedad de boca es signo de una lesión en las glándulas salivales producida por algún traumatismo en el cuello, por una operación quirúrgica o por un tratamiento de radioterapia o quimioterapia. La sequedad de boca debida a la radiación es permanente, mientras que la provocada por la quimioterapia normalmente es temporal.

La sequedad de boca puede ser un signo precoz de determinados trastornos autoinmunes, incluida la artritis reumatoide y el *síndrome de Sjögren. (*Véase el apéndice I.*)* Otros signos comunes de Sjögren, que afecta principalmente a las mujeres, son sequedad de ojos, sequedad nasal e inflamación de las articulaciones. Por último, la sequedad de boca puede indicar graves trastornos como la enfermedad de Parkinson, la fibrosis quística, la diabetes e incluso el sida.

Con frecuencia, es difícil distinguir la boca seca de la sed excesiva ya que una da lugar a la otra. Pero una sed muy intensa o insaciable puede ser una señal de peligro de hipotiroidismo avanzado. (Véase el apéndice I.) Otra señal es el

HECHO SIGNIFICATIVO

En teoría, cualquier sustancia, enfermedad o indicador que pueda detectarse en la sangre, se encuentra también en la saliva. Hoy en día, los test de saliva hechos en casa, o en el lugar de trabajo, pueden detectar drogas ilegales, alcohol, sida, cambios hormonales e incluso estrés nervioso. Los científicos han acertado algunas veces a diagnosticar un cáncer bucal a partir de la saliva.

hambre intensa. Pero si tienes hambre constantemente y además tienes necesidad frecuente de orinar, la sed intensa puede ser señal de una diabetes no controlada, o sin diagnosticar, que podría ir seguida de un coma diabético.

EXCESO DE SALIVA

Si escupes saliva al hablar, la cosa no es desde luego nada agradable. El exceso de saliva puede ser una reacción a determinados medicamentos, especialmente a los *medicamentos colinérgicos*, que se usan para tratar la boca seca y el glaucoma. A menudo también es un signo de *enfermedad por reflujo gastroesofágico (ERGE)*, más conocida como *reflujo ácido*. (Véase «Aliento fecal».)

HECHO SIGNIFICATIVO

Una persona produce por término medio un litro de saliva al día aproximadamente, lo que supone alrededor de 35.000 litros durante toda la vida.

El exceso de saliva puede ser un signo de algunos trastornos de más gravedad como úlceras gástricas, enfermedades del hígado, pancreatitis, trastornos neurológicos, obstrucción del esófago y cáncer. Mirándolo más positivamente, podría ser un primer signo de embarazo.

SEÑAL DE ADVERTENCIA

Si la boca se te pone espumosa, puede ser que te temas lo peor: la rabia. Sin embargo, a no ser que te haya mordido recientemente un animal, probablemente no tengas esa enfermedad potencialmente mortal. Lo más probable es que se trate de un signo de boca seca o de diabetes.

LO QUE NOS CUENTA LA LENGUA

Desde el beso francés hasta el saludo del Bronx, la lengua es una fuente constante de placer o de burla.

La lengua está recubierta de varios tipos de pequeños nódulos llamados *papilas*, algunas de las cuales son las denomi-

HECHO SIGNIFICATIVO

La boca puede albergar más de seis millones de bacterias. Algunas nos benefician y otras nos perjudican. Cuáles tenemos de los más de 600 tipos diferentes que existen depende del lugar donde vivamos e incluso de nuestro peso. Por ejemplo, los sudamericanos, los norteamericanos y los suecos tienen bacterias diferentes. Y las bacterias de la boca en las mujeres con sobrepeso son distintas a las que tienen aquellas cuyo peso es normal.

nadas papilas gustativas. Como los pelos de la cabeza, crecen y mudan constantemente. Las papilas de la parte trasera de la lengua tardan más tiempo en renovarse que las de la parte delantera. También suelen ser más grandes y por lo tanto más susceptibles de contraer infecciones por bacterias o por hongos. Desde luego, parece que a la lengua le gustan los problemas.

SEÑAL DE ADVERTENCIA

 Los pequeños bultos o protuberancias en ambos lados de la lengua no suelen ser cancerosos. Pero si los tienes en uno solo de ellos, podría tratarse de una señal de cáncer.

LENGUA NEGRA PELUDA

Si tienes la lengua negra y no has estado chupando caramelos de regaliz o te has tomado un pastel de uvas tintas, puede ser un signo de que sufres una alteración llamada con acierto *lengua negra peluda*, que también se conoce como *lengua vellosa negra*. Cuando los pelos de la lengua no se desprenden, pueden crecer demasiado y retener bacterias y comida. Como consecuencia, la lengua se vuelve de color marrón oscuro, verde o incluso amarillo oscuro.

La lengua negra peluda puede ser un signo que delata que fumas o masticas tabaco, o de que eres poco cuidadoso con tu higiene bucal. Paradójicamente, también puede ser señal de que haces un uso excesivo de los enjuagues bucales. No es de extrañar que las personas que padecen este trastorno suelan también tener halitosis. (Véase «Mal aliento».)

SIGNO DE LOS TIEMPOS

Los sacerdotes mayas y aztecas utilizaban *piercings* en la lengua para comunicarse mejor con los dioses. Hoy en día, esta es una costumbre muy común entre los jóvenes, muchos de los cuales creen que favorece el sexo oral. Y algunos a los que verdaderamente les gustan las cosas exóticas y, tal vez, los problemas se cortan la parte delantera de la lengua haciendo que adopte forma de tenedor.

Por otro lado, la lengua negra peluda puede deberse a una reacción a los antibióticos, o a medicamentos para el estómago que contengan bismuto, como el Pepto-Bismol. A veces se presenta en personas que han sido sometidas a quimioterapia o radioterapia para tratar cánceres cerebrales o de garganta. Por último, la lengua negra peluda puede ser también un signo que revela una diabetes mal controlada.

LENGUA BLANCA PELUDA

¿Te has sentido alguna vez abatido al mirarte al espejo y ver que la lengua se te ha puesto blanca? Puede deberse sin más a la pasta de dientes, o puede ser una reacción a un enjuague que contenga peróxido. Pero con más frecuencia la *lengua blanca peluda* es un signo de que has atravesado recientemen-

SIGNO DE SALUD

Una lengua sana debe ser sedosa y de color rosáceo. También debe tener pequeños bultitos repartidos de manera uniforme por toda ella.

te un proceso febril. O puede ser un signo delator de tu afición al tabaco o de que respiras por la boca, o incluso de que tu dieta es muy baja en fibra.

SEÑAL DE STOP

 Cepillarse o frotarse suavemente la lengua puede ayudarte a mantenerla libre de infecciones por bacterias o por hongos. También refresca el olor del aliento.

LENGUA GRUESA Y ROJA

Si tu lengua parece más un bistec poco hecho que una loncha de jamón y las comidas picantes te abrasan, puede ser que tengas los signos clásicos de un trastorno llamado *lengua calva*, o según el término científico *glositis atrófica*.

HECHO SIGNIFICATIVO

 Cada persona tiene su huella de la lengua, personal y única.

Como se deduce de su propio nombre, la lengua pierde sus papilas protectoras semejantes al pelo y se pone roja e irritada. Como la cabeza calva, la lengua calva suele darse en las personas mayores. Puede ser un signo de que la dentadura postiza no encaja bien y la lengua se frota contra ella. Pero también puede ser un signo de deficiencia de vitamina B o de aftas. (Véase «Calor y cosquilleo en los labios o en la boca».)

Fisuras en la lengua

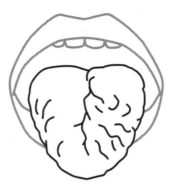

LENGUA ESCROTAL

El término lengua fisurada o estriada puede no sonar ordinario… mientras no sepas cuál es el término médico para denominarla: *lengua escrotal*. También conocida como *lengua plegada*, la lengua escrotal es bastante común: hasta un 5 % de los estadounidenses y más del 20 % de los seres humanos tienen la lengua con estrías. A pesar de su nombre, solo es un poco más frecuente en los hombres. Suele ser más habitual y más grave con la edad, y normalmente es hereditaria.

A pesar de lo mal que suena, la lengua escrotal es normalmente un signo benigno, a no ser que los surcos se llenen de bacterias produciendo *halitosis*. También puede ser una señal del infrecuente trastorno denominado *síndrome de Melkersson Rosenthal*, que produce hinchazón en los labios. (Véase «Labios abultados».)

Lengua excesivamente suave

Que tengas una lengua suave no quiere decir necesariamente que seas muy diplomático. Más bien, si tu lengua es suave y pálida, puede ser un signo de una deficiencia nutricional, como falta de ácido fólico, de vitamina B12 o de hierro. Como consecuencia de estas carencias, la lengua pierde su cubierta áspera y puede volverse delicada e incluso encogerse.

Una lengua suave y rojiza puede ser una señal de alarma de *anemia perniciosa*, una deficiencia de vitamina B12 bastante común y fácil de tratar, o del *síndrome de malabsorción intestinal*, trastorno en el que el cuerpo es incapaz de absorber adecuadamente los nutrientes.

HECHO SIGNIFICATIVO

Aunque cueste creerlo, la lengua más larga de la que se tiene noticia fidedigna mide solo 9,5 centímetros. Este récord de dudoso prestigio pertenece a un súbdito británico, según acredita el *Libro Guinness de los récords*.

Si solo tienes un trozo de la lengua que esté rojo o blanco, además de suave, puede ser un signo de *glositis romboide mediana (GRM)*. En este caso, esa zona de la lengua tiene una forma romboide parecida a la de un diamante, y de ahí su nombre. Puede ser plana o presentar relieve y carece tanto de pelos como de papilas gustativas. Normalmente, está localizada en la parte central trasera de la lengua y puede ser muy pequeña o crecer hasta el punto de abarcar casi la mitad de la lengua. La GRM, afección poco común, también conocida médicamente como *atrofia central de papilas*, es más frecuente en los hombres que en las mujeres.

Las personas que padecen GRM a veces contraen lo que se llama lesión del beso, consistente en una mancha roja e irritada provocada por el roce de la lengua con un paladar muy

HABLANDO DE SEÑALES

 Una lengua afilada es el único utensilio puntiagudo que es cada vez más penetrante a medida que se usa.

WASHINGTON IRVING,

Rip Van Winkle, 1907

blando. Estas manchas pueden confundirse con un cáncer, pero no lo son. No obstante, pueden ulcerarse. (Véase «Calor y cosquilleo en los labios o en la boca».)

ZONAS VIAJERAS DE LA LENGUA

Ahora las ves, ahora no las ves. Esta sería una descripción bastante exacta de un trastorno relativamente extraño denominado *lengua geográfica* (también conocido como *glositis migratoria benigna*). La lengua geográfica se caracteriza por zonas de la lengua de forma irregular que carecen de papilas, lo que hace que tenga un especto de mapa. Estas áreas aparecen y luego desaparecen, para volver a aparecer en otra parte de la lengua. Pueden ser blancas y ásperas o rojas y suaves.

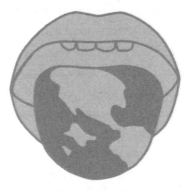

LENGUA GEOGRÁFICA

La lengua geográfica es un trastorno benigno. Aunque no se conoce su causa, tiende a ser hereditaria. Normalmente no produce dolor, pero algunas personas sienten molestias con los alimentos picantes.

LENGUA TEMBLOROSA

Intenta mantener la lengua quieta mientras te la miras en un espejo. Es prácticamente imposible; una lengua normal empezará a moverse y a temblar. Pero si la lengua no para de agitarse, puede ser un signo de que tienes *temblor esencial (TE)*, un trastorno del movimiento bastante común, de progresión lenta, que normalmente no es debilitante y que afecta a alrededor de diez millones de personas en Estados Unidos. (Véase el capítulo 7.)

El temblor en la lengua puede ser también un síntoma de dos diferentes trastornos del movimiento: la enfermedad de Parkinson y la esclerosis múltiple. Además, la lengua temblorosa puede ser una reacción a medicamentos que se utilizan para tratar la ansiedad y otros problemas psicológicos, o un signo que indica una hiperactividad tiroidea importante. (Véase el apéndice I.)

TRASTORNOS DEL GUSTO

La capacidad de degustar no solo depende de las papilas gustativas sino también del movimiento de la lengua. Al empujar la comida por toda la boca, la lengua la va extendiendo por las papilas gustativas.

HECHO SIGNIFICATIVO

El gusto de la comida está determinado no solo por su sabor sino también por su textura, temperatura y olor.

El sentido del gusto está estrechamente ligado al del olfato. (Véase el capítulo 4.) De hecho, estos dos sentidos dependen entre sí de tal manera que la pérdida de uno a menudo conlleva la pérdida del otro. Aunque los trastornos del olfato son más frecuentes —afectan a más de tres millones de estadounidenses—, los del gusto también afectan a casi dos millones de ellos.

DISMINUCIÓN O DISTORSIÓN DEL SENTIDO DEL GUSTO

¿Ha perdido su punto la salsa de tu restaurante mexicano favorito? Puede ser simplemente que hayan cambiado de cocinero. Por otro lado, tal vez sea un signo de que estás perdiendo el sentido del gusto o, más concretamente, la capacidad de detectar y diferenciar los sabores, lo que médicamente se conoce como *hipogeusia*. Pero si la salsa picante empieza a saber más a salmón ahumado podría ser una señal de *disgeusia*, o alteración del sentido del gusto.

HECHO SIGNIFICATIVO

Las papilas gustativas de la punta de la lengua detectan los sabores dulces. Las de los lados de la punta detectan los salados y las que están en los lados de la lengua detectan los sabores ácidos. Y las papilas gustativas que se encuentran en la parte de atrás de la lengua detectan sabores amargos.

Al igual que la pérdida de los demás sentidos, la disminución del gusto puede ser un signo natural de envejecimiento. Afortunadamente, la pérdida total del gusto (*ageusia*) no es frecuente.

Tanto la pérdida del gusto como las distorsiones del mismo pueden ser señales de infección o de irritación bucal debidas a prótesis dentales o a dentaduras postizas. Las personas que han sufrido un daño en el nervio facial (como ocurre en la parálisis de Bell), o que han recibido un traumatismo en la cabeza, o una radiación en la cabeza o en el cuello, pueden notar también que les ha disminuido el gusto, o que este está alterado.

HECHO SIGNIFICATIVO

Las papilas gustativas no están solo en la lengua. También se encuentran en la garganta, la faringe, la laringe, la epiglotis, la campanilla y parte del esófago.

Los trastornos del gusto pueden ser una reacción a muchos de los mismos fármacos que distorsionan el sentido del olfato (véase el capítulo 4) o que secan la boca, y pueden ser un signo de las mismas afecciones que producen la boca seca, como por ejemplo el síndrome de Sjögren. (Véanse «Boca seca o exceso de sed» y el apéndice I.) Dado que, para que pueda apreciarse su sabor, la comida tiene que mezclarse y humedecerse con la saliva, el sentido del gusto puede disminuir, quedar distorsionado o incluso perderse por completo cuando la boca está demasiado seca.

Los trastornos del gusto pueden también ser importantes indicadores de deficiencia de vitamina A o B3 (niacina). Con menor frecuencia, pueden ser un síntoma de diabetes, esclerosis múltiple, enfermedad hepática, sida o cáncer.

Toda pérdida del gusto, aunque sea parcial, puede tener otro tipo de repercusiones importantes. Las personas con sentido del gusto disminuido suelen echar demasiada sal y azúcar a los alimentos, lo cual es peligroso si sufren hipertensión o diabetes. Para aquellos a quienes nos gusta vivir bien, prescindir de la riqueza y variedad de la comida puede hacerse muy duro. Por desgracia, las personas que pierden el sentido del gusto pueden caer en una depresión.

SEÑAL DE ADVERTENCIA

La pérdida del gusto puede ser claramente peligrosa. Sin la capacidad de apreciar los sabores, no se puede saber si los alimentos están en mal estado, lo que aumenta el riesgo de envenenamiento alimentario.

SABOR METÁLICO O MUY DESAGRADABLE

Ocasionalmente, todos amanecemos con un sabor horrible en la boca. Pero si el cepillo de dientes y el enjuague bucal no consiguen ahuyentar esa «boca de dragón» y la cosa empeora durante el transcurso del día, podría ser un signo de *sabores fantasma* o *fantogeusia*, la afección más común del sentido del gusto. Las personas que padecen este trastorno notan sabores sin que nada los produzca.

Los sabores fantasma pueden ser un signo de parálisis de Bell y de *síndrome de boca ardiente* (también conocido como *síndrome de lengua ardiente*), trastorno poco común que sue-

HECHO SIGNIFICATIVO

Existen cuatro sabores básicos: dulce, salado, ácido y amargo. Sin embargo, algunos científicos afirman que hay un quinto, al que llaman *umami*. Recientemente descubierto, el sabor umami es el que distingue a la carne, a algunos quesos y a las setas.

le afectar a las mujeres menopáusicas (véase «Gusto hipersensible») y que parece estar causado por un daño nervioso. Este trastorno puede ser a su vez un signo de infección vírica y también de síndrome de Sjögren. (Véanse «Boca seca o exceso de sed» y el apéndice I.)

La mayoría de las personas que padecen fantogeusia se quejan de que tienen un sabor metálico en la boca, lo que justificadamente se conoce como *fantogeusia metálica*. Puede tratarse de una reacción a determinados medicamentos, como los antibióticos, los antidepresivos, los utilizados para tratar la hipertensión y los que se usan en casos de cálculos en el riñón y de artritis reumatoide, así como a algunas vitaminas. También es una consecuencia frecuente de los tratamientos de quimioterapia y radioterapia. El sabor metálico es un signo que avisa a algunas personas epilépticas de la inminencia de un ataque.

Si tus gustos musicales se inclinan más por el heavy metal que por la música ligera, el sabor metálico puede ser una consecuencia inesperada de una de las últimas tendencias de la moda: los piercings metálicos en la lengua. También puede ser una señal de que estás sangrando por la lengua, o incluso por las encías o la nariz. El hierro que contiene la sangre desprende un sabor metálico.

HECHO SIGNIFICATIVO

Cuanto más viejos somos más insensibles nos hacemos al gusto: la comida tiene que estar tres veces más dulce, cuatro veces más agria, siete veces más amarga y once veces más salada para que podamos apreciarla como cuando éramos jóvenes.

El sabor metálico puede ser una señal de advertencia de que algún antiguo empaste metálico podría estar diluyéndose en la boca, por lo que ha llegado el momento de sustituirlo. Si tienes empastes con varios metales diferentes (muchos están hechos de una amalgama de mercurio, plata y otros metales), es como si tuvieras un pequeña pila en la boca. La mezcla produce una reacción química o eléctrica que da lugar al sabor metálico, o incluso a un shock. Si el sabor no es intenso, puede también ser una señal de boca seca o de que sigues una dieta excesivamente alta en proteínas y baja en grasas. (Véase «Mal aliento».)

Gusto hipersensible

¿Sueles encontrar que el café está demasiado amargo, los postres demasiado dulces y la comida mexicana demasiado picante? Si es así, puedes ser lo que los médicos llaman un supercatador. Aunque puedas pensar que eso te hace especial, los científicos creen que hasta un 25 % de las personas son hipersensibles al gusto, lo que médicamente se conoce como *hipergeusia*. Se trata de una característica hereditaria consistente en que algunas personas tienen un mayor número de papilas gustativas que las demás. Las mujeres tienen más probabilidades de ser supercatadoras que los hombres y este fenómeno se da con mayor frecuencia entre los sudamericanos,

---

HECHO SIGNIFICATIVO

El número de papilas gustativas se puede contar. Moja un bastoncito de algodón con colorante alimentario azul y aplícalo a la parte superior de la lengua. Muévela para extender el colorante. Usando una lupa, cuenta las papilas gustativas teñidas de azul que haya en una superficie del tamaño correspondiente al agujero producido por la anilla de un archivador. Si hay más de veinte, eres un supercatador, si hay entre cuatro y seis has perdido capacidad gustativa. Todo lo que sea un término medio significa que tu sentido del gusto es normal.

---

los africanos y los asiáticos que entre personas de otras zonas geográficas. Dado que tienden a evitar comidas con sabores fuertes, como las coles de Bruselas y la coliflor, a estas personas les pueden faltar las cantidades adecuadas de antioxidantes y otros nutrientes importantes contenidos en estas verduras.

Es interesante constatar que las personas que son hipersensibles al gusto también lo son a menudo al dolor. El gusto hipersensible puede ser un signo de *síndrome de boca ardiente* (véase «Sabor metálico o muy desagradable») causado por un daño nervioso a raíz de una infección vírica, de cambios hormonales o de ambas cosas.

HECHO SIGNIFICATIVO

Las células responsables del olfato y del gusto son las únicas células sensoriales que se van renovando durante toda la vida. Las células del gusto duran unos diez días y son sustituidas por otras.

Pero tiene una ventaja. Hay muchas probabilidades de que los supercatadores no sean fumadores ni abusen del alcohol. Y mientras que un sentido del gusto tan quisquilloso puede hacer que una cena festiva sea una pesadilla para ti y para tu anfitrión, lo probable es que estés mucho más delgado que el resto de los invitados.

MAL ALIENTO

Aunque la boca tiene la capacidad de dar placer, también tiene innumerables maneras de molestar. Y no me refiero a las cosas absurdas que podamos decir. Tomemos como ejemplo el mal aliento. Puede dejarte sin habla, tanto a ti como a otras personas. Por desgracia, es posible que ni siquiera nos demos cuenta de que nos huele el aliento hasta que sufrimos la humillación de que nos lo tenga que decir algún amigo o amante.

HECHO SIGNIFICATIVO

Aunque el aliento apestoso puede ser un signo inequívoco de que una persona es muy fumadora, algún día podría salvarle la vida. El aliento contiene ADN y los investigadores han descubierto que el aliento de los fumadores puede revelar cambios en el ADN relacionados con el cáncer de pulmón. De esta manera, el análisis del aliento podría ayudar a detectar precozmente un cáncer de pulmón en fumadores, o predecir si tienen un riesgo alto de contraer esta enfermedad mortal.

El mal aliento puede deberse simplemente a que hemos tomado mucho ajo o cebolla. Pero el mal aliento crónico

—médicamente conocido como *halitosis* o *fetorosis*— suele más bien ser un signo de que fumamos o masticamos tabaco o de que nuestra higiene bucal deja mucho que desear. También puede ser una señal de que tenemos algún problema en la boca, como una acumulación de pus en una muela, o una muela rota, o de que padecemos una enfermedad en las encías, en la boca o en la lengua. Alrededor del 85 % de los casos de mal aliento tienen su origen en la propia boca. En el 15 % restante, el problema tiene su origen en el aparato respiratorio o en el digestivo.

Si te huele muy mal el aliento al despertarte, puede ser un signo de boca seca provocada por haber respirado por la boca durante la noche, por algunos medicamentos o por determinados trastornos. (Véase «Boca seca o exceso de sed».)

HECHO SIGNIFICATIVO

El cuerpo se protege frecuentemente de sus propios malos olores. Mientras que otras personas pueden percibirlo, hay muchas probabilidades de que no nos demos cuenta de nuestro mal aliento.

La halitosis puede ser una señal de goteo posnasal, inflamación de garganta, tonsilitis, infección de senos nasales u otros trastornos del aparato respiratorio. También es una señal importante de que tienes *tonsilositos* (también conocidos como *piedras de la amígdala*): pequeños cuerpos blanquecinos, de olor repugnante, compuestos de partículas de comida, mucosidades resecas y bacterias, que se alojan en los pliegues de las amígdalas. Unas amígdalas grandes y con grietas profundas, o unos episodios recurrentes de tonsilitis, favore-

cen la formación de esos desperdicios nauseabundos. A veces, las personas que tienen estos desagradables desechos se
los quitan con bastoncitos de algodón u otros objetos puntiagudos, pero normalmente suelen reaparecer.

El mal aliento puede también ser un signo de graves enfermedades pulmonares, renales o hepáticas. En ocasiones
puede ser una señal de determinados trastornos intestinales y
digestivos, entre ellos estreñimiento, indigestión y úlceras
gástricas. Cualquier afección que conlleve vómitos frecuentes, incluida la bulimia (véase «Aliento fecal»), puede producir mal aliento.

HECHO SIGNIFICATIVO

Puede ser que tu perro sea tu mejor amigo en un sentido que
no esperas. Un estudio reciente descubrió que los perros
pueden ser entrenados para detectar un cáncer a partir del olor del
aliento de una persona. De hecho, algunos de los más inteligentes
pueden aprender a distinguir entre un cáncer de pulmón y uno de
mama.

El mal aliento relacionado con el estómago suele ser bastante poco común, pero la halitosis está adquiriendo propor-
ciones epidémicas entre personas que siguen determinadas
dietas. Puede, de hecho, ser un signo revelador de que una
persona está siguiendo la dieta Atkins u otra consistente en el
bajo consumo de hidratos de carbono y la ingestión elevada
de grasas y proteínas. Hasta dos tercios de las personas que siguen estas dietas tienen mal aliento, con lo que la pérdida de
peso puede ir acompañada de la pérdida de amigos. Su aliento apestoso es de hecho un signo de que su organismo está

quemando grasa corporal y produciendo *acetona*, con lo que entra en un estado conocido como *citosis* (niveles elevados de acetona). La citosis se considera un signo positivo en relación con la pérdida de peso pero puede conducir a una acidosis, o sea a un desequilibrio ácido-base en la sangre, lo cual es un trastorno importante que aumenta el riesgo de osteoporosis, de cálculos en el riñón y de otras cosas peores. (Véase «Aliento dulce con olor a fruta»).

SEÑAL DE ADVERTENCIA

 El mal aliento, especialmente en las personas muy delgadas o en las que están obsesionadas con la dieta, puede revelar que padecen bulimia.

Aliento dulce con olor a fruta

Si alguien te dice que tienes dulce el aliento, puede ser que no te esté queriendo decir algo bonito, pero también puede ser que te salve la vida. El aliento dulce o con olor a fruta, o un aliento con olor a algún producto químico dulzón o a acetona (como el quitaesmalte), puede ser una seria advertencia de

---

SIGNO DE LOS TIEMPOS

En el Talmud, la recopilación de las antiguas leyes hebreas, el mal aliento estaba considerado un trastorno grave. A las personas con halitosis se les prohibía ejecutar ritos sagrados. Incluso se consideraba que el mal aliento era causa de divorcio, norma jurídica que aún subsiste en Israel.

---

que tienes diabetes y de que tu nivel de azúcar en la sangre está peligrosamente fuera de control. Médicamente conocida como *acidosis diabética* o *quetoacidosis diabética*, se trata de una emergencia médica. Si no se regula rápidamente tu nivel de azúcar, puedes entrar en coma y morir.

SEÑAL DE ADVERTENCIA

Cuando el nivel de azúcar en sangre de una persona diabética está fuera de control, puede tener un aliento característico con olor a alcohol. Dado que un bajo nivel de azúcar en sangre puede hacer que un diabético se tambalee, puede pensarse que está borracho y no recibir la atención médica inmediata que necesita.

Olor a ajo

¿Te huele la boca a ajo aunque no lo hayas tomado? Si es así, puede ser un signo de *intoxicación por selenio* (también conocida como *selenosis*). Aunque es un importante antioxidante, no debe tomarse en dosis muy altas. El selenio, además de en los suplementos vitamínicos se encuentra en las nueces (especialmente en las nueces de Brasil), en la carne, en el pescado y, sorprendentemente, en el ajo. Aunque es muy difícil que lleguemos a consumir suficiente cantidad de ajo —o de otros alimentos que contengan selenio— como para provocar este

---

HECHO SIGNIFICATIVO

Aproximadamente, cuarenta millones de estadounidenses tienen mal aliento.

---

problema. Otras señales que indican exceso de selenio son la pérdida de color y el deterioro de la dentadura, la pérdida de color en la piel, la pérdida de pelo, los problemas en la uñas, la apatía y la irritabilidad. La selenosis puede causar daño neurológico y en casos extremos producir enfermedades pulmonares, cirrosis hepática e incluso la muerte.

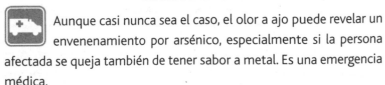

SEÑAL DE PELIGRO

Aunque casi nunca sea el caso, el olor a ajo puede revelar un envenenamiento por arsénico, especialmente si la persona afectada se queja también de tener sabor a metal. Es una emergencia médica.

Aliento con olor a orina o a amoníaco

El aliento con olor a orina o a limpiacristales no es fácil de soslayar, especialmente por los demás. Y eso es bueno. El aliento con olor a orina, o a amoníaco, puede ser una señal de enfermedad renal o incluso de una insuficiencia renal crónica que podría ser mortal. Dado que las personas con diabetes o hipertensión tienen un riesgo más elevado de desarrollar una enfermedad renal, deberían estar atentas ante esta desagradable señal.

Aliento con olor a pescado

¿Algo te olió mal en la última conversación que tuviste con tu compañero de trabajo? No me refiero a lo que te dijo, sino a

---

SIGNO DE LOS TIEMPOS

A Hipócrates, médico de la antigua Grecia, le disgustaban mucho las mujeres con mal aliento. Recomendaba a las jovencitas que hicieran lo siguiente para mantener fresco el aliento: quemar, por separado, la cabeza de una liebre y tres ratones, mezclar los residuos de las dos combustiones con polvo de mármol y aplicarlo a los dientes y encías. Después, enjuagar la boca con semillas de eneldo, anís y mirto empapadas en vino blanco.

---

si de verdad detectaste un olor a pescado. Un aliento que huele claramente a pescado puede ser un signo muy obvio de que la persona con quien estás hablando está tomado suplementos de ácidos grasos omega-3 en gran cantidad. Pero también puede indicar un grave peligro de insuficiencia renal.

ALIENTO FECAL

Si alguien te dice que tu aliento huele a caca, no te precipites a darle un puñetazo en la cara. El aliento fecal puede indicar trastornos que, como no podía ser de otra manera, están relacionados con el estómago y la digestión. Por ejemplo, puede ser un signo de *enfermedad por reflujo gastroesofágico* (también conocida como *ERGE* o *reflujo ácido*), afección en la que los ácidos del estómago fluyen al esófago (véanse los capítulos 6 y 8). El aliento fecal puede también ser signo de un trastorno muy controvertido cuyo nombre da miedo: *permeabilidad intestinal* (conocida también como *síndrome del intestino agujereado*). En este trastorno, que se considera bastante co-

SIGNO DE LOS TIEMPOS

En 1921, la empresa Listerine lanzó una campaña publicitaria para promover la venta del líquido antiséptico que fabricaba. Acuñaron el término *halitosis* y vendieron su producto como enjuague bucal. La cosa funcionó; tanto el nuevo término como el producto cuajaron. Las ventas anuales subieron de los 100.000 dólares hasta más de 4 millones en solo seis años.

mún, el revestimiento intestinal se vuelve excesivamente poroso. Según esta teoría, las toxinas y los alimentos sin digerir penetran en el torrente sanguíneo, lo cual puede desencadenar alergias alimentarias y enfermedades autoinmunes.

Además, el aliento fecal puede ser un signo de obstrucción intestinal, lo cual puede ser una emergencia médica, o de repetidos vómitos por bulimia. Y como todas las demás formas de halitosis, el aliento fecal puede indicar graves problemas respiratorios y pulmonares.

LOS DIENTES

Puedes pensar que tus dientes deben ser blancos como perlas pero, de hecho, adoptan una variedad de colores, y no solo porque no te los cepilles. El esmalte dental es traslúcido, de

HABLANDO DE SEÑALES

Unos dientes que están por delante de la lengua dan buenos consejos.

Proverbio italiano

manera que los dientes adquieren el color de la *dentina*, sustancia dura amarillenta que se encuentra en su interior. El color de los dientes puede indicarnos muchas cosas sobre lo que está pasando dentro de nuestro cuerpo. Además, el esmalte dental puede mancharse a causa de cualquier cosa que nos metamos en la boca.

DIENTES DE COLOR AMARILLO OSCURO

Si tienes ya cierta edad y te das cuenta de que los dientes se te están volviendo amarillentos o más oscuros, puede ser un desagradable signo de envejecimiento. A cualquier edad, puede ser una señal delatora de que eres fumador o de que tomas mucho café, té o productos con cola.

DIENTES DE COLOR VERDUZCO O METÁLICO

Unos dientes que hayan adquirido una tonalidad verde, verde azulada o marrón pueden ser un signo de que te has expuesto demasiado a la acción de algunos metales. Puede haber sido en el trabajo o en el dentista. La tonalidad depende del metal o de la reacción química que este tenga con los gérmenes de la boca. Por ejemplo, la exposición al hierro, al manganeso y a la plata puede manchar los dientes de negro. El polvo de mercurio y el de plomo pueden dejar una mancha azul verdosa, mientras que el cobre y el níquel pueden hacer que los dientes se pongan verdes o verde azulados. La inhalación de determinados gases, como el ácido crómico, da a los dientes un color naranja intenso. La exposición excesiva a

SIGNO DE LOS TIEMPOS

Aunque el invento del hilo dental se atribuye a un dentista de Nueva Orleans del siglo XIX, se han encontrado hilo dental y mondadientes en seres humanos prehistóricos. Más recientemente, el uso del hilo dental se ha aplicado de dos maneras muy imaginativas: para cortar pasteles y para confeccionar improvisadamente una cuerda. En 1994, un preso elaboró una cuerda con hilo dental que había ido almacenando y se escapó de una cárcel de Virginia Occidental.

una solución de yodo así como pasar mucho tiempo en piscinas tratadas con cloro puede manchar los dientes de color marrón.

DIENTES DE COLOR GRIS AZULADO

Muchas personas son conscientes de que tomar el medicamento antibiótico tetraciclina durante el embarazo puede hacer que la criatura nazca con los dientes amarillentos. La pérdida del color natural puede producirse también en niños

SEÑAL DE ADVERTENCIA

Mientras que una aspirina al día tal vez proteja el corazón, puede ser mala para los dientes. De hecho, la erosión dental puede ser un signo de que has chupado o masticado aspirina, en lugar de tragarla. Cuando se disuelve en la boca la aspirina puede desgastar el esmalte protector de los dientes.

que toman tetraciclina cuando se les están formando los dientes definitivos. La tonalidad gris azulada en un adulto puede ser una señal de que ha tomado durante mucho tiempo minociclina, un tipo de tetraciclina que se receta a menudo para tratar el acné y la artritis reumatoide. Los dientes grises pueden ser también una señal que indica daño en la dentina provocado por una infección anterior.

Dientes moteados

¿Tienes los dientes más bien moteados que de un color uniforme? Si es así, puede ser un signo de *fluorosis dental*, excesiva ingesta de flúor a través del agua fluorada, la pasta de dientes y los enjuagues bucales. En los casos más leves, las

---

SIGNO DE LOS TIEMPOS

En el siglo I d. C. el escritor y filósofo romano Plinio el Viejo recomendaba las cenizas de pezuñas de cabra para lavarse los dientes. Si te parece algo grosero, aquí tienes otra solución popular de aquella época para limpiarse los dientes: tomar las heces del rabo de una vaca, amasarlas formando una pequeña bola, secarlas y luego hacer con ellas un polvo para frotarlo en los dientes.

---

motas son pequeñas, blanquecinas y opacas. A medida que el problema empeora, las motas se vuelven marrones y los dientes parecen jaspeados. Aunque esta alteración a menudo comienza durante la juventud, por el contacto con el flúor de unos dientes que aún se están desarrollando, las manchas oscuras en los dientes y los dientes picados no suelen aparecer hasta mucho después. Aunque los dientes moteados son estéticamente poco atractivos, normalmente son un signo benigno. Sin embargo, estas motas pueden ser un primer síntoma de envenenamiento por flúor que puede poner la vida en peligro.

SEÑAL DE ADVERTENCIA

El exceso no es la única cosa de la que tienen que preocuparse los aficionados al vino. Otro inconveniente es la pérdida de la superficie de los dientes. Con el tiempo, el contacto de los dientes con el ácido contenido en el vino erosiona el esmalte dental.

Dientes negruzcos

Si ves a alguien con los dientes negros, manchados y destrozados, y no estás viendo *Piratas del Caribe*, puede resultarte algo estremecedor. Y deberías alarmarte. Es el sello distintivo de la *boca de meth*, una afección recientemente descrita. En menos de un año de abuso de la metanfetamina, los dientes

---

HABLANDO DE SEÑALES

Azúcar blanco, dientes negros.

Proverbio croata

---

pueden quedar pardo-grisáceos, perder el esmalte, moverse y caerse. Las bebidas azucaradas que los consumidores de metanfetamina toman para aliviar la sequedad de boca que produce la droga pueden agravar el proceso de destrucción de los dientes. Por desgracia, la mayoría de las personas con boca de meth a menudo pierde la dentadura… y algunas veces la vida.

Dientes con entrantes o muescas

Si tienes los dientes con entrantes homogéneos, puede ser una señal de que consumes demasiadas naranjas y limones. El ácido que contienen estos y otros alimentos puede desgastar el esmalte dental, ocasionando la *erosión de los dientes*.

SIGNO DE LOS TIEMPOS

 Los mayas creían que si una mujer embarazada metía un peine en los pliegues de su falda, el niño tendría los dientes torcidos.

Una muesca en forma de uve en la parte de los dientes cercana a la línea de las encías puede ser un signo de que te los cepillas con demasiado entusiasmo. Algunas veces, el uso excesivo de mondadientes puede provocar también estos surcos, porque de hecho los estás excavando a través de la capa protectora de esmalte. Pero más probablemente, estas muescas son un signo de que aprietas mucho los dientes, lo que médicamente se conoce como *bruxismo* (véase «Dientes partidos»).

Dientes lisos y cristalinos

Si tus dientes, y en especial tus muelas, están tan lisos como el cristal, puede parecer algo atractivo pero, siento mucho tener que decírtelo, no es un buen signo. De hecho, puede tratarse de una señal que nos advierte de una pérdida ósea (*osteoporosis*). También puede ser un signo delator del trastorno de la alimentación llamado bulimia. Los constantes vómitos impregnan los dientes de ácidos estomacales, erosionando el esmalte protector. De hecho, cerca del 90 % de las personas con bulimia tienen señales de erosión dental.

SEÑALES DE ADVERTENCIA

Entre los signos de trastornos de la alimentación relacionados con la boca se incluyen:
- Glándulas salivales hinchadas.
- Cambios en el color, la forma y la longitud de los dientes.
- Dientes quebradizos.
- Dientes traslúcidos.
- Labios rojos, secos y partidos.
- Mal aliento.

Dientes partidos

Si estás entre ese 20 % de personas adultas que cierran con fuerza las mandíbulas frotándose los dientes superiores con los inferiores durante el día, y entre el 8 % de los que lo hacen

---

HABLANDO DE SEÑALES

El cuchillo es el diente de los viejos; el diente es el más viejo de los cuchillos.

Proverbio finlandés

---

mientras duermen, puedes ver o notar algún diente partido. Una muela fracturada, que es especialmente frecuente en personas que tienen empastes de plata, es a menudo un signo de *bruxismo*, que afecta por igual a hombres y mujeres. (Véase el capítulo 6.) El bruxismo destroza más los dientes que las caries. Dado que el esmalte protector de los dientes puede desgastarse al frotarse unos dientes con otros, el resultado puede ser que estos lleguen a hacerse muy sensibles. Y el frotamiento, tanto cuando dormimos como cuando estamos

---

HABLANDO DE SEÑALES

 Las cosas calientes, las puntiagudas, las dulces, las frías... todas ellas estropean los dientes y hacen que parezcan viejos.

BENJAMIN FRANKLIN,
El almanaque del pobre Richard

---

despiertos, puede provocar problemas en la mandíbula, como *trastornos de la articulación temporomandibular (ATM)*. (Véase el capítulo 6.)

A MODO DE CONCLUSIÓN

Existen muchos especialistas que pueden valorar y tratar los trastornos y enfermedades de los labios y de la boca. A quién acudas para consultar tu problema dependerá del lugar donde se haya presentado y de sus síntomas. Recuerda: si sangras o sientes dolor, necesitas que te examinen cuanto antes. Estos son unos cuantos de entre todos los profesionales sanitarios a los que puedes recurrir cuando te ocurra algo en los labios, en la boca o en los dientes:

- *Cirujano bucal*: dentista especializado en cirugía de la boca y de la mandíbula.
- *Dentista*: especialista con el título de cirujano dental o médico dentista. (La formación para obtener estos títulos es la misma.) Los dentistas pueden tratar la enfermedad periodontal como parte del cuidado dental general.
- *Dentista endodontista*: dentista especializado en el canal de las raíces dentales que diagnostica y trata las situaciones de dolor bucal o facial y aborda otros procedimientos clínicos relacionados con la pulpa dental (tejidos blandos internos de los dientes).
- *Dermatólogo*: médico preparado para diagnosticar y tratar enfermedades de la piel.
- *Higienista dental*: profesional sanitario autorizado especialista en la higiene dental, preparado para prevenir las enfermedades de los dientes y las encías. Estos profesionales están formados, además de para la higiene dental, para detectar anomalías en los dientes, las encías y la boca.
- *Otolaringólogo* (también conocido como *otorrinolaringólogo*): médico especializado en diagnosticar y tratar enfermedades y trastornos de garganta, nariz y oídos.
- *Periodontista*: cirujano dental o médico dentista especializado en el diagnóstico, tratamiento y prevención de enfermedades de las encías.

6

GARGANTA, VOZ, CUELLO Y MANDÍBULA

Toda la verdad

> He probado distintas maneras de hacer el amor. La postura tradicional me produce claustrofobia y las demás me dejan con el cuello agarrotado y rigidez de mandíbula.
>
> TALLULAH BANKHEAD, actriz

La cabeza no solo alberga los órganos de los sentidos sino también algunas de las partes más sensuales y hermosas del cuerpo humano. Sin embargo, si exceptuamos a esas grandes bellezas de cuellos largos, como la reina Nefertiti y Audrey Hepburn, la garganta, la mandíbula y el cuello no despiertan mucho nuestro interés desde el punto de vista estético. De hecho, los collares, collarines y pañuelos se empezaron a usar para tapar o favorecer estas partes del cuerpo que no son especialmente distinguidas y que algunas veces resultan poco atractivas. Sin embargo, su papel es importante: procesan los alimentos, nos permiten decir y cantar lo que nos gusta y, por último, aunque no menos importante, la garganta, la mandíbula y el cuello pueden revelarnos muchas cosas sobre la salud y la enfermedad.

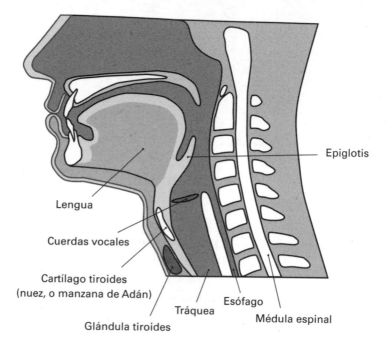

Epiglotis

Lengua

Cuerdas vocales

Cartílago tiroides
(nuez, o manzana de Adán)

Esófago

Tráquea

Médula espinal

Glándula tiroides

ANATOMÍA DE LA GARGANTA Y EL CUELLO

CUELLO, GARGANTA Y MANDÍBULA

Bultos en la parte frontal del cuello

Si siempre has tenido un bulto en la garganta, lo más probable es que se trate de la nuez (que en algunos idiomas se designa como manzana de Adán). La nuez es en realidad el cartílago tiroides, que es el mayor de los cinco que componen la laringe. El cartílago tiroides no es lo mismo que la glándula tiroides, aunque se encuentran muy cerca el uno de la otra.

También las mujeres tienen nuez (aunque no se la llame manzana de Eva), pero normalmente es más pequeña que la

SIGNO DE LOS TIEMPOS

La manzana de Adán se llama así porque se creía que un trozo de la fruta prohibida quedó atrapado en la garganta de Adán.

de los hombres. La nuez está en la parte frontal del cuello y es algo absolutamente normal. Solo te tienes que preocupar de los bultos que tengas más abajo en la garganta o a los lados de esta. Cualquier abultamiento o nódulo en el cuello puede revelar un tumor, que puede ser canceroso o no serlo.

Un abultamiento debajo de la nuez podría ser un *bocio*, o sea una glándula tiroides más grande de lo normal, lo cual es un signo de enfermedad tiroidea.

SEÑALES DE ADVERTENCIA

La Asociación Americana de Endocrinólogos Clínicos ha ideado un método para detectar un bocio:

• Ponte delante de un espejo.
• Estira el cuello hacia atrás.
• Bebe un poco de agua.
• Comprueba si hay un abultamiento en el cuello (entre la nuez y la clavícula).
• Si lo percibes con la vista, pálpate la zona para confirmar la presencia del abultamiento.
• Si lo notas al tacto, consulta con un médico.

La tiroides es una pequeña glándula con forma de mariposa que se encuentra en el cuello y que produce *tiroxina*, hormona que controla el metabolismo. (Aunque su tamaño es de solo unos cinco centímetros, la tiroides es la glándula más grande del cuerpo.) El organismo necesita yodo para producir esta hormona vital y, antiguamente, la mayoría de los casos de bocio se debían a una deficiencia de yodo. Con la introducción de la sal yodada en el decenio de 1920, los bocios por deficiencia de yodo empezaron a ser muy poco frecuentes en Estados Unidos y en muchos otros países.

Hoy en día, la mayoría de los casos de bocio en Estados Unidos tienen su causa en una enfermedad tiroidea. Curiosamente, el bocio puede ser signo tanto de un exceso de hormonas tiroideas *(hipertiroidismo)* como de una escasez de ellas *(hipotiroidismo)*. (Véase el apéndice I.) Dado que los bocios son de crecimiento lento y que normalmente no producen dolor, algunas veces pasan inadvertidos hasta que adquieren un tamaño que hace que te tengas que desabrochar el botón de la camisa.

Algunas veces el bocio puede ser señal de embarazo. En el estado de gestación, es frecuente que la glándula tiroides aumente de tamaño provocando un bocio y algunas veces una

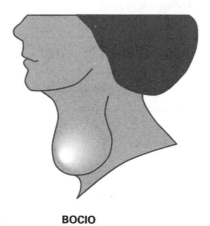

BOCIO

enfermedad tiroidea. De hecho, el bocio en algunas nuevas mamás puede revelar una forma de hipotiroidismo autoinmune llamada *enfermedad de Hashimoto*. Este es el tipo más común de hipotiroidismo, y las mujeres —estén o no estén embarazadas— tienen tres veces más probabilidades que los hombres de contraerlo. Al igual que otras formas de hipotiroidismo, puede provocar aumento de peso, intolerancia al frío, sequedad de la piel y del pelo y estreñimiento. El hipotiroidismo tiene fácil tratamiento y, algunas veces, se cura espontáneamente, despareciendo también el bocio.

HECHO SIGNIFICATIVO

Una tercera parte de las mujeres y de los niños del mundo tienen insuficiencia de yodo, la causa más común de bocio. La deficiencia de yodo es también la principal causa de retraso mental evitable en los niños.

Sin embargo, más frecuentemente, el bocio es una señal de enfermedad de Graves (véase el capítulo 2), trastorno de hipertiroidismo autoinmune. A pesar de su nombre, siempre que se someta a tratamiento, la enfermedad de Graves no suele ser grave. No obstante, una persona con enfermedad de Graves (o con cualquier otro tipo de hipertiroidismo) puede desarrollar una tirotoxicosis, o sea niveles muy elevados de hormonas tiroideas que, si no se trata, puede progresar hasta convertirse en una *tormenta tiroidea* (también conocida como *crisis tirotóxica*), que puede provocar un fallo cardíaco congestivo mortal.

El bocio puede ser también la forma que tiene el cuerpo de decirte que tomas demasiados alimentos conocidos como *goitrógenos*. El consumo excesivo de goitrógenos puede producir bocio —lo que se conoce médicamente como *bocio esporádico*—, al interferir en la capacidad del organismo de absorber yodo. Los alimentos más goitrógenos son los brotes

---

SIGNO DE LOS TIEMPOS

A principios del siglo xx, el bocio era algo muy corriente en una parte de Estados Unidos a la que se llamaba «el cinturón del bocio». Esta zona, lejana al mar, incluía el Medio Oeste, la región de los Grandes Lagos, los Apalaches y otras zonas montañosas. A falta de tierra rica en yodo, de sal marina, de pescado o de algas marinas, la mayoría de la gente que poblaba esta zona no podía obtener el yodo necesario para el funcionamiento adecuado de la glándula tiroides.

---

de soja, los productos que contienen soja y las verduras crucíferas como el repollo, las coles de Bruselas y el brécol. Es interesante constatar que el bocio también puede ser un signo de consumo excesivo de yodo, proveniente de alimentos o de suplementos vitamínicos.

En algunas ocasiones, el bocio revela cáncer de tiroides. En estos casos el bocio suele ser grande y duro y puede producir incomodidad o dolor.

BULTOS EN OTROS LUGARES DEL CUELLO

Si te aparece un bulto en la parte posterior del cuello, puede ser que no te des cuenta de ello hasta que alguien te lo diga. Un bulto ovalado o redondo, indoloro, en la parte posterior del cuello puede ser un signo de *lipoma*, un tumor blando, gomoso, adiposo y movible que se encuentra debajo de la piel. (Véase el capítulo 9.) Es el tumor de los tejidos blandos no canceroso más común en los adultos y es más corriente en las mujeres y en las personas con sobrepeso. No obstante, si cambia de tamaño o de aspecto podría ser canceroso.

HECHO SIGNIFICATIVO

En Estados Unidos se diagnostican al año más de 40.000 casos de cáncer en la cabeza y en el cuello. Los grandes bebedores y los fumadores tienen un mayor riesgo de contraerlos. Y la combinación de estos dos hábitos tan poco saludables aumenta enormemente el riesgo.

Un bulto en la nuca puede también ser un signo de *quiste sebáceo* (también conocido como quiste *epidermal, epidermoide* o *queratinoso*). Los quistes sebáceos son también blandos, movibles e indoloros. (Véase el capítulo 9.) Pero a diferencia de los lipomas, normalmente tienen una hendidura o lunar oscuro en el medio. Estos quistes, de hecho, son folículos capilares inflamados que se llenan de sustancias pastosas, de feo aspecto y mal olor, e incluso de la proteína *queratina*, que a veces exuda. Algunas veces, los quistes sebáceos, que son benignos, pueden aparecer en la cara o en el tronco. Su

SIGNO DE LOS TIEMPOS

Antiguamente, una manera popular tradicional de curar el bocio en Nebraska consistía en envolver el cuello del paciente con una serpiente. Se creía que cuando la serpiente se deslizaba y desaparecía, el bocio desaparecería con ella.

tamaño oscila entre medio y más de cinco centímetros y pueden llegar a tener aún mayor tamaño o desaparecer espontáneamente. Pueden infectarse y hacerse tan grandes, sensibles e inflamados que hay que vaciarlos o eliminarlos.

SEÑAL DE PELIGRO

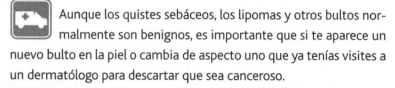

Aunque los quistes sebáceos, los lipomas y otros bultos normalmente son benignos, es importante que si te aparece un nuevo bulto en la piel o cambia de aspecto uno que ya tenías visites a un dermatólogo para descartar que sea canceroso.

Un bulto indoloro, movible y de crecimiento lento en un lado del cuello o debajo de la barbilla puede indicar un tumor de la glándula salival, conocido médicamente con el nombre de *tumor submandibular*. Estos tumores son en realidad glándulas salivales bloqueadas y pueden aparecer en casi cualquier lugar de la cara y el cuello, así como en la boca. Afortunadamente, estos bultos, como los lipomas, normalmente no son cancerosos. Sin embargo, si tienes un bulto que no puede moverse y además presentas signos como debilidad nerviosa, aturdimiento y ronquera puede tratarse de un cáncer.

SEÑAL DE ADVERTENCIA

Una glándula salival hinchada que empieza a doler y a crecer, y que no puede moverse bajo la piel o que produce ronquera en la voz, puede ser un tumor maligno.

Un nódulo indoloro y duro en un lado del cuello detrás de la mandíbula puede ser una señal precoz de linfoma, que puede ser *enfermedad de Hodgkin* o *linfoma no Hodgkin*. Los dos son formas poco frecuentes de cáncer de los nódulos linfáticos. El 5% de los cánceres que se dan en personas adultas en Estados Unidos son linfomas no Hodgkin que afectan principalmente a personas de alrededor de sesenta años. El Hodgkin es mucho menos común y suele darse con más frecuencia en personas más jóvenes, entre los quince y los treinta y cinco años de edad. Aunque las dos enfermedades pueden ser mortales, si el diagnóstico es precoz pueden tratarse con éxito.

HECHO SIGNIFICATIVO

Los nódulos linfáticos (también conocidos como glándulas linfáticas) son pequeños cuerpos con forma de judía que luchan contra las infecciones y mantienen la salud del organismo, no dejando pasar o capturando las bacterias, los virus, las células cancerosas y otras sustancias tóxicas. Alrededor de una tercera parte de los 500 o 600 nódulos linfáticos del cuerpo están a los lados del cuello y en la garganta. El resto están en la ingle, el pecho, el abdomen y las axilas.

El aumento de tamaño de los nódulos linfáticos del cuello puede también ser un signo de cáncer de tiroides, de garganta o incluso del aparato gastrointestinal.

Bultos en la garganta

La mayoría de nosotros hemos tenido alguna vez esa desagradable sensación de tener un nudo en la garganta tratando de contener las lágrimas. Pero una sensación constante de bulto en la garganta que no mejora al tragar puede ser lo que médicamente se conoce como *sensación de globo*. Esta anomalía solía recibir el nombre de *globo histérico*, porque se pensaba que era de origen psicológico más que un problema físico. Afecta principalmente a las mujeres, de ahí el término *histérico* que proviene del latín *hystericus*, que significa «relativo a la matriz».

 HABLANDO DE SEÑALES

Un poema empieza con un nudo en la garganta.

ROBERT FROST

La sensación de globo puede en efecto ser un signo de ansiedad. Sin embargo, puede también indicar uno de los tipos más comunes de reflujo, la *enfermedad del reflujo gastroesofágico (ERGE)*. (Véase «Voz ronca y áspera».) También podría deberse a hipotiroidismo, o a problemas en el esófago o en el estómago. En algunos casos poco frecuentes la sensación de nudo en la garganta podría ser un signo de tumor en el esófago o en la laringe.

SIGNO DE LOS TIEMPOS

En el pasado, el término *histérico* se utilizaba para describir trastornos que afectaban principalmente a las mujeres y se pensaba que eran de origen psicológico. De hecho, Freud y algunos de sus seguidores creían que el globo histérico, que muy pocas veces se da en los hombres, era una señal de miedo o culpabilidad en relación con el sexo, especialmente con el sexo oral.

Bultos en la mandíbula

Mirarse al espejo por la mañana y tener que apartar la vista podría recordarnos a los tiempos de la adolescencia en los que teníamos la cara llena de acné pero, en la edad adulta, lo que vemos podría ser un signo de *mandíbula hinchada* o *actinomicosis*, infección crónica que provoca la formación de un absceso. A veces, las personas que tienen estas infecciones también tienen otros signos relacionados con el cuello y la garganta, entre ellos ronquera. La mandíbula hinchada puede ser algo más que una pesadilla para tu vida social. Si no se somete a tratamiento, puede extenderse al cerebro.

Chasquidos en la mandíbula

Que crujan los cereales del desayuno es algo normal que provoca que se nos haga la boca agua, pero si es la mandíbula la que cruje y chasquea al masticarlos podríamos estar ante uno de los signos más frecuentes de una alteración muy común conocida como *trastorno de la articulación temporomandibular (ATM)*. (Véase el capítulo 5.) Otros signos de ATM son pitidos o dolor en los oídos, dientes muy sensibles, bloqueo de la mandíbula y dolor en la misma. Los chasquidos también pueden indicar que los dientes están mal alineados *(maloclusión)*. Tampoco sería una sorpresa que la mandíbula te chasqueara después de haber recibido un buen golpe en la cara.

MANDÍBULA AGARROTADA

Si tienes dificultades para abrir la boca, puede ser que tu pareja lo considere una suerte. Pero, de hecho, podría tratarse de un trastorno conocido como *trismo*, que puede suponer algo más que una incomodidad a la hora de hablar o de comer. El trismo puede aparecer repentinamente o desarrollarse poco a poco. Es otro signo común de ATM. (Véase «Chasquidos en la mandíbula»). También puede indicar algunos problemas más graves como el *tétanos* (conocido también como *mandíbula bloqueada*), un tumor o varios trastornos autoinmunes como el *lupus* (véase el apéndice I) o el *escleroma*. (Véase el capítulo 9.) Y las personas que han tenido una lesión en la cara, o que se han sometido a radioterapia en la cabeza o en el cuello, tienen a veces dificultades para abrir la boca por completo.

Si tienes la mandíbula agarrotada y no puedes moverla de un lado a otro, podría ser un signo claro de cáncer bucal. (Véase el capítulo 5.) La hinchazón de la mandíbula puede ser otra señal de cáncer en la boca, o en otras partes de la ca-

---

SIGNO DE LOS TIEMPOS

El tétanos, una infección con consecuencias frecuentemente mortales que produce el bloqueo de la mandíbula, fue descrito por primera vez por Hipócrates en el siglo v a. C. Pero su causa —una toxina de origen bacteriológico— no se conoció hasta los primeros años del decenio de 1880. Las esporas de la bacteria que produce esta toxina, que puede resultar mortal, pueden encontrarse, entre otros sitios, en la tierra sucia, en las heces de animales y en clavos viejos y oxidados. La vacunación contra el tétanos empezó durante la Primera Guerra Mundial.

SIGNO DE SALUD

Pasar el «test de los tres dedos» es un signo de salud. Significa que tu mandíbula funciona perfectamente. Se trata de que coloques tres dedos de la mano juntos uno encima del otro entre los dientes de arriba y los de abajo. Si te caben, has superado el test.

beza y el cuello. Pero a veces es tan ligera que puede ser que no te des cuenta de ella hasta que empiezas a tener problemas para masticar. Las personas que tienen dentadura postiza pueden notar que esta no encaja tan bien como antes.

SEÑAL DE ADVERTENCIA

Recientemente, se ha relacionado un trastorno, poco frecuente pero muy grave, llamado *osteonecrosis de la mandíbula* (literalmente, muerte del hueso de la mandíbula), con la ingesta de bifosfonatos, que se utilizan para evitar la pérdida de masa ósea, especialmente cuando se usan como tratamiento de algunas complicaciones óseas en enfermedades cancerosas. Estos medicamentos se recetan también con frecuencia para evitar que se produzcan osteopenia y osteoporosis (pérdida de masa ósea), así como para tratarlas; cuando se han utilizado con estos fines, en muy pocas ocasiones ha habido casos de osteonecrosis.

Mentón hundido o prominente

Si el pelo retrocede, podemos disimularlo con un sombrero, pero un mentón huidizo es más difícil de esconder. Por desgracia, podría ser algo más que una preocupación estética; puede

SIGNO DE LOS TIEMPOS

La familia Habsburgo, que gobernó gran parte de Europa desde el siglo X hasta el siglo XX, era famosa por la prominencia de los labios y de la mandíbula (conocida como «mandíbula Habsburgo»). Estos rasgos familiares poco atractivos eran consecuencia de la endogamia. Un miembro de esta familia, el emperador del Sacro Imperio Romano Germánico del siglo XVII, Leopoldo I, tenía la mandíbula tan prominente que recibió el apodo de «Boca de Cerdo».

ser una señal de ATM crónico. (Véanse «Mandíbula agarrotada y Chasquidos en la mandíbula».) Los músculos de la mandíbula, al estar inflamados e hinchados, pueden perder su capacidad de sujeción y como consecuencia el mentón retrocede.

Si has visto alguna vez a una persona a la que le sobresale la barbilla y que guiña constantemente los ojos probablemente es un signo de *síndrome de Meige*, un trastorno neurológico del movimiento que es poco frecuente. (Véase el capítulo 2.) Algunas personas con este síndrome padecen también *disfonía laríngea*, que hace que la voz suene tensa y ahogada, o como una radio. (Véase «Signos de la voz».)

Bostezos frecuentes

Si estás con una persona que se pone a bostezar, puedes pensar que se está aburriendo. A lo mejor tienes razón y puedes aburrirte con ella. De hecho, desde hace mucho tiempo se ha sabido que los bostezos son contagiosos.

Las personas bostezan por varias razones, por ejemplo porque están cansadas. Aunque solemos bostezar cuando tenemos sueño, también lo hacemos nada más despertar, incluso después de un buen descanso nocturno.

HECHO SIGNIFICATIVO

Prácticamente todos los animales vertebrados bostezan. De hecho, los fetos humanos empiezan a bostezar cuando tienen alrededor de once semanas. Un bostezo dura unos seis segundos.

Hay muchas teorías sobre el bostezo. Algunos científicos creen que bostezar hace que estemos más alerta ya que inhalamos más oxígeno; otros dicen que los bostezos se deben a cambios químicos cerebrales relacionados con las emociones y aún hay otros que creen que ayudan a regular la temperatura del cuerpo. Sin embargo, todos están más o menos de acuerdo en que bostezar hace que suba la tensión sanguínea y aumenten los latidos del corazón. Aunque parezca algo simplemente anecdótico, se ha comprobado que algunos atletas suelen bostezar antes de una competición y que los paracaidistas lo hacen antes de saltar del avión.

HECHO SIGNIFICATIVO

En una reciente publicación de psiquiatría se informaba de que algunos pacientes presentaban una reacción infrecuente, aunque placentera, al antidepresivo clomipramina. Para estas personas, un bostezo no tiene nada que ver con un ronquido. Cada vez que bostezan tienen un orgasmo espontáneo. Una mujer adquirió una gran adicción a los orgasmos por bostezo. Sin embargo, otro paciente, esta vez un hombre, veía en ello un grave inconveniente. Tenía que ponerse preservativos constantemente.

La mayoría de las veces, bostezar es una actividad inocua, aunque aburrida. Sin embargo, hay ocasiones en las que los bostezos pueden preceder a un tipo de desmayo, que se conoce médicamente como síncope vasovagal, del tipo del que solemos asociar con el miedo.

Y algunas veces, los bostezos pueden decirnos que tal vez tengamos un trastorno médico grave. Aunque no se conocen las razones, las personas afectadas por determinadas afecciones neurológicas —entre ellas la *esclerosis múltiple* y la *esclerosis lateral amiotrópica*, llamada comúnmente enfermedad

---

HABLANDO DE SEÑALES

 La vida es demasiado corta y no podemos recuperar el tiempo que perdemos en bostezar.

STENDHAL

---

de Lou Gehrig— suelen bostezar en exceso. Algunas veces, los bostezos frecuentes son una reacción a la radioterapia para el cáncer así como a medicamentos que tratan la *enfermedad de Parkinson*. Algunos antidepresivos, como la paroxetina y la sertralina, pueden también dar lugar a frecuentes bostezos. Curiosamente, los esquizofrénicos suelen bostezar menos que las demás personas.

HIPO EXCESIVO

Si estás con alguien que se pone a hipar incontrolablemente, al principio puede parecerte divertido, pero pasado un tiempo te resultará irritante… especialmente si quien te acompaña ha estado bebiendo más de la cuenta. De hecho, el hipo es un signo delator de excesos en la bebida.

SIGNO DE LOS TIEMPOS

En 1988, el doctor Francis Fesmire descubrió un método inusual para curar el hipo intratable. Su paciente llevaba hipando treinta veces por minuto desde hacía setenta y dos horas. Después de intentar todos los remedios conocidos sin conseguir nada, el doctor, inasequible al desaliento, decidió estimular el nervio vago insertando un dedo en el ano del paciente. Este masaje digital rectal, como médicamente se conoce, funcionó. Fesmire está considerando ahora algo más atractivo: un orgasmo. Según nos explica, es un gran estimulante del nervio vago.

A los hipidos se los conoce médicamente como *singultos*, que viene del latín *singult*, que significa «contener el aliento al llorar». El hipo es un espasmo involuntario del diafragma y suele producirse cuando el nivel de dióxido de carbono en la sangre es demasiado bajo. Los gases nocivos, el tabaco, las comidas picantes y las bebidas alcohólicas pueden desencadenar un ataque de hipo. También puede provocarlo tomarse una bebida fría mientras se come algo caliente. De hecho, los hipidos pueden ser la manera que tiene el cuerpo de decirnos que comemos o bebemos demasiado, o demasiado rápidamente. Según una teoría, los hipidos son reflejos que impiden que nos hartemos de comer y beber. La mayoría de los ataques de hipo son breves, prolongándose solo durante unos minutos, pero algunas veces pueden continuar durante mucho más tiempo. Un ataque que dure más de dos o tres horas se denomina *hipo persistente* o *hipo prolongado*. Y a aquel que

SIGNO DE LOS TIEMPOS

El récord de ataque más largo de hipo lo tiene Charles Osborne, de Iowa, que murió en 1990 a la edad de noventa y seis años. Empezó a hipar después de sacrificar a un cerdo, según el *Libro Guinness de los récords*, y siguió hipando durante sesenta y nueve años.

dura más de un mes se le denomina normalmente *hipo intratable*. El hipo es mucho más frecuente en los hombres que en las mujeres. Se cree que el hipo persistente y el hipo intratable están causados por impulsos eléctricos descontrolados en el nervio vago, que va desde el tronco cerebral hasta el abdomen y que controla el ritmo de los latidos del corazón, la producción de ácidos estomacales, los intestinos y los músculos de la garganta, entre otras funciones orgánicas fundamentales. También se cree que están ocasionados por la irritación del nervio frénico, que es el nervio motor del diafragma que ayuda a controlar la respiración. De hecho, para detener el hipo incontrolado solía cortarse el nervio frénico.

HABLANDO DE SEÑALES

Mantén la respiración y si después de haberlo hecho durante un tiempo el hipo continúa, hazte cosquillas en la nariz con cualquier cosa y estornuda; si estornudas una o dos veces, desaparecerá el hipo más persistente.

ERIXÍMACO, médico de Aristófanes

En general, si tu pareja tiene un hipo incesante que finaliza cuando se duerme, puede ser que sea un signo de estrés o de alguna emoción intensa. Pero si tu compañero o compañera de cama sigue hipando mientras duerme, lo probable es que tenga algún problema físico.

El hipo puede indicar que tienes un cuerpo extraño o un bulto en el oído, o que sufres de ERGE. (Véase «Bultos en la garganta».) Y se sabe que los ataques prolongados de hipo pueden preceder o suceder a episodios de desmayo debidos a problemas de ritmo cardíaco. Además, más de una tercera parte de los pacientes sometidos a quimioterapia se quejan de hipo persistente.

SEÑALES DE STOP

STOP Hay unos cuantos remedios caseros para el hipo común. Muchos de ellos aumentan los niveles de dióxido de carbono en la sangre o estimulan el nervio vago para ayudar a normalizarlo. Entre estas «curas» se incluyen:

- Retener la respiración.
- Respirar en una bolsa de papel.
- Tirar de la lengua.
- Frotarse las cuencas de los ojos.
- Comer pan seco.
- Comer helado deshecho.
- Tomar una cucharadita de azúcar.
- Inhalar sales aromáticas.
- Beber un vaso de agua rápidamente sin respirar.

El hipo prolongado puede ser también un signo de *neumonía*, *pleuritis* (inflamación pulmonar), *peritonitis* (infección de la cavidad abdominal), *pericarditis* (inflamación de la membrana que rodea el corazón) y *pancreatitis* (inflamación del páncreas). También puede ser una señal de enfermedad o insuficiencia renal crónicas, así como de infección o tumor en el diafragma, el esófago o los pulmones. En raras ocasiones, el hipo persistente o intratable puede ser un signo de peligro de derrame cerebral o de tumor cerebral que afecten al centro que controla la respiración.

Tos crónica

Si te parece que te pasas el día tosiendo pero te encuentras bien y no fumas, no lo tomes como algo molesto sin más. La tos persistente es una reacción habitual a los inhibidores de la enzima convertidora de angiotensina, un tipo de medicamento para la tensión sanguínea. Y puede ser un signo de goteo nasal posterior, de alergias, de asma o de ERGE (véase «Voz ronca y áspera»). Y más importante aún, puede ser un signo de *enfermedad pulmonar obstructiva crónica (EPOC)*, trastorno pulmonar debilitante y potencialmente mortal en el que se interrumpe el flujo de aire hacia los pulmones y desde ellos.

HECHO SIGNIFICATIVO

El cáncer de pulmón es el principal responsable de las muertes por cáncer en Estados Unidos, tanto en los hombres como en las mujeres. De hecho, hay más mujeres que mueren anualmente de cáncer de pulmón que de cáncer de mama, de ovario y de útero en conjunto.

Hay dos tipos de EPOC: la *bronquitis crónica* y el *enfisema*. La EPOC afecta aproximadamente a 28 millones de personas solo en Estados Unidos; la mitad de ellas no han sido diagnosticadas. Aunque la EPOC es incurable, hay tratamientos que pueden ayudar a aliviar algunos de sus síntomas, a evitar complicaciones y a prolongar la vida de la persona afectada.

Por supuesto, si eres, o has sido, fumador —o vives con un fumador—, existe la posibilidad de que la tos sea una señal de advertencia no solo en relación con la EPOC sino también de cáncer de pulmón o de garganta. El hábito de fumar es la causa principal de todos estos trastornos. Desgraciadamente, la tos frecuente puede ser un signo tanto de EPOC como de cáncer, incluso aunque no hayas dado una calada a un cigarrillo en toda tu vida.

COLOR DE LAS FLEMAS

Expulsar mucosidades al toser —o *flemas*, como se conocen médicamente—, puede ser una grosería. Y además, puede ser algo revelador. (A veces a las flemas se las llama *esputos*, aunque en realidad estos son la mezcla de aquellas con la saliva.) Independientemente de cómo las llamemos, en una persona sana son normalmente claras o blanquecinas. Si tus flemas son claras pero muy pegajosas, puede ser una señal de asma. Si produces muchas flemas claras, el exceso de ellas probablemente tiene su causa en una infección vírica. Y si son amarillas, verdes o de color marrón, probablemente indican una infección bacteriana. Las flemas de color marrón pueden ser un signo de que fumas demasiado y puedes tener algún daño pulmonar. Y si eres fumador y tienes tos con esputos claros por la mañana, no creas por eso que tu salud es estupenda. Podría ser un síntoma muy precoz de EPOC. (Véase «Tos crónica».) Si la tos mañanera produce esputos amarillos o verdes y te falta el aliento puedes estar en un estadio avanzado de EPOC. Si las flemas tienen el color del orín, o el aspecto de estar manchadas de sangre, puede ser un signo de *hemoptisis*, es decir de sangre procedente de una infección o de un tumor en el tracto respiratorio, incluyendo la nariz, la boca, la garganta, el esófago y los pulmones. La sangre que viene de los pulmones puede ser un signo de neumonía o incluso de trastornos pulmonares más graves, incluido el cáncer. Los esputos teñidos de sangre pueden ser también una señal de hemorragia gastrointestinal, médicamente conocida como *pseudohemoptisis*.

SIGNOS DE LA VOZ

La voz depende de múltiples partes del cuerpo sin las que no podríamos emitir el más simple de los sonidos: las cuerdas vocales, los labios, la lengua, los dientes, el paladar, la garganta, la laringe, la tráquea, los pulmones, el diafragma y la nariz, por citar unas cuantas. Cuando sucede algo en alguna de estas partes del cuerpo, la voz, además de quejarse, puede decirnos qué es lo que pasa. Su claridad, calidad y volumen pueden ayudarnos a detectar el problema.

HABLANDO DE SEÑALES

La voz no es sino aire golpeado.

SÉNECA EL JOVEN, antiguo filósofo y dramaturgo griego

Alrededor de 7,5 millones de personas en Estados Unidos tienen problemas de voz, médicamente conocidos como *disfonía*. Como muchos otros signos corporales, los cambios en la voz pueden ser un signo frecuente y benigno de envejecimiento. A medida que vamos cumpliendo años, el tejido pulmonar pierde elasticidad y los músculos respiratorios, y otros, se debilitan o se ponen rígidos en parte debido a cambios hormonales. A menudo, los hombres hablan en un tono más agudo a medida que envejecen, tal vez porque sus niveles de estrógenos tienden a aumentar, y las mujeres de más edad suelen ver cómo su voz se hace más grave porque sus niveles de estrógenos disminuyen. Pero estos y otros cambios en la voz pueden estar diciéndonos que algo está pasando en nuestro cuerpo.

HABLANDO DE SEÑALES

La voz humana es el órgano del alma.

HENRY WADSWORTH LONGFELLOW

VOZ RONCA Y ÁSPERA

¿Hablas a menudo con voz grave? La voz ronca en un hombre, e incluso en una mujer, puede sonar sexy (por ejemplo la de Marlene Dietrich). Pero a la mayoría de las personas, una voz áspera o grave, tanto la suya propia como la de los demás, les resulta desagradable.

La ronquera ocasional, conocida médicamente como *laringitis*, suele ser un signo de algo tan poco importante como un catarro, una alergia o un goteo posnasal. Pero también puede indicar una infección más grave del aparato respiratorio. Y puede ser una advertencia de que estamos forzando mucho la voz o, más exactamente, las cuerdas vocales (cono-

SIGNO DE LOS TIEMPOS

Durante su presidencia, Bill Clinton solía enronquecer con frecuencia, y aún hoy padece este problema. Se ha atribuido a todo tipo de motivos, desde alergias y asma hasta uso excesivo de la voz.

cidas también como pliegues vocales). Si bien los gritos y chillidos son las causas principales de laringitis, no es necesario ponerse a vociferar para acabar ronco. A veces, susurrar constantemente y aclararse la garganta pueden provocar afonía. Y si vives con alguien que no oye bien puedes enronquecer por hablar en un tono más alto de lo normal. O tu afonía puede ser un signo de que te estás haciendo viejo.

Si la aspereza de la voz dura más de dos semanas, te está avisando de que ha llegado el momento de que te ocupes del asunto. Puede ser un signo de dos tipos de reflujo, bien de la llamada *enfermedad por reflujo gastroesofágico (ERGE)* o bien del reflujo *laríngeo*, también conocido como *reflujo laringofaríngeo (RLF)*. Cuando se padece ERGE, el ácido estomacal vuelve al esófago, mientras que en caso del RLF ese mismo ácido llega hasta la garganta. La afonía mañanera —sobre todo cuando va acompañada de ardor de estómago y de náuseas— puede ser señal de cualquiera de los dos tipos de reflujo. Otros signos pueden ser sabor amargo, sensación de quemazón o impresión de que tenemos algo que obstruye la

HABLANDO DE SEÑALES

Gritar es malo para la voz, pero bueno para el corazón.

CONOR OBERST, cantante
y compositor americano de rock

garganta. (Véase «Bultos en la garganta».) Si no se trata, el reflujo puede provocar infecciones en los senos nasales y en los oídos, lesiones en la garganta y el llamado *esófago de Barrett*, que es una úlcera péptica en la parte baja del esófago que puede llegar a convertirse en cáncer.

La voz grave y profunda en una persona, especialmente si es mujer, es con frecuencia una clara indicación de que es muy fumadora, o de que lo ha sido en el pasado. De hecho, a

---

HECHO SIGNIFICATIVO

La ERGE afecta a más de 60 millones de adultos estadounidenses. Los hombres tienen alrededor del doble de probabilidades de padecerla. La media de edad de las personas diagnosticadas de ERGE es de sesenta años.

---

muchas fumadoras se les confunde con un hombre cuando están al teléfono. Seas hombre o mujer, fumar puede hacer que las cuerdas vocales se vuelvan más gruesas, lo que provoca la conocida como «voz de fumador».

Muchas veces, la voz de fumador es un signo de *edema de Reinke*, inflamación de las cuerdas vocales que es muy poco frecuente en personas no fumadoras. Por desdicha, esta advertencia suele ser soslayada cuando se da en un hombre porque no es raro que los hombres tengan voz profunda. Es una clara indicación de que el tabaco ya ha provocado un daño importante.

La ronquera crónica puede ser también un signo delator de que una persona bebe mucho desde hace tiempo. El exceso de alcohol, como el tabaco, puede irritar las cuerdas vocales y las membranas mucosas de la boca y de la garganta.

SEÑAL DE ADVERTENCIA

La ronquera es el signo distintivo del cáncer de las cuerdas vocales y su causa principal es el tabaco. Si no se trata, el cáncer crece y afecta a la laringe, produciendo dificultades respiratorias y del habla y, en último término, la muerte. De manera que las personas con voz de fumador no solo deben dejar de fumar sino que deberían someterse a revisiones periódicas para prevenir lesiones precancerosas o cancerosas.

Una voz extremadamente ronca puede estar causada por un desequilibrio hormonal, tanto en los hombres como en las mujeres. En las féminas, puede ser una señal del trastorno hormonal llamado *masculinización*, en el que los niveles de andrógenos, hormonas masculinas, son muy elevados. (Véase el capítulo 1.)

SEÑAL DE STOP

Para proteger las cuerdas vocales y prevenir la ronquera:
- No te aclares la garganta constantemente.
- No grites ni susurres a menos que sea absolutamente necesario.
- Evita las bebidas con cafeína, el alcohol y los productos lácteos.
- Bebe mucha agua.

Si vives en una ciudad industrial, la aspereza de la voz puede estar indicándote que eres víctima de sustancias contaminantes que producen irritación. La ronquera puede también ser una reacción a la radioterapia, así como a determinados medicamentos. Los más frecuentes son los anticoagulantes, los antihipertensivos, los antihistamínicos, los esteroides, los antidepresivos, los diuréticos, las medicinas contra el asma y las dosis elevadas de vitamina C.

SIGNO DE LOS TIEMPOS

 Según un mito popular chino, si una mujer embarazada come pollo o conejo su niño desarrollará una voz ronca.

La aspereza de la voz puede ser también una señal de *anemia por deficiencia de hierro*, así como de toda una serie de afecciones autoinmunes graves como la *miastenia gravis*, la *artritis reumatoide*, el *síndrome de Sjögren* y la *sarcoidosis*. (Véase el apéndice I.) Y la voz ronca al despertar es un signo de hipotiroidismo. (Véase el apéndice I.) La ronquera crónica puede ser también un signo que revela la presencia de un tumor benigno, o maligno, en las cuerdas vocales, en la garganta, en la boca o en el cuello. Aunque estas tumoraciones son mucho más frecuentes en los fumadores, también pueden contraerlas personas no fumadoras.

Voz esporádicamente ronca

Si te quedas ronco algunas veces, toses, resuellas y tienes problemas para respirar (sensación de que no te llega el aire), podrías preocuparte pensando que tienes asma. Pero estos signos pueden indicar un trastorno médico poco conocido llamado *disfunción de las cuerdas vocales (DCV)*. De hecho, a menudo se diagnostica equivocadamente una DCV como

asma, especialmente cuando una persona se presenta en la
sala de urgencias con aspecto azulado y tirantez en el pecho,

---

HECHO SIGNIFICATIVO

Las cuerdas vocales vibran entre 80 y 400 veces por segundo.

---

que son síntomas típicos del asma. Como su nombre indica,
la DCV se produce cuando las cuerdas vocales no se abren y
se cierran adecuadamente para permitir la entrada y salida de
aire al hablar. Un episodio de DCV puede estar desencade-
nado por problemas nasales o por enfermedad por reflujo
gastroesofágico o reflujo laringofaríngeo. (Véase «Voz ronca
y áspera».) La DCV puede también indicar la exposición a
contaminantes medioambientales o profesionales.

Frecuentes aclaraciones de garganta

¿Estás constantemente aclarándote la garganta? Puede ser
una mala costumbre adquirida después de un catarro persistente o de un episodio prolongado de laringitis. Aclararse
frecuentemente la garganta puede también ser un signo de
ansiedad y nerviosismo, o de algún tic o trastorno del movimiento. Como ocurre con la ronquera, también puede ser
una importante pista que indica que tienes goteo posnasal
crónico o enfermedad por reflujo gastroesofágico. (Véase
«Voz ronca y áspera».)

Algunas veces, aclararse constantemente la garganta es un
signo de garganta seca (lo que a su vez puede ser una reacción

SEÑAL DE STOP

Cuando sientes la imperiosa necesidad de aclararte la garganta, en vez de hacerlo bebe agua o tararea una canción.

a los mismos medicamentos que provocan la ronquera). Puede también deberse a un tratamiento de radioterapia. Y mucho más importante, puede ser una señal de cáncer de garganta.

Voz temblorosa

Si te tiembla a menudo la voz aunque estés tranquilo y seguro de ti mismo, puede ser simplemente un signo de envejecimiento. O puede ser señal de un trastorno neurológico del movimiento que se llama *temblor esencial* de la cabeza y el cuello, que normalmente no es algo especialmente grave. El signo más común de temblor esencial —también conocido como *temblor familiar*, porque suele ser hereditario— es el temblor de las manos al usarlas. Pero una voz temblorosa también puede ser síntoma de un trastorno neurológico más grave conocido como *esclerosis múltiple*, o de *enfermedad de Parkinson*.

Habla arrastrada

Cuando la gente arrastra las palabras en una fiesta social, lo más probable es que hayan bebido algunas copas de más. Por otro lado, el habla arrastrada —conocida médicamente como

SIGNO DE LOS TIEMPOS

Durante una entrevista que le hicieron en diciembre de 2006, el senador de Dakota del Sur Tim Johnson no encontraba las palabras y empezó a balbucear. El senador estaba presentando dos de los síntomas típicos de derrame cerebral: confusión y dificultad para expresarse. Fue intervenido quirúrgicamente y se descubrió que tenía un problema de nacimiento llamado *malformación arteriovenosa (MAV)*. La MAV consiste en una conexión anormal entre una arteria y una vena que, en el caso de Johnson, se dilató y se rompió.

disartria— puede indicar diversos trastornos. Por ejemplo, puede ser un signo de bajo nivel de azúcar en sangre *(hipoglucemia)*, complicación habitual en los diabéticos, así como de trastornos neurológicos como esclerosis múltiple y enfermedad de Parkinson. Por desgracia, precisamente porque arrastran las palabras, puede pensarse que quienes padecen esta afección están borrachos.

SEÑAL DE STOP

Estas son las tres cosas que una persona debe hacer para saber si está teniendo un derrame cerebral:

1. Sonreír.
2. Levantar los dos brazos.
3. Repetir una frase sencilla en voz alta, como por ejemplo «el cielo es azul».

Si tiene problemas para hacer una de estas tres cosas, hay que llamar inmediatamente a una ambulancia.

Además, el habla arrastrada puede ser una señal reveladora de que una persona está padeciendo un pequeño derrame cerebral, médicamente conocido como *accidente isquémico transitorio (AIT)*. También puede ser un aviso de un derrame cerebral en toda regla. (Véase el apéndice I.)

PONERSE A HABLAR DE PRONTO CON ACENTO EXTRANJERO

Si al despertarte una mañana oyes que tu pareja te habla con acento extranjero, podrías pensar que todavía sigues dormido... o sentir pánico pensando que te has acostado con otra persona. Te sentirás aliviado, al menos al principio, al saber que tu pareja probablemente padece un trastorno muy extraño que se llama *síndrome del acento extranjero*. Aunque algunas veces es un síntoma de trastorno psicológico, lo probable es que sea una señal de daño cerebral, posiblemente producido por un golpe o lesión en la cabeza.

HECHO SIGNIFICATIVO

El síndrome del acento extranjero fue descrito por primera vez en 1919 en Checoslovaquia. Entre los casos más recientes se incluye el de una mujer estadounidense que, después de un derrame cerebral, empezó a hablar con acento británico, y el de un hombre que empezó a hablar con acento italiano también después de un derrame. Pero los dos fueron ampliamente superados por una mujer inglesa: después de sufrir un derrame empezó a hablar con acentos eslavo, francés de Canadá y jamaicano.

HABLAR DEMASIADO ALTO O DEMASIADO BAJO

Estando sentado a la mesa en un restaurante, ¿has oído alguna vez que una voz sobresale de todas las demás? Una persona que habla con un volumen de voz excesivo en público, en privado o por el teléfono móvil puede resultar tremendamente molesta. Efectivamente, a lo mejor está queriendo molestar y llamar la atención. Pero hablar siempre en voz muy alta suele ser más bien un signo de pérdida de audición. Y al contrario, una persona que siempre habla muy bajo, lo cual puede resultar tan irritante como que hable demasiado alto —hubo toda una serie de televisión, *Seinfeld*, que trataba de este tema—, también puede tener problemas auditivos. Las personas que hablan en voz muy baja pueden padecer lo que se conoce como *pérdida de audición conductiva*, trastorno en el que se oye la propia voz amplificada (pero no las de los demás). La pérdida de audición conductiva puede estar provocada por los mismos factores que causan otro tipo de pérdidas auditivas, incluyendo infecciones de oídos, tumores, cera en los oídos y bloqueo de las trompas de Eustaquio. (Véase el capítulo 3.)

A MODO DE CONCLUSIÓN

Como puedes ver, muchos de los signos de la garganta, la mandíbula y el cuello son de gran sutileza, mientras que otros se aprecian muy claramente. En cualquier caso, no dudes en contarlos si te dan problemas. Y todo signo que se presente repentinamente —especialmente los que vienen acompañados de sangre, dolor o fiebre— debe ser objeto de atención inmediata.

Para determinar si los síntomas apuntan a algo leve o grave, puedes hablar con tu médico de cabecera o con uno de los siguientes especialistas:

- *Endocrinólogo*: médico especialmente preparado para diagnosticar y tratar enfermedades y trastornos relacionados con la producción hormonal y sus desequilibrios.
- *Gastroenterólogo*: médico especializado en el diagnóstico y tratamiento de enfermedades del aparato digestivo.
- *Otorrinolaringólogo*: médico especializado en evaluar y tratar problemas de garganta, nariz y oídos.
- *Patólogo o terapeuta del habla*: profesional sanitario con titulación superior en ciencias de la comunicación. Trabaja la rehabilitación del habla en pacientes que tienen trastornos de esta función o que han tenido derrames o lesiones cerebrales.
- *Pulmonólogo*: médico especializado en enfermedades y trastornos de los pulmones y del sistema respiratorio.

7

EL TORSO Y LAS EXTREMIDADES

Las pruebas más sustanciales están en el cuerpo

> El cuerpo dice lo que las palabras no pueden expresar.
>
> MARTHA GRAHAM, bailarina y coreógrafa

Cuando oímos la palabra *cuerpo* nos viene a la imaginación el torso, no la cabeza. De hecho, los deseos y antojos de la mente no podrían conseguirse si no fuera por el cuerpo. Según la filosofía del yoga, el cuerpo es el «templo del alma». Descartes, filósofo francés del siglo XVII, y Tolstói, el gran escritor ruso del siglo XIX, consideraban el cuerpo como una máquina viva.

A lo largo de los siglos, las artes y la literatura han honrado el cuerpo, especialmente el torso desnudo. Miguel Ángel dedicó tanto tiempo a estudiar la escultura de Apolonio, *El torso de Belvedere*, que se consideraba a sí mismo como «el alumno del torso». Y en la literatura francesa renacentista del siglo XVI hay todo un conjunto de poesía que se conoce como *blasons* y *contreblasons anatomiques*, cuyo tema central es el cuerpo. Los blasones celebraban el cuerpo, desde las cejas hasta las «partes íntimas», mientras que los contrablasones lo ridiculizaban.

También los científicos estaban obsesionados con el cuerpo humano en el Renacimiento. A pesar de estar prohibido por las normas eclesiásticas, empezaron a diseccionar cadáveres para comprender mejor su funcionamiento. Y aunque comprobaron que el cerebro está en la cabeza, y que esta alberga a cuatro de los cinco sentidos, les fascinaba especialmente el torso, que es donde se encuentran muchos de los órganos vitales: el corazón, los pulmones, los intestinos, los riñones y el hígado, entre otros.

Afortunadamente, hoy en día no es necesario diseccionar un cadáver y extraer sus órganos para saber qué es lo que está pasando en su interior. Mirando, escuchando, palpando y oliendo podemos encontrar todo tipo de señales en nuestros órganos vitales que nos indican si hay algo que no funciona correctamente. La forma y el tamaño del cuerpo, las sensaciones físicas, los latidos del corazón, la manera en la que nos mantenemos en pie y en la que caminamos, así como el aspecto y las sensaciones de la madre de todas las partes del cuerpo, el pecho, nos proporcionan incontables signos sobre nuestro estado de salud.

MAMAS Y PEZONES

Mamas desiguales

Si alguna vez has examinado atentamente tus mamas, te habrás dado cuenta de que no son idénticas entre sí. Una suele ser ligeramente más grande, o está algo más caída, o menos centrada, que la otra. Pero si resulta que uno de los pechos requiere una talla diferente de sujetador que el otro, puede ser un signo de un trastorno normalmente benigno —aunque estéticamente problemático— conocido como *asimetría mamaria*. Esta diferencia en su tamaño, o en su forma, puede presentarse en cualquier momento. Pero lo más habitual es que se ponga de manifiesto durante la pubertad, que es la época en la que se desarrollan, o durante el embarazo, cuando se están preparando para la lactancia.

SEÑAL DE ADVERTENCIA

Las mujeres con asimetría mamaria deberían hacerse una mamografía con mayor frecuencia. Según un reciente estudio británico, incluso las pequeñas asimetrías mamarias detectadas en una mamografía podrían ser un signo importante de un mayor riesgo de cáncer de mama.

La desigualdad de las mamas también puede ser una señal, aunque poco frecuente, de un defecto congénito conocido como *síndrome de Poland*, en el que los músculos pectorales de uno de los lados del cuerpo están muy poco desarrollados. Este tipo de asimetría, aunque es de nacimiento, y a veces hereditaria, puede pasar inadvertida hasta que los pechos se van formando en la pubertad. El síndrome de Poland es más frecuente en los hombres que en las mujeres.

Algunas veces se presentan otros signos, como la fusión de los dedos (*sindactilia*) del mismo lado del cuerpo que el de la mama pequeña. Por lo general, el síndrome de Poland no suele ocasionar grandes problemas, pero algunas personas con este trastorno también los tienen en la vejiga y en los riñones. Por último, aunque no menos importante, unos pechos de distinto tamaño, tanto en el hombre como en la mu-

SIGNO DE LOS TIEMPOS

Las amazonas, mujeres guerreras según la mitología griega y clásica, eran conocidas, además de por sus proezas y fiereza en la batalla, porque solo tenían un pecho. De hecho, la palabra *amazona* proviene del latín *a mazos* que significa «sin pecho». Según la leyenda, las amazonas se cortaban el pecho derecho para poder colocar mejor el arco disponiéndolo para lanzar una flecha. A estas guerreras con un solo pecho —que algunos historiadores creen que existieron de verdad— se les atribuye también la invención del hacha de guerra. Lamentablemente, el término «amazona» se ha utilizado peyorativamente para referirse a una mujer fuerte y bien dotada muscularmente.

jer, pueden ser una importante señal de advertencia de cáncer de mama. (Véanse «Un bulto en el pecho» y el apéndice I.)

Un bulto en el pecho

Si has notado alguna vez un bulto en el pecho, probablemente se te ha encogido el corazón y has sentido el estómago agarrotado y las rodillas débiles. Aunque el bulto puede efectivamente indicar un cáncer, es importante recordar que ocho de cada diez bultos en el pecho que se extirpan resultan no ser cancerosos. Estos bultos pueden ser una señal de diversos trastornos benignos (así como de otros no tan benignos).

No solo a las mujeres les salen bultos en los pechos, ni son las únicas víctimas del cáncer de mama. Aunque es muy poco frecuente, también puede ocurrirles a los hombres, siendo los que están entre los sesenta y los setenta años de edad los que más riesgo tienen de sufrir este tipo de cáncer. Resulta curioso el dato de que el 20% de los hombres con cáncer de mama están estrechamente emparentados con una mujer que lo ha tenido.

BULTOS EN LOS PECHOS

Muchas mujeres notan que tienen bultos en los pechos durante el ciclo menstrual y durante la menopausia. Algunos pueden ser precancerosos. Sin embargo, lo normal es que la presencia de muchos bultos pequeños en el pecho sea señal de un trastorno muy frecuente y benigno denominado *enfermedad fibroquística de la mama* o, más exactamente, *cambios fibroquísticos*. Alrededor del 30% de las mujeres estadounidenses experimentan estos cambios. Aunque se desconoce la causa exacta, se cree que están relacionados con cambios hormonales cíclicos. Las mujeres con senos fibroquísticos suelen describir una sensación de pesadez o hipersensibilidad en los pechos, sobre todo coincidiendo aproximadamente con los períodos menstruales. Algunas dicen que tienen la sensación de «tener una piedra» en el pecho. A veces, pueden experimentar secreciones de líquido por los pezones. (Véase «Secreciones por los pezones».) La enfermedad fibroquística de la mama, que puede afectar a uno de los pechos, o a los dos, tiende a desaparecer después de la menopausia.

Si la piel que rodea a los bultos tiene un aspecto rojizo o amoratado puede ser un signo de *necrosis grasa*, literalmente muerte de tejido adiposo. Esta señal suele tener su causa en una lesión física en el pecho que haya destruido tejido adiposo. Puede ocurrir que una mujer, especialmente si es obesa, ni siquiera se dé cuenta de que ha recibido un golpe en el pecho, aunque muy posiblemente percibiría una secreción líquida por el pezón del pecho golpeado, si es que se produjera. (Véase «Secreciones por los pezones».)

Los bultos en los pechos son también característicos de otras dos alteraciones benignas bastante frecuentes: los *quistes* (embolsamientos de líquido) y los *fibroadenomas* (abultamientos sólidos). Mientras que lo normal es que no se presente uno solo, sino varios quistes en el pecho, los fibroadenomas suelen desarrollarse en solitario. Ambos tipos de abultamientos son pequeños, firmes y de forma redondeada, y los dos tienden a moverse bajo la piel cuando se hace presión sobre ellos. (De hecho, los fibroadenomas pueden ser tan móviles que se han ganado el desafortunado apodo de *ratones en el pecho*.) Como ocurre con la enfermedad fibroquística, estos bultos tienden a aparecer y desaparecer siguiendo los ciclos menstruales. Incluso entre las jovencitas de menos de veinte años, los fibroadenomas son algo frecuente. Muchas veces crecen durante el embarazo y la lactancia, y una mujer tiene más probabilidades de experimentar quistes después de la menopausia si se está sometiendo a una terapia de reemplazo hormonal, o si es muy delgada.

Pechos hinchados y decolorados

Mientras que la hinchazón de los pechos es un signo frecuente de que se está a punto de entrar en el período menstrual, unos pechos hinchados y rojizos, especialmente si se notan cálidos al tacto, pueden ser síntoma de una forma de cáncer de mama muy agresiva llamada *cáncer inflamatorio de mama*

(CIM). Si tienen aspecto rosáceo, purpúreo o amoratado pueden también ser señal de CIM.

HECHO SIGNIFICATIVO

Como término medio, la edad de las mujeres a las que se les diagnostica un cáncer de mama es de sesenta y dos años. En el cáncer inflamatorio de mama es de cincuenta y dos años.

Otro signo clásico de esta forma mortal y de desarrollo rápido de cáncer de mama es lo que los médicos llaman *piel de naranja*, que consiste en que la piel del pecho tiene una superficie ligeramente rugosa con pequeños salientes parecidos a los de la piel de una naranja. Entre otros signos de CIM se incluyen la sensación de pesadez o de hipersensibilidad en el pecho, la quemazón, picor o dolor en el mismo, el cambio en su tamaño o en su forma y la inversión en la posición de un pezón. (Véase «Pezones invertidos».) Aunque muchos de estos signos son también frecuentes durante la menstruación, cuando delatan un CIM no son pasajeros. Tienden a presentarse muy rápidamente y a agudizarse continuamente en cuestión de semanas o meses.

Muchas veces el CIM se diagnostica mal, confundiéndose con una infección, o incluso con la picadura de un insecto, porque sus síntomas se presentan normalmente en la superficie del pecho. Para mayor dificultad en el diagnóstico, el signo más importante del cáncer de mama, o sea la aparición de un bulto, es poco frecuente en los casos de CIM. (Véase «Un bulto en el pecho».)

A diferencia de otras formas más habituales de cáncer de mama, el CIM suele producirse en mujeres jóvenes, teniendo

---

SEÑAL DE ADVERTENCIA

Se estima que el cáncer inflamatorio de mama (CIM) representa entre el 5% y el 10% de los casos de cáncer de mama en Estados Unidos. En el decenio de 1990, la incidencia de casos de CIM creció, al igual que lo hicieron sus tasas de supervivencia. Ambos hechos pueden deberse a un mayor grado de concienciación y a la práctica de mamografías.

---

considerable incidencia en las afroamericanas. El cáncer inflamatorio de mama raras veces se presenta en los hombres. Cuando lo hace, normalmente afecta a hombres de edad avanzada.

CRECIMIENTO DE LOS PECHOS EN LOS HOMBRES

Unos pechos grandes en una mujer se suelen considerar una señal de sexualidad. De hecho, las mujeres con grandes pechos suelen despertar mucha atención, admiración e incluso envidia. Pero unos pechos grandes en un hombre —lo que médicamente se conoce como *ginecomastia*— pueden resultar ridículos. En los casos de ginecomastia, puede crecer uno de los pechos, o los dos, y uno de ellos más que el otro, dando lugar a una asimetría. (Véase «Pechos desiguales».) Frecuentemente, los hombres con ginecomastia tienen otro signo menos llamativo: una especie de botón o bulto en forma de disco bajo el pezón, o alrededor de la areola.

Este trastorno es especialmente frecuente en hombres obesos. Sorprendentemente, un 70% de los niños experimentan una forma atenuada de ginecomastia durante la pu-

SIGNO DE LOS TIEMPOS

Desde los tiempos del Talmud, el antiguo libro religioso y de normas jurídicas hebreo y, más tarde, en la Biblia (Números, 11-12) se cuentan casos de hombres amamantando criaturas. Más recientemente, en 1858, un explorador alemán conoció el caso de un campesino birmano que amamantó a su bebé durante los cinco meses en los que su mujer estuvo enferma.

El misionero escocés David Livingstone (el de la canción «Dr. Livingstone, I presume» de Muddy Waters) también dijo haber visto a hombres amamantando a sus hijos.

En 2002, un hombre de Sri Lanka cuya mujer había fallecido en el parto dio de mamar a sus dos hijas durante más de tres meses.

bertad. En estos casos, es normalmente un signo benigno relacionado con las fluctuaciones de los niveles de hormonas propias de la edad. La ginecomastia hormonal también se presenta en hombres de edad avanzada, y es una señal de lo que médicamente se ha dado en llamar *andropausia*, el equivalente masculino de la menopausia. De la misma manera que las mujeres pierden estrógenos a medida que van haciéndose mayores y entran en el proceso de la menopausia, los hombres pierden andrógenos.

Alrededor de uno de cada cuatro hombres adultos a los que les han crecido los pechos no presenta ningún problema médico subyacente. Sin embargo, en el resto existe una causa médica. Por ejemplo, la ginecomastia es un signo que revela un infrecuente trastorno genético denominado *síndrome de Klinefelter*, que es una de las principales causas de esterilidad masculina (véase el capítulo 1) y aumenta el riesgo de cáncer de mama en los hombres. El crecimiento de los pechos en los hombres puede ser también un signo de tumor de la glándula pituitaria, de una enfermedad hepática o incluso de un cáncer de testículos. A veces la ginecomastia es una reacción a alguna de las múltiples medicinas que se recetan usualmente a los hombres, incluidas las que tratan la calvicie, las úlceras, el ardor de estómago, la hipertensión, la depresión y los problemas cardíacos o de próstata. O puede indicar el consumo y abuso de marihuana o de esteroides.

SEÑAL DE ADVERTENCIA

Dado que los hombres que padecen el síndrome de Klinefelter tienen niveles de estrógenos más elevados de lo normal, tienen un riesgo mayor de contraer un cáncer de mama. Si padeces este trastorno, estate alerta ante posibles signos de cáncer de mama como mamas hinchadas o secreciones líquidas por los pezones.

Por último, la hinchazón de los pechos, tanto en hombres como en mujeres, puede ser señal de determinados trastornos benignos de las mamas, como *papilomas* y *fibroadenomas* (abultamientos no cancerosos en los conductos de la leche; véase «Bultos en los pechos») y también un signo de cáncer de mama.

SEÑAL DE ADVERTENCIA

Dado que el hígado desempeña una función muy importante en el metabolismo hormonal, los hombres con trastornos hepáticos tienen un riesgo más elevado de desarrollar ginecomastia y cáncer de mama.

MÁS DE DOS PECHOS

Todos hemos visto alguna vez con asombro a un montón de cachorros alimentándose todos juntos de las tetas de su madre. Y hemos tenido la ocasión de ver pinturas y estatuas representando a diosas de la fertilidad con filas de ubres en el pecho. Y tal vez hayamos pensado que la posibilidad de que un cuerpo humano alojara más de dos pechos era pura imaginación. Pero algunas personas tienen uno o más pechos de más, lo que médicamente se conoce como *polimastia*. También conocidos como *pechos supernumerarios*, pueden tener

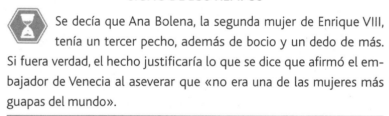

SIGNO DE LOS TIEMPOS

Se decía que Ana Bolena, la segunda mujer de Enrique VIII, tenía un tercer pecho, además de bocio y un dedo de más. Si fuera verdad, el hecho justificaría lo que se dice que afirmó el embajador de Venecia al aseverar que «no era una de las mujeres más guapas del mundo».

pezones y areolas, o no tenerlos. (Véase «Triples pezones».) La mayoría de las veces, estos prodigios mamarios no se manifiestan hasta la pubertad, momento en el que empiezan a desarrollarse a causa de las hormonas sexuales.

Los pechos extra no solo crecen en el torso, sino que pueden desarrollarse en las nalgas, el cuello, los hombros y la espalda. Y pueden darse tanto en los hombres como en las mujeres. Aunque muchas veces solo constituyen un problema estético, los trastornos que se presentan en uno normal —incluido el cáncer— pueden afectar también a los pechos supernumerarios. Y en las personas con este trastorno, se producen a veces anomalías en los riñones y en otros órganos.

TRIPLES PEZONES

Según la inmortal frase de Oscar Wilde, «Dos son compañía, tres multitud». Pues bien, tratándose de pezones, además de ser multitud es algo verdaderamente extraño. Los pezones triples —médicamente conocidos como *pezones supernumerarios* o *politelia*— son frecuentemente una anomalía de nacimiento muy poco perceptible. Estos pezones superfluos sin función alguna (vestigiales) se describen a veces como miniaturas de los normales, ligeramente deformes. Por lo general,

---

HECHO SIGNIFICATIVO

Si quieres saber si ese bulto extraño que tienes es una peca o un pezón coloca un cubito de hielo encima. Si sale hacia fuera, es un pezón.

---

el pezón suplementario se encuentra en el pecho o en la parte baja del abdomen, en lo que se llama la «línea de la leche», es decir, donde están ubicados normalmente los pezones en otros mamíferos. También pueden desarrollarse en el cuello, en la axila o en casi cualquier otro lugar del cuerpo. Algunas veces crecen en la frente, donde pueden tener el aspecto de pequeñas pecas o granos. Ocasionalmente, los pezones supernumerarios y el tejido que está debajo de los mismos se desarrollan, durante la pubertad o el embarazo, como unos pechos en toda regla, debido a la acción de las hormonas sexuales. Incluso se han dado casos de pezones y de pechos supernumerarios que producen leche.

SIGNO DE LOS TIEMPOS

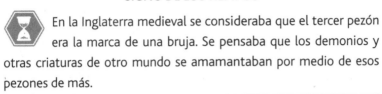

En la Inglaterra medieval se consideraba que el tercer pezón era la marca de una bruja. Se pensaba que los demonios y otras criaturas de otro mundo se amamantaban por medio de esos pezones de más.

Tres, cuatro y hasta más pezones no es algo tan inusual. De hecho, se estima que un 5% de los niños nacen con ellos. Parece ser que son más frecuentes en mujeres nativas americanas. Si bien normalmente no tienen importancia médica, los pezones múltiples pueden ser un signo de múltiples trastornos, desde deformidades del esqueleto hasta úlceras, pasando por migrañas y problemas de vesícula. Al igual que los pechos extra, los pezones supernumerarios pueden ser un signo de defectos genéticos poco comunes de los riñones y las vías urinarias. Estos defectos se presentan más frecuentemente en los hombres que en las mujeres con pezones múltiples.

Pezones invertidos

Todos queremos que nuestros pezones tengan aspecto de… pezones: puntiagudos y llenos de vida. Pero algunas veces, los pezones parecen más bien hoyuelos. Médicamente conocidos como *pezones invertidos*, pueden ser un signo benigno o una señal de algo malo.

Las mujeres y los hombres que nacen con pezones hacia dentro en vez de hacia fuera no tienen normalmente de qué preocuparse, aunque a una mujer le pueda incomodar tener los pezones invertidos y crearle dificultades para amamantar.

SIGNO DE SALUD

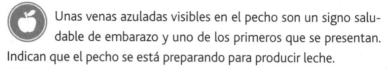

Unas venas azuladas visibles en el pecho son un signo saludable de embarazo y uno de los primeros que se presentan. Indican que el pecho se está preparando para producir leche.

Sin embargo, si un pezón normal pasa a tener una posición invertida, puede ser una señal de alarma de cáncer de mama, especialmente si se produce una secreción de sangre o se desarrolla un bulto cerca del pezón. (Véanse «Secreciones por los pezones» y «Un bulto en el pecho».)

Pezones rugosos

Los pezones y la areola que los rodea deben ser suaves y flexibles. Si percibes que parte de su piel está rugosa o escamosa, podría ser un signo de *enfermedad de Paget del pecho* (a la que a veces se llama *enfermedad de Paget del pezón*), un tipo de cáncer de mama. En este caso, la piel rugosa contiene células cancerígenas. Esta enfermedad, que se da principalmente en las mujeres, no debe confundirse con otra denominada *enfermedad de Paget*, que es un trastorno óseo.

SEÑAL DE ADVERTENCIA

Un pezón con aspecto de tener un eccema no debería pasarse por alto. Por desgracia nueve de cada diez mujeres que presentan este signo tienen cáncer de mama.

Normalmente, en la enfermedad de Paget del pecho solo está afectado uno de los pezones. Puede estar aplanado o invertido, y puede producir una secreción del color de la paja o de un rojo brillante. (Véase «Secreción no láctea».) Otros síntomas son agrietamiento de la piel, color rojizo, picor y quemazón, muy parecidos a los signos del trastorno de la piel llamado eccema. Puede ser que estos síntomas aparezcan y desaparezcan, haciendo que la mujer afectada, y algunas veces su médico, piensen que se trata simplemente de un trastorno recurrente de la piel. Por desgracia, muchas mujeres con la enfermedad de Paget del pecho presentan estos signos de alarma durante seis o siete meses antes de que se les diagnostique el cáncer. Esto puede deberse a que las pacientes demoren la visita al médico, o a que este atribuya en un principio los síntomas a otro trastorno.

HECHOS SIGNIFICATIVOS

He aquí, además de un bulto en el pecho, otros signos del cáncer de mama:
- Pezones rugosos o escamosos.
- Pezones invertidos.
- Secreción de sangre por los pezones.
- Color rojo o hinchazón del pecho.
- Piel en el pecho cuya textura recuerda a la de una naranja (piel de naranja).
- Pechos asimétricos.
- Una herida o úlcera que no se cura.

Como ocurre con otras formas de cáncer de mama, la enfermedad de Paget del pecho puede clasificarse en dos categorías: bien como un *carcinoma ductal in situ*, que es un estadio muy temprano del cáncer de mama en el que las células cancerosas están confinadas dentro de los conductos de la leche, o como un *carcinoma ductal invasivo*, ya avanzado, en el que el cáncer se ha extendido desde los conductos al tejido del pecho que los rodea.

SECRECIONES POR LOS PEZONES

Si has amamantado alguna vez a una criatura, sabes muy bien que cuando los pezones gotean significa que el bebé necesita alimentarse o que tienes que extraer leche inmediatamente. Mientras que unos pezones que exudan leche son un signo saludable de lactancia para una nueva mamá, la secreción de leche en otras personas puede ser alarmante, en el mejor de los casos, y un signo de algún trastorno grave en el peor de

---

SIGNO DE LOS TIEMPOS

 Aunque es muy poco frecuente, algunas mujeres que llevan *piercings* en los pezones han generado y excretado leche por ellos.

---

ellos. El tipo de secreción, el hecho de que se produzca en uno de ellos o en los dos, y de qué parte del pezón esté saliendo son pistas importantes para interpretar el signo. Médicamente, la secreción de un pezón se clasifica en láctea y no láctea. Mientras que cuando es láctea el líquido tiene claramente aspecto de leche, un goteo no láctea puede ser claro, amarillo, del color de la paja, verde, marrón, rosado o rojo brillante. Para complicar más las cosas, en algunos trastornos de los pechos pueden producirse diferentes tipos de secreciones. En general, se considera como patológica la secreción de líquido por los pezones cuando tiene lugar de manera espontánea, procede únicamente de un conducto de leche, se produce repetidas veces o la secreción es de sangre.

HECHO SIGNIFICATIVO

Entre las mujeres que experimentan una secreción anormal por los pezones, menos del 10 % tiene cáncer de mama. No obstante, las probabilidades de que estas secreciones sean efectivamente el único signo que presenten de cáncer aumentan con la edad de la mujer.

Secreciones lácteas

Una secreción láctea en una mujer que no esté embarazada o criando a un bebé, o en un hombre, se conoce médicamente como *galactorrea*. Por lo general, se produce en ambos pechos y es poco densa y blancuzca, o posiblemente amarilla o

---

HECHO SIGNIFICATIVO

Las mujeres que adoptan pueden dar el pecho a sus niños. A base de estimular los pechos durante varias semanas manual o mecánicamente —técnica conocida como *lactancia inducida*— suelen ser capaces de producir pequeñas cantidades de leche. Si lo consiguen, tanto ellas como sus niños pueden disfrutar de los beneficios emocionales y para la salud derivados de la lactancia.

---

verde lechosa. Mientras que en las personas adultas es generalmente un signo de algún trastorno médico, durante la pubertad, tanto las chicas como los chicos pueden experimentar una secreción láctea benigna. Resulta interesante el hecho de que alrededor del 5 % de los recién nacidos exudan leche por los pechos.

Normalmente, la galactorrea se produce en los dos pechos y la secreción es poco densa y blancuzca. También puede desprenderse líquido de los pechos si se frotan vigorosamente, se aprietan o se succionan, en cuyo caso el signo es benigno.

SEÑAL DE ADVERTENCIA

En los hombres, una secreción láctea es a menudo el único signo de cáncer de mama que se presenta. Sin embargo, en las mujeres es menos probable que las secreciones lácteas sin otros síntomas sean un signo de algún problema grave.

La galactorrea puede ser una reacción a algún medicamento o a una droga ilegal, incluyendo las píldoras anticonceptivas, los fármacos usados en la terapia de reemplazo hormonal, los antipsicóticos, los antidepresivos, los medicamentos para combatir la hipertensión, la marihuana, los opiáceos y los esteroides. La secreción láctea puede también ser un signo de ingestión excesiva de hierbas que contengan fitoestrógenos, como la ortiga, el hinojo, el cardo bendito, el anís y las semillas del fenogreco. Los estrógenos que contienen estas hierbas pueden hacer que fluya leche. La galactorrea puede ser también una señal de varios trastornos hormonales incluyendo el tumor de la glándula pituitaria (*prolactinoma*) y el hipotiroidismo. (Véase el apéndice I.)

Secreciones no lácteas

Una secreción por los pezones de color oscuro o verdoso, densa y pringosa puede ser una señal de que los conductos de la leche están inflamados y obstruidos, lo cual es un trastorno benigno pero desagradable llamado *ectasia de conductos mamarios*. La secreción puede provenir de uno o más de los pequeños conductos mamarios que llegan hasta el pezón. Pero una secreción purulenta, de olor muy desagradable, puede indicar una infección del pecho conocida médicamente como *mastitis*. Y una secreción de color rojo brillante, con aspecto sanguinolento, proveniente de uno solo de los conductos de leche es un signo clásico de un abultamiento no canceroso llamado *papiloma intraductal*.

Una secreción rojiza, especialmente si proviene de uno

HECHO SIGNIFICATIVO

La única manera de determinar si un cambio que se produce en el pecho es benigno, o algo más grave, es realizar lo que se conoce médicamente como el «triple test»:

- Un examen clínico del pecho practicado por un profesional sanitario.
- Diagnóstico por imagen: mamografía o ultrasonidos.
- Biopsia no quirúrgica, mediante aspiración con aguja fina o una biopsia core.

Si el resultado de alguna de estas pruebas es positivo, es necesario realizar nuevas evaluaciones. Y debe recordarse que no solo hay que examinar los bultos. También debe prestarse atención a las secreciones y a los cambios en la forma, el tamaño y la piel de los pechos, así como a las sensaciones en los mismos.

---

solo de los conductos de leche, puede ser una señal de alarma de dos formas de cáncer de mama: enfermedad de Paget del pecho y carcinoma ductal in situ. (Véase «Pezones rugosos».) Por último, sea o no sanguinolenta, la secreción de los pezones que provenga de varios conductos de leche es un signo común de cambios fibroquísticos (véase «Bultos en los pechos») o de otros trastornos benignos de los pechos.

La secreción espontánea proveniente de un solo conducto, con o sin aspecto de sangre, es característica del *papiloma intraductal*, tumor no canceroso en un conducto de la leche. Aunque normalmente no se notan, algunas mujeres dicen tener un pequeño abultamiento parecido a una verruga en el borde del pezón o cerca de él. Estos bultos pueden aparecer en uno o en los dos pechos. Es interesante constatar que las mujeres jóvenes suelen tener múltiples bultos mientras que las de más edad normalmente solo tienen uno.

FORMA Y TAMAÑO DEL CUERPO

Cuerpo con forma de manzana

Dice un refrán inglés que quien toma una manzana todos los días no necesita ir al médico. Pero si tienes forma de manzana y te sobra peso en la parte central del cuerpo tal vez querrías tener cerca a tu médico. Las personas con este tipo corporal tienen lo que se conoce médicamente como *adiposidad central* o *visceral* y popularmente como barriga de bebedor. La grasa del vientre libera, de hecho, peligrosos ácidos grasos que se forman en el hígado, lo que puede entorpecer el metabolismo del azúcar y aumentar el riesgo de diabetes.

La obesidad en la parte central del cuerpo puede ser un signo de *síndrome metabólico*, que desata una serie de factores de riesgo de diabetes y de enfermedad coronaria, entre los que se incluyen lo que se conoce como resistencia a la insulina, hipertensión, alto nivel de azúcar y de triglicéridos y bajos niveles de colesterol HDL (lipoproteínas de alta densidad o «colesterol bueno»). De hecho, las personas con este tipo de cuerpo con forma de manzana tienen tres veces más probabilidades de sufrir un ataque al corazón que las que lo tienen con forma de pera, o sea las que acumulan la mayor parte de la grasa en las nalgas.

SEÑAL DE ADVERTENCIA

 Los niveles altos de triglicéridos y bajos de colesterol HDL son factores de riesgo más importantes de enfermedades cardíacas en las mujeres que en los hombres.

El cuerpo con forma de manzana implica un mayor riesgo de cáncer de colon. De hecho, la grasa en el vientre es tan importante a la hora de diagnosticar enfermedades del corazón y otros trastornos, que la medición de la circunferencia de la cintura en un examen médico podría convertirse pronto en algo tan rutinario como pesar al paciente y medir su estatura, ya que puede ser un dato mucho más revelador. Los estudios están demostrando que solo la circunferencia de la cintura puede predecir mucho mejor los futuros problemas cardiovasculares que el peso y otros parámetros, como el índice de masa corporal (IMC) o la ratio cintura-cadera (RCC).

Desgraciadamente, muchas mujeres menopáusicas experimentan un aumento de peso a medida que van cumpliendo

---

SEÑALES DE ADVERTENCIA

Una circunferencia de un metro en los hombres y de noventa centímetros en las mujeres supone un aumento del riesgo de enfermedad coronaria. Y las mujeres que pasan de los noventa centímetros de cintura tienen un mayor riesgo de cálculos biliares.

---

años. Aparte de las molestias de la obesidad, engordar más de veinte kilos después de la menopausia aumenta el riesgo de cáncer de mama. Y los kilos de más pueden ser una advertencia sobre posibles problemas de corazón. Sin embargo, no está claro que el aumento de peso en una fase más tardía de la vida sea más peligroso para las mujeres que haber tenido exceso de peso durante muchos años.

AUMENTOS O PÉRDIDAS DE PESO RÁPIDOS O SIN EXPLICACIÓN

El descenso del marcador de peso en la báscula del baño puede ser un signo de que hemos tenido éxito en nuestra guerra contra la panza. Pero cualquier cambio de peso rápido y no pretendido —tanto un aumento como una disminución— es un signo seguro de que algo va muy mal.

Por supuesto, una pérdida de peso rápida autoinducida puede indicar un trastorno alimentario como la *anorexia* o la *bulimia*. Pero si perdemos peso sin quererlo, con o sin disminución del apetito, puede ser una señal de depresión, diabetes, hipertiroidismo, problemas cardíacos, trastornos nutricionales o cáncer. En un estudio reciente se descubrió que la pérdida de peso sin explicación en las mujeres puede ser un signo precursor de una demencia que tal vez se presente una década más tarde. Y una rápida pérdida de peso también puede ser una reacción a algunas drogas —tanto legales como ilegales—, como antidepresivos y anfetaminas. Si una persona adulta de cierta edad pierde rápidamente peso puede ser una señal de advertencia de demencia. Aun siendo normal que las personas mayores pierdan peso a medida que envejecen —normalmente menos de medio kilo al año—, perder más peso de lo normal parece indicar el desencadenamiento inminente de este desorden neurológico.

Todos hemos ganado alguna vez unos pocos kilos, especialmente en vacaciones. Esto es normalmente un signo benigno de que no nos reprimimos cuando nos sentamos a la mesa. Pero un aumento rápido puede ser también señal de determinados problemas sistémicos importantes y no tan importantes.

Aumentar de peso en cuestión de uno o dos días puede deberse a una retención de líquidos (*edema*). Muchas mujeres

---

SIGNO DE LOS TIEMPOS

En los años cuarenta del siglo pasado, el psicólogo norteamericano William Sheldon identificó tres tipos corporales básicos, a los que llamó somatotipos, relacionándolos con características de la personalidad.

- *Ectomorfo*: cuerpo delgado y delicado. Tiende a ser inseguro, sensible, reflexivo, introvertido y artista.
- *Endomorfo*: gordo, cuerpo con forma de manzana o de pera. Tiende a ser poco activo, de buen temperamento, afectivo, sociable y risueño.
- *Mesomorfo*: musculoso y atlético. Tiende a ser activo, aventurero, arriesgado, competitivo, seguro de sí mismo e indiferente a los demás.

perciben hinchazón de pechos y de vientre justo antes del período menstrual, como consecuencia de una retención de líquidos. Pero la retención de líquidos puede también ser un signo de *insuficiencia cardíaca*, o incapacidad del corazón de bombear la sangre con eficacia. Si bien la hinchazón de pies y piernas es el signo clásico de insuficiencia cardíaca, los edemas relacionados con un corazón enfermo también pueden desarrollarse alrededor del abdomen.

Si has ganado peso, para después perderlo rápidamente, sin haber cambiado tus hábitos de alimentación, puede ser una señal de diferentes problemas físicos o psicológicos. El aumento y pérdida constante de peso, por ejemplo, puede indicar un trastorno tiroideo (véase el apéndice I), una infección, un problema nutricional o un trastorno alimentario.

SEÑAL DE ADVERTENCIA

El aumento y pérdida de peso tipo «yoyó» no solo es frustrante. En los hombres puede ser un signo indicativo de un mayor riesgo de desarrollar cálculos biliares. El Estudio de Seguimiento de Profesionales de la Salud estableció que el aumento y pérdida constante de peso en los hombres, especialmente si llegaban a perder más de diez kilos al seguir una dieta, podría aumentar el peligro de desarrollo de cálculos biliares en un 50 %.

PÉRDIDA DE ESTATURA

La película *El increíble hombre menguante* divirtió a millones de cinéfilos de todo el mundo. Pero si eres tú el que está encogiendo, no es probable que te parezca tan divertido. Perder estatura es un signo bastante común de envejecimiento. Pero, según un reciente estudio británico, los hombres mayores que pierden más de dos centímetros y medio tienen un riesgo mayor de morir a causa de problemas de corazón y respiratorios.

La pérdida de estatura también es característica de la osteoporosis, una enfermedad grave en la que se pierde masa ósea y que afecta tanto a los hombres como a las mujeres. (Véase «Joroba en la espalda».) No obstante, las mujeres tienen un número cuatro veces mayor de probabilidades de desarrollar esta enfermedad que los hombres, debido a la pérdida de masa ósea relacionada con la menopausia. Como consecuencia de la osteoporosis, la columna vertebral puede sufrir pequeñas fracturas, llamadas *fracturas por compresión vertebral*. Con el tiempo, las estructuras de la columna vertebral se aplastan unas a otras dando lugar a una perceptible pérdida de estatura.

ESPALDA CURVADA

Una espalda torcida es señal de *escoliosis*, o curvatura de la columna vertebral. Casi siempre son los demás quienes se dan cuenta de la misma, y es más perceptible cuando nos inclinamos hacia delante. A veces, las personas con escoliosis detectan por sí mismas el problema; por ejemplo, cuando se miran al espejo, observan que uno de los hombros, o una de las caderas, está más alto que el otro. Aunque muchas personas empiezan a desarrollarla en la niñez, la deformidad de la columna puede comenzar, o hacerse más acusada, en la edad adulta. Las escoliosis que empiezan en la edad adulta son un signo más de envejecimiento y en gran medida se deben al desgaste que sufren las estructuras que sustentan la columna vertebral. O también pueden producirse como consecuencia de un trastorno articular degenerativo. Sea cual sea su causa, la escoliosis puede dar lugar a dificultades para andar además de producir dolor.

JOROBA EN LA ESPALDA

¿Has observado alguna vez cómo muchas personas mayores, especialmente mujeres, caminan muy encorvadas con una gran chepa redondeada en la parte de arriba de la espalda? Esta deformidad recibe el nombre popular de «chepa de viuda» y se conoce médicamente como *quifosis*. A diferencia de las personas con escoliosis, que parece que van inclinadas hacia un lado, las que padecen quifosis están encorvadas hacia delante.

HABLANDO DE SEÑALES

La columna vertebral está compuesta por una serie de huesos que van hacia abajo de la espalda. Tú te sientas encima de uno de los extremos y tu cabeza se sienta encima del otro.

Anónimo

La quifosis es un signo clásico de *osteoporosis*. (Véase «Pérdida de estatura».) Por desgracia, la osteoporosis no tiene signos precoces de advertencia; su primer síntoma puede ser la chepa de viuda, o la rotura de un hueso o de la cadera. La joroba puede ser también un signo que indica tuberculosis, un tumor o lesión en la columna o una artritis degenerativa. (Véase «Rigidez en las articulaciones».)

SEÑAL DE ADVERTENCIA

Una fractura de cadera relacionada con una osteoporosis es un signo de alarma sobre la cercanía de la muerte. Casi una de cada cuatro personas mayores de cincuenta años que se rompen la cadera muere dentro del plazo de un año a partir del momento de la fractura. Muchos de los que sobreviven necesitan cuidados durante mucho tiempo porque quedan con serios problemas para andar.

MANERAS TORPES AL ANDAR

Inestabilidad

Si te parece que tu anciana tía se mantiene en pie de manera inestable, o que tiende a inclinarse hacia atrás cuando está de pie, o incluso sentada, puede ser un signo de un trastorno postural recientemente identificado que se conoce como *síndrome de inadaptación psicomotora (SIP)*. Las vacilaciones al ponerse a caminar y la tendencia a dar pasos cortos arrastrando los pies —conocida médicamente como *marche à petits pas*— son características de este trastorno. Otro signo característico del trastorno es el miedo a caerse. El SIP se confunde a veces con la enfermedad de Parkinson y con otros trastornos neuromusculares. (Véase «Temblores».)

Además de ser un signo común relacionado con la edad, el SIP puede indicar a su vez otros trastornos importan-

HECHO SIGNIFICATIVO

Los investigadores creen que la inactividad puede hacer que empeore el SIP o que aumente el riesgo de contraerlo. El hecho de estar encamado a causa de una enfermedad puede desencadenar también la aparición del síndrome en las personas ancianas. Esto confirma que el enfoque de la medicina que recomienda la actividad física en la medida de lo posible es correcto.

tes, como enfermedad coronaria, deshidratación y bajo nivel de azúcar en sangre (*hipoglucemia*) u otros problemas metabólicos. EL SIP puede también indicar cambios en los pequeños vasos sanguíneos del cerebro e incluso un tumor cerebral.

MANERA DE ANDAR TENSA Y RÍGIDA

Si has visto alguna vez a una persona que camina tiesa como un palo, como si fuera un soldadito de plomo, probablemente sufre el *síndrome de hombre rígido*. Este infrecuente trastorno neurológico se conoce también como *síndrome de persona rígida (SPR)*, nombre que no solo es políticamente más correcto, sino que también es más preciso porque el problema se da tanto en hombres como en mujeres.

El SPR produce ataques recurrentes de rigidez muscular y espasmos y se piensa que es un trastorno autoinmune. De hecho, es más frecuente en personas que padecen otras enfermedades autoinmunes, como anemia perniciosa, diabetes insulinodependiente e hipertiroidismo. (Véase el apéndice I.)

Los síntomas del síndrome de persona rígida normalmente se presentan por primera vez en los músculos del tronco.

A medida que va progresando, se extiende a los miembros y puede provocar deformidad en las articulaciones, otros problemas articulares y del esqueleto e invalidez.

Los ataques suelen desencadenarse cuando la persona está estresada emocionalmente o cuando alguna circunstancia, como un ruido fuerte, la asusta o sorprende repentinamente. Desgraciadamente, el síndrome de persona rígida se diagnostica mal muchas veces como si se tratara de un trastorno psicológico, o bien como una esclerosis múltiple o incluso una enfermedad de Parkinson, con lo que se retrasa el tratamiento correcto.

ARTICULACIONES

ARTICULACIÓN DOBLE

¿Has visto alguna vez a una persona doblar los dedos completamente hacia atrás o incluso girar todo el cuerpo como si fuera chicle?

Puede ser que esté mostrando los signos clásicos del *síndrome de hipermovilidad articular*, también conocido como *hiperflexibilidad* o articulación doble. Las personas con esta anomalía no tienen en realidad dualidad de articulaciones; lo que ocurre es que los ligamentos y los músculos que las rodean son superflexibles, lo que hace que puedan doblarse y estirarse como los de un contorsionista. Normalmente, se trata de una anomalía benigna que por lo general se manifiesta en la niñez y tiende a presentarse en personas de la misma familia. Hasta un 20 % de los niños normales tienen articulaciones hiperflexibles, como ocurre con muchos atletas. Sin embargo, hay personas que desarrollan la hipermovilidad a edades más tardías cuando sufren lesiones en los ligamentos o cuando estos se debilitan o estiran en exceso. Con independencia de en qué momento y de qué manera se produzca este fenómeno, las personas con hipermovilidad articular pueden tener un mayor riesgo de sufrir dislocaciones y dolor en las articulaciones.

SIGNO DE LOS TIEMPOS

La hipermovilidad puede venirles muy bien a los músicos así como a los atletas. Se dice que el violinista italiano del siglo XIX Paganini y el pianista ruso del siglo XX Rachmaninov tenían esta afección que jugó mucho a su favor. Se cree que sus miembros largos y flexibles eran consecuencia del síndrome de Marfan.

Se ha creído durante mucho tiempo que la hiperflexibilidad de las articulaciones anuncia una *osteoartritis*, trastorno articular degenerativo. (Véase «Rigidez en las articulaciones».) Pero esta hipótesis no está demostrada, al menos en lo que respecta a las manos y a los dedos. De hecho, la llamada articulación doble podría proteger de la artritis, según las conclusiones de un estudio reciente. Por otro lado, la hipermovilidad articular podría ser una señal precoz del *síndrome de fatiga crónica*, trastorno que se cree que está causado por un virus y que se caracteriza por fatiga excesiva, debilidad, dolores musculares y a veces fiebre. Tanto en personas jóvenes como en adultos con síndrome de fatiga crónica se ha observado una mayor incidencia del síndrome de hipermovilidad articular. Existen dos trastornos genéticos potencialmente graves, aunque muchas veces no diagnosticados, asociados a la hipermovilidad articular: el *síndrome de Ehlers-*

Danlos y el *síndrome de Marfan*. El síndrome de Ehlers-Danlos (SED) es un trastorno poco frecuente del tejido conectivo que afecta principalmente a las articulaciones, a la piel y a los vasos sanguíneos. Entre otros signos del SED, que pueden ser leves o graves, se incluyen una piel muy elástica o laxa (véase el capítulo 9), heridas frecuentes, dislocación de articulaciones, *escoliosis* (véase «Espalda curvada»), problemas oculares y rotura de arterias, intestino y otros órganos. El SED es potencialmente debilitante e incluso mortal. Pero como sus síntomas pueden ser casi imperceptibles, en un porcentaje de los casos que se estima en el 90 % no se diagnostica esta enfermedad hasta que la persona afectada pide ayuda debido a una urgencia médica.

La hipermovilidad articular es también un síntoma del síndrome de Marfan, otro extraño trastorno del tejido conectivo. Entre otras señales visibles de Marfan se incluyen pies largos y planos, cara estrecha, dedos largos y delgados y elevada estatura. (Abraham Lincoln tenía los dedos largos y delgados, y se dice que padecía esta anomalía.) Aunque el síndrome de Marfan afecta principalmente al esqueleto, también puede dar lugar a problemas oculares, cardíacos y de

---

SIGNO DE LOS TIEMPOS

El dramaturgo Jonathon Larson, autor del musical *Rent* que tuvo un gran éxito, falleció a la edad de treinta y cinco años, antes de que se estrenara su obra, estando solo en su apartamento. Se le rompió la arteria aorta como consecuencia del síndrome de Marfan, que ni él ni su médico sabían que padecía. Cuando se dirigió al servicio de urgencias, con dolores en el pecho, pensaron que se debían a una indigestión y lo mandaron para casa.

---

otro tipo. De hecho, muchas de las personas que lo padecen son muy cortas de vista y tienen glaucoma o cataratas. Como ocurre con el SED, con frecuencia se pasan por alto los signos del Marfan que son poco claros, a veces con consecuencias desastrosas. Por ejemplo, muchos atletas jóvenes tienen articulaciones hiperflexibles, son altos y tienen las extremidades largas, lo cual les favorece en el deporte. Pero puede ser que algunos de ellos tengan un Marfan no diagnosticado. Tristemente, todos los años fallecen repentinamente algunos de estos jóvenes atletas, cuando el fatal desenlace tal vez no se habría producido de haberse sabido que padecían este trastorno. Un aneurisma en la aorta —ensanchamiento y posible ruptura del vaso sanguíneo más grande del cuerpo— es la causa más frecuente de estas muertes prematuras por síndrome de Marfan no tratado.

RIGIDEZ EN LAS ARTICULACIONES

Mientras que algunas personas tienen articulaciones extraordinariamente flexibles, otras las tienen tan rígidas como si estuvieran congeladas. Pero la rigidez de las articulaciones puede ser un signo benigno de que te has pasado practicando tu deporte favorito. O puede ser señal de lo contrario: eres demasiado inactivo. Por desgracia, la rigidez suele desanimar a la hora de emprender una mayor actividad física, lo que puede

HECHO SIGNIFICATIVO

Las rodillas son las articulaciones más grandes del cuerpo.

hacer que empeore. Si la rigidez articular va acompañada de dolor persistente, puedes dar por seguro que algo no va bien.

Si has sobrepasado la mediana edad, las articulaciones rígidas son muy probablemente otro signo molesto, pero normalmente benigno, de envejecimiento. El *líquido sinovial*, segregado por las membranas que envuelven las articulaciones, permite a estas realizar una amplia gama de movimientos de manera fácil y cómoda. A medida que cumplimos años, vamos perdiendo este lubricante y por tanto nos resulta más difícil mover las articulaciones. La rigidez articular, independientemente de la edad, es más acusada por la mañana o después de haber estado inactivos durante mucho tiempo, por ejemplo sentados en la butaca del cine o en un avión. A medida que nos vamos moviendo durante el día, la rigidez suele desaparecer.

HABLANDO DE SEÑALES

Una mujer es tan joven como lo sean sus rodillas.

Mary Quant, diseñadora de moda británica

Aunque la rigidez matutina crónica puede simplemente ser un signo de que necesitas cambiar de colchón, también puede ser indicativa de una artritis. De hecho, la rigidez matinal es la principal característica de la artritis. Si esta rigidez dura menos de 30 minutos, es un signo probable de osteoartritis (OA). Frecuentemente llamada artritis «de desgaste», la OA —también conocida como *artritis degenerativa*— es el más frecuente de los más de cien tipos diferentes de artritis. La OA destruye el cartílago que actúa de amortiguador entre las articulaciones, lo que finalmente provoca que los huesos se rocen entre sí, produciendo dolor, deformidad y pérdida de funcionalidad. Aunque la OA puede afectar a cualquier articulación del cuerpo, se da con más frecuencia en las caderas, las rodillas, los pies y los dedos. Antes de los cuarenta y cinco años de edad es más frecuente en los hombres que en las mujeres pero la mayor incidencia se da entre las mujeres de más de cincuenta y cinco años.

SEÑAL DE ADVERTENCIA

Si te duele una articulación solo cuando presionas sobre ella, puede ser que tengas osteoartritis.

Si la rigidez matinal dura más de 30 minutos, es más probable que la causa sea una *artritis reumatoide (AR)*, enfermedad autoinmune debilitante y progresiva que puede afectar no solo a las articulaciones sino también a otras partes del cuerpo, incluyendo los conductos lagrimales y las glándulas salivales.

La rigidez de las articulaciones, en cualquier momento del día, puede ser señal de diversos trastornos musculoesqueléticos o neurológicos entre los que se incluyen la enfermedad inflamatoria *lupus* (véase el apéndice I), la *sarcoidosis* (véanse «Cosquilleo y adormecimiento en el cuerpo» y el apéndice I) y el trastorno muscular llamado fibromialgia (véase «Manos y pies fríos»).

La rigidez articular puede ser también una reacción a diversos medicamentos: algunos antibióticos como la minociclina, las estatinas (que se utilizan para bajar los niveles de colesterol) y los inhibidores de la aromatasa (utilizados para tratar el cáncer de mama).

SEÑAL DE ADVERTENCIA

Las personas que padecen artritis reumatoide tienen un mayor riesgo de sufrir un ataque al corazón o un derrame cerebral.

RODILLAS QUE CRUJEN

¿Te suenan las rodillas como las del hombre de hojalata de *El Mago de Oz*? Si no te duelen, puede ser que el crujido sea debido a un desajuste mecánico transitorio sin importancia. Por ejemplo, el tejido blando de la articulación (la rótula) está ligeramente desalineado y roza con el tejido adyacente. O puede ser que los tejidos blandos elásticos, como los tendones o los ligamentos, se estén recuperando después de haberse salido momentáneamente fuera de su sitio. O que, como

HECHOS SIGNIFICATIVOS

Estas son otras diferencias entre la osteoartritis (OA) y la artritis reumatoide (AR):

- La AR normalmente afecta a las articulaciones de manera simétrica. Por ejemplo, lo probable es que afecte a las dos manos o a las dos rodillas. La OA normalmente solo afecta, en un momento dado, a las articulaciones de uno de los lados.
- La AR puede provocar cansancio y algo de fiebre. No así la OA.
- La OA produce dolores musculares y en las articulaciones que empeoran con la actividad diaria. La AR no suele mejorar ni empeorar a lo largo del día.

sucede cuando se hace chasquear los nudillos, salgan unas pequeñas burbujas de gas que normalmente se encuentran en el líquido sinovial que lubrica las articulaciones.

Pero las rodillas que crujen pueden también indicar que está empezando a desarrollarse una osteoartritis (OA) de la rodilla. (Véase «Rigidez en las articulaciones».) La OA de la rodilla y otros problemas de esta articulación son más frecuentes en las mujeres que en los hombres y tienden a aumentar en la edad de la menopausia. Existen algunas pruebas de que la razón está en la menor cantidad de estrógenos.

SIGNOS DE LAS MANOS Y DE LOS PIES

Personas zurdas

Si eres zurdo, probablemente te habrás dado cuenta de que estás en minoría. De hecho, solo alrededor del 10 % de las personas son zurdas. Se piensa que esta característica es básicamente genética (heredada) o congénita (de nacimiento).

HECHO SIGNIFICATIVO

Los resultados de varios estudios indican que hay más zurdos entre los jóvenes que entre las personas de más edad. Algunos investigadores sostienen que esto es consecuencia de la presión social a favor del uso de la mano derecha. Otros, más escépticos —aunque también podría decirse que más siniestros—, opinan que el menor número de zurdos entre las personas de más edad quiere decir que la zurdera expone a los seres humanos a una muerte prematura.

En este último caso, se piensa que es posible que la zurdera sea consecuencia de la exposición a niveles anormalmente elevados de testosterona en el vientre materno.

El hecho de ser zurdo puede no ser solo una incomodidad sino también una señal de diferentes trastornos autoinmunes, especialmente de enfermedad tiroidea (véase el apéndice I) y de *enfermedad inflamatoria del intestino (EII)*, cuyas dos modalidades son la *enfermedad de Crohn* y la *colitis ulcerosa*.

SIGNO DE LOS TIEMPOS

Entre los zurdos más famosos están Leonardo da Vinci, el presidente George H. W. Bush, el presidente Bill Clinton y Oprah Winfrey.

(Véase el capítulo 8.) Además, la zurdera se ha relacionado con diversos trastornos del comportamiento. Sin embargo, algunos de estos problemas pueden ser en parte consecuencia de que los padres o los profesores hayan intentado obligar a las personas zurdas a emplear la mano derecha, lo cual sigue siendo una práctica muy habitual en algunos lugares del mundo. En un reciente estudio llevado a cabo en Holanda se detectaron algunas pruebas preliminares de que las mujeres zurdas tienen un mayor riesgo de desarrollar un cáncer de

---

SIGNO DE LOS TIEMPOS

Históricamente, a los zurdos se les ha considerado malvados. De hecho, la palabra *siniestro* proviene del latín *sinistra*, que significa «izquierda». En tiempos más recientes, a los zurdos se les acusaba de ser «izquierdistas», es decir, comunistas.

---

mama premenstrual. Pero no todo son malas noticias para los zurdos. Estos parecen tener mejor memoria que los diestros y cierta ventaja en un combate mano a mano. Y, según un estudio realizado en Francia, suelen ser muy buenos en deportes como el béisbol, el tenis y la esgrima.

Nudillos muy huesudos

Cuando éramos niños, nos asustaban mucho las imágenes de viejas malvadas con manos nudosas que perseguían a los pequeños. (Pensemos en la historia de Hansel y Gretel.) Sin embargo, lo que ocurre con la mayoría de las mujeres con nudillos muy huesudos es que están mostrando la señal que caracteriza a la *osteoartritis de la mano*, no a la maldad. Estos dolorosos abultamientos óseos en los dedos son un signo de envejecimiento que se presenta con especial frecuencia en las mujeres muy mayores. Algunas veces, se les denomina médicamente *nódulos de Heberden* o *nódulos de Bouchard*, dependiendo de cuáles sean el dedo y la articulación afectados.

SEÑAL DE ADVERTENCIA

Durante mucho tiempo se ha creído que chasquearse frecuentemente los nudillos podía producir artritis. Sin embargo, no hay pruebas que apoyen esta teoría. Por otro lado, la costumbre de chasquear a menudo los dedos puede producir daños en los tejidos blandos de las articulaciones, así como una disminución de la capacidad de presión de la mano.

Dedos en palillo de tambor

Si los dedos desfigurados de una persona se parecen más a los palillos de un tambor que a los de la mano de una bruja, puede ser que tenga lo que se llama, como no podía ser de otra manera, *dedos en palillo de tambor*. (Véase el capítulo 9.) Esta anomalía puede afectar a una o a las dos manos y, algunas veces, solo a un dedo.

SIGNO DE LOS TIEMPOS

Los dedos en palillo de tambor se consideran el signo clínico más antiguo de la medicina. Hipócrates fue el primero en describir esta anomalía en pacientes con enfermedad pulmonar. Hasta el día de hoy, este signo se ha venido conociendo algunas veces como *dedos hipocráticos*.

La malformación de los dedos suele desarrollarse muy poco a poco y sin dolor. Por desgracia, puede ser un signo de varios trastornos graves, especialmente si también se producen cambios en las uñas. Alrededor de una de cada tres

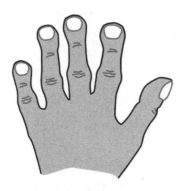

DEDOS EN PALILLO DE TAMBOR

personas con cáncer de pulmón presenta esta señal. Los dedos en palillo de tambor también pueden ser indicativos de otros tipos de cáncer, así como de enfermedades pulmonares como la *fibrosis quística* y la *tuberculosis*. Además, pueden ser una señal de enfermedad de Crohn y de colitis ulcerosa (véase el capítulo 8), así como de enfermedad coronaria, de hipertiroidismo (véase el apéndice I) y de enfermedad hepática.

DEDOS CONTRAÍDOS

¿Te has fijado alguna vez en una persona con los dedos permanentemente doblados, como formando una garra? Si es así, la persona presenta el clásico signo de la *enfermedad de Dupuytren (ED)*, también conocida como *contractura de Dupuytren,* trastorno poco frecuente, de progresión lenta, que no es doloroso pero sí debilitante. La afección a menudo empieza con un pequeño nódulo en la palma de la mano y, a medida que va progresando, produce el engrosamiento del tejido conectivo en la palma y en los dedos de la mano. Como consecuencia, los dedos —normalmente el anular y el meñique— se contraen de manera permanente, lo cual constituye la característica principal de la enfermedad.

SIGNO DE LOS TIEMPOS

Se cree que la enfermedad de Dupuytren se dio por primera vez entre los vikingos, que conquistaron las islas británicas y gran parte del norte de Europa. A causa del mestizaje, la enfermedad se fue extendiendo por las zonas que invadieron.

Aunque se desconoce su causa, pude ser que haya personas que tengan una predisposición genética a contraerla. La ED es más frecuente entre las personas de raza blanca y de ascendencia norteuropea (especialmente escandinava), y es más común en los hombres que en las mujeres. Los fumadores y los grandes bebedores tienen un mayor riesgo de contraerla. Puede darse en una de las manos o en las dos. El dedo que con mayor frecuencia resulta afectado es el anular, seguido del meñique, del dedo corazón y del índice.

La enfermedad de Dupuytren se presenta frecuentemente en personas con diabetes; de hecho, se estima que llega a afectar a hasta dos terceras partes de las personas que han sufrido diabetes durante muchos años. También puede ser una pista que indica que una persona sufre epilepsia, o una enfermedad tiroidea, del hígado o pulmonar. Las personas con ED pueden tener también otros trastornos del tejido conectivo poco frecuentes, incluyendo la enfermedad de Peyronie, que hace que el pene se doble. (Véase el capítulo 8.)

Sin embargo, si es un solo dedo el que queda contraído en posición curvada, se trata de un signo infalible de lo que se conoce como *dedo en gatillo*, médicamente *tenosinovitis este-*

SIGNO DE LOS TIEMPOS

La enfermedad de Dupuytren recibe su nombre de un cirujano francés del siglo XIX, el barón Guillaume Dupuytren, que fue uno de los primeros que describió este trastorno. Se le consideraba el más grande (y el más tacaño) de los cirujanos de su época. Al menos otras once enfermedades y trastornos llevan su nombre. Además de ser el cirujano de los reyes de Francia Luis XVIII y Carlos X, se decía que trataba a diez mil pacientes al año.

---

nosante. Este trastorno suele afectar a personas que realizan movimientos repetitivos de manos y dedos, cuando trabajan o dedicándose a cualquier actividad, por ejemplo en el teclado de un ordenador. Las personas que pasan mucho tiempo manejando objetos duros, como herramientas de trabajo, utensilios de jardinería o incluso instrumentos musicales, tienen también un mayor riesgo de quedar afectadas por este trastorno, ya que estas actividades muy enérgicas provocan pequeñas lesiones en los dedos. Los que sufren de diabetes, hipotiroidismo, artritis reumatoide o algunas infecciones pulmonares y de la piel, también tienen un mayor riesgo. Las mujeres tienen más propensión que los hombres a contraer dedo en gatillo.

Si bien algunas personas que padecen la enfermedad de Dupuytren tienen también dedo en gatillo, los dos trastornos son diferentes médicamente. Además, el segundo de ellos puede producir más dolor que la enfermedad de Dupuytren. Normalmente, los que padecen dedo en gatillo tienen mayor rigidez e incomodidad por las mañanas.

BULTO EN LA MUÑECA O EN LA MANO

Encontrarse un bulto, sea donde sea, puede asustar a cualquiera. Así que si te ha salido recientemente uno en la mano, o en la parte trasera de la muñeca, probablemente no tengas muchas ganas de celebrarlo. Lo más probable es que sea un *quiste ganglionar*, bulto benigno compuesto de sustancia líquida. Estos quistes pueden, de hecho, salir en cualquier lugar: las manos, los dedos y otras partes del cuerpo. Las mujeres son más propensas a ellos que los hombres. Se dan con especial frecuencia en los gimnastas.

HABLANDO DE SEÑALES

 El signo distintivo de un hombre es la mano, instrumento que utiliza para portarse mal.

Snowball, el cerdo del libro de
George Orwell *Rebelión en la granja*, 1945

El bulto se hincha con la actividad física y disminuye de volumen cuando la mano descansa. Aunque pueden ser sensibles y dolorosos, los quistes ganglionares suelen ser más un problema estético que otra cosa. Además, aunque no se siga ningún tratamiento, casi una tercera parte de ellos desaparece espontáneamente.

Un bulto en la mano puede también ser un signo de gota o de artritis reumatoide. Pero las personas que padecen estos trastornos suelen tener también dolores y otros síntomas.

Dedos de los pies torcidos

Si los dedos de los pies que están entre el pulgar y el meñique tienen aspecto de uve invertida —o parecen más las garras de un halcón que los dedos de un ser humano— probablemente se trata de lo que se denomina *dedo en martillo*, una deformidad bastante común. La anomalía consiste en que el dedo del pie está doblado por la articulación que está en el medio. De hecho, como su nombre indica, el dedo se dobla apuntando hacia abajo adoptando el aspecto de un martillo.

Los dedos en martillo son normalmente un signo benigno, aunque poco atractivo y a veces doloroso, de que deberías comprarte unos zapatos nuevos. Si cuando caminas no pue-

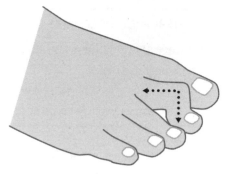

DEDO EN MARTILLO

des estirar bien los dedos, estos pueden quedar permanentemente doblados.

Si un día te das cuenta de que te tienes que comprar zapatos cada vez más anchos, y de que el dedo gordo del pie apunta hacia un lado en vez de estar derecho, todo indica que tienes un *juanete*. Mientras que las protuberancias óseas en la base del dedo gordo son características del juanete, un abultamiento similar en la base del dedo meñique es lo que se llama *juanetillo de sastre*. Un juanete —conocido médicamente como *alus valgus*— puede llegar a ser bastante grande y hacer que el dedo gordo se incruste en el que tiene al lado o se ponga debajo de él. Otros signos comunes del juanete son la hin-

---

SIGNO DE LOS TIEMPOS

La famosa antropóloga Margaret Mead observó que muchos de los miembros de una tribu que habitaba en una isla de los Mares del Sur tenían juanetes, a pesar de que no se habían puesto unos zapatos en su vida. Un juanete es normalmente consecuencia de un mecanismo defectuoso hereditario del pie, que somete a más estrés del normal a la parte delantera de este.

---

chazón y el color rojizo, que pueden producir dolores entre ligeros y fuertes.

Los juanetes suelen ser más frecuentes en unas familias que en otras, así como en personas con pies planos o arcos de los pies bajos. No está del todo clara cuál es su auténtica causa. Algunos creen que, al igual que los dedos en martillo, son la prueba definitiva de que una persona ha intentado meter los pies a toda costa en unos zapatos demasiado pequeños, demasiado estrechos o con demasiado tacón. Otros creen que los juanetes se deben a desequilibrios mecánicos hereditarios que hacen que el dedo gordo del pie sufra una gran tensión. La mayoría considera que las dos cosas son verdad. Los juanetes pueden ser también un signo precoz de que la artritis está al acecho.

HECHO SIGNIFICATIVO

La mitad de las mujeres estadounidenses tienen juanetes.

BULTO EN EL TALÓN

Si tienes problemas para ponerte las sandalias porque te está creciendo un hueso en la parte de atrás del talón, puede ser que tengas *exóstosis posterior del calcáneo*. Esta protuberancia ósea, que también recibe el nombre de *deformidad de Haglund*, se caracteriza por el crecimiento del hueso grande del talón (el *calcáneo*).

Los bultos en el talón pueden ser dolorosos, especialmente si desarrollas una *bursitis* —inflamación de las pequeñas bolsas de fluido que lubrican y protegen las articulaciones—por llevar constantemente zapatos que presionan la parte posterior del pie. Aunque también pueden ser hereditarios.

SENSACIONES Y MOVIMIENTOS CORPORALES EXTRAÑOS

Cosquilleo y adormecimiento en el cuerpo

Sentir un cosquilleo por todo el cuerpo puede sonar placentero... y a veces lo es. Un baño de agua caliente, un buen masaje o hacer el amor pueden proporcionarnos esa sensación. Pero sentir cosquilleo en el trasero, lo que médicamente se conoce como *parestesia en las nalgas*, puede ser un signo de algo que nada tiene que ver con la sensualidad. Las parestesias son sensaciones anormales de cosquilleo, adormecimiento, quemazón, picazón, pinchazos, o la impresión de que un pie o un brazo están dormidos.

La parestesia en las nalgas, al igual que en cualquier otra parte del cuerpo, puede indicar el *pinzamiento de un nervio*. Ese pinzamiento puede estar provocado por movimientos repetitivos, por lesiones, o por enfermedades articulares o de la columna, e incluso por un embarazo. Una forma muy común de pinzamiento nervioso crónico es el llamado *síndrome de compresión nerviosa*. Entre los trastornos por compresión se incluyen el *codo de tenista*, el *síndrome del túnel carpiano*, que afecta a las manos, las muñecas y los antebrazos (véase «Cosquilleo y adormecimiento en los dedos») y el síndrome del túnel tarsiano, que afecta a los pies (véase «Cosquilleo y adormecimiento en los pies»).

HECHO SIGNIFICATIVO

⚠️ Un reciente estudio británico llegó a la concusión de que las mujeres con el dedo anular más largo que el índice —lo cual normalmente es una característica masculina— se desempeñan mejor que las demás en deportes como la carrera a pie, el tenis y el fútbol. Sin embargo, según un estudio realizado en Australia, esas mujeres tienen un riesgo más elevado de contraer el síndrome del ovario poliquístico (SOP), frecuente causa de esterilidad. Los científicos atribuyen, tanto la habilidad atlética como el SOP, a un exceso de hormonas masculinas (testosterona) en la matriz.

La parestesia puede también indicar muchos otros trastornos o situaciones a veces relacionados con un pinzamiento nervioso. Entre ellos se incluyen el embarazo y las lesiones de la columna vertebral, o afecciones como una rotura o hernia de disco, un absceso o un tumor cerebral.

En ocasiones, el cosquilleo y el adormecimiento son signos que nos avisan (*auras*) de la posibilidad de una migraña o de un ataque epiléptico. También pueden señalar la posibilidad de que se presenten *ataques sensoriales*, un tipo de epilepsia que va acompañada de distorsiones de los sentidos más que de convulsiones. Y sentir cosquilleo o adormecimiento puede también ser un signo de varios trastornos sistémicos y autoinmunes graves como el hipotiroidismo, la diabetes y la sarcoidosis. (Véase el apéndice I.) La sarcoidosis es un trastorno inflamatorio grave, aunque poco frecuente, que en sus inicios puede presentar muy pocos síntomas, o incluso ninguno. Pero, a medida que va progresando, la sarcoidosis puede afectar a muchas partes del cuerpo, incluyendo la piel, los ojos, los oídos, la nariz y los órganos internos.

SIGNO DE LOS TIEMPOS

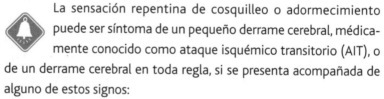 Los médicos dicen que observan cada vez más casos de *lesiones por estrés repetitivo* debido al uso de agendas electrónicas. Este trastorno, también conocido como «pulgar de Blackberry», provoca dolor y adormecimiento en el dedo pulgar, o en las articulaciones de los dedos. Las personas demasiado jóvenes para utilizar esas agendas no están libres del riesgo de contraer esta afección, que en su caso suele llamarse «pulgar de jugador de videojuegos» o «pulgar de Nintendo», provocada por el abuso de los juegos de ordenador o similares.

El adormecimiento en la cara, el cuerpo o las extremidades es también uno de los signos más comunes y precoces del trastorno neuromuscular conocido como *esclerosis múltiple (EM)*. Además, la parestesia puede indicar una *deficiencia de vitamina B12* o incluso una *anemia perniciosa*, un tipo grave

---

SEÑALES DE ADVERTENCIA

La sensación repentina de cosquilleo o adormecimiento puede ser síntoma de un pequeño derrame cerebral, médicamente conocido como ataque isquémico transitorio (AIT), o de un derrame cerebral en toda regla, si se presenta acompañada de alguno de estos signos:

- Debilidad en un brazo, en una pierna, en la cara o en un lado del cuerpo.
- Dificultad para hablar, ver o caminar.
- Confusión o dificultad de comprensión de lo que se nos dice.
- Dolor de cabeza repentino, especialmente acompañado de rigidez en el cuello.

de anemia (escasez de glóbulos rojos) provocada por la incapacidad del organismo de absorber vitamina B12. Curiosamente, un exceso de vitamina B6 puede producir parestesia al igual que unos niveles anormalmente altos de calcio, potasio, sodio y plomo. El exceso de tabaco y de alcohol también puede ser la causa del adormecimiento o cosquilleo.

Cosquilleo o adormecimiento en las extremidades

El cosquilleo o adormecimiento, especialmente en las piernas, es a veces un signo de *enfermedad arterial periférica (EAP)*, también conocida como *enfermedad vascular periférica (EVP)*, grave problema circulatorio que afecta a las arterias que no son las coronarias ni las cerebrales. La EAP está provocada por la formación de una placa grasa en las arterias de las piernas, parecida a los depósitos que se forman en las del corazón en la *enfermedad arterial coronaria (EAC)*, o en las del cerebro en la *enfermedad cerebrovascular*. Y como ocurre con las personas que tienen una EAC, las afectadas por la EAP tienen un riesgo muy elevado de sufrir un ataque al corazón o un derrame cerebral.

Otros signos de la EAP son calambres en las piernas al caminar y frío en las extremidades. (Véanse «Calambres en las piernas durante el día» y «Manos y pies fríos».) Padecer diabetes aumenta el riesgo de EAP. Y dado que la propia diabetes puede provocar una enfermedad del corazón, un derrame cerebral y una disminución de la circulación sanguínea en las piernas y en los pies, la presencia simultánea de EAP y diabetes aumenta el riesgo de que se produzcan estas complicaciones, así como de amputaciones de pies y piernas.

El adormecimiento y el cosquilleo en los brazos o en las piernas también puede ser un signo precoz de *neuropatía periférica (NP)*, daño en el *sistema nervioso periférico* o nervios que transmiten las señales de los sentidos desde y hacia el cerebro y la médula espinal. Al progresar la NP, disminuye la sensibilidad en los brazos, los dedos, las piernas y los dedos de los pies, aumentando el riesgo de que se produzcan infecciones y heridas que no curan, dando lugar a las consiguientes amputaciones. La diabetes no controlada es la principal causa de neuropatía periférica en Estados Unidos.

HECHO SIGNIFICATIVO

Alrededor del 75% de las personas con enfermedad arterial periférica no presentan síntomas, por lo que esta queda sin diagnosticar. Las mujeres tienen aún menos probabilidades que los hombres de mostrarlos.

Los daños nerviosos también pueden ser provocados por una lesión física, por un trastorno autoinmune o por una infección bacteriana o vírica, como el herpes, la *enfermedad de Lyme* (infección bacteriana que pueden transmitir las garrapatas) y el sida. El adormecimiento y el cosquilleo relacionados con una NP pueden ser señal de muchos trastornos sistémicos que van desde las deficiencias vitamínicas hasta la enfermedad renal, los desequilibrios hormonales, la diabetes, la adicción al alcohol y los tumores benignos o cancerosos. También pueden ser una reacción a algunos de los medicamentos que se utilizan para tratar el cáncer.

El cosquilleo o el adormecimiento en los brazos o en las piernas pueden ser indicativos de *hiperaldosteronismo*, exceso de la hormona aldosterona que se produce en las glándulas suprarrenales y que ayuda a mantener el equilibrio entre la sal y el agua en el organismo. Además de producir cosquilleo y adormecimiento, el exceso de aldosterona puede provocar retención de sodio y pérdida de potasio con micciones frecuentes, debilidad muscular o calambres y tensión sanguínea elevada. El propio hiperaldosteronismo puede ser síntoma de un tumor en las glándulas suprarrenales, conocido como *síndrome de Conn*, que afortunadamente no es canceroso en el 95 % de los casos.

SIGNO DE LOS TIEMPOS

En el libro *No es como para reírse*, publicado en 1986 y escrito por Joseph Heller, más conocido por su best seller *Trampa 22*, el autor hizo una crónica de la parálisis que él mismo padeció a causa del *síndrome Guillain-Barré* y de cómo se recuperó de ella.

Por último, el cosquilleo —especialmente en las piernas— es uno de los primeros síntomas del *síndrome Guillain-Barré*, trastorno potencialmente mortal. Esta enfermedad progresiva, y que algunas veces se desencadena rápidamente, hace que el sistema inmune del organismo ataque al sistema nervioso periférico produciendo una parálisis. El síndrome Guillain-Barré puede presentarse después de una infección vírica, de una intervención quirúrgica o de un traumatismo, o también como reacción a una vacuna.

SENSACIÓN DE GOLPE EN EL HUESO DE LA RISA

Si alguna vez te has golpeado el codo, ya sabes lo que se siente al recibir un impacto en el hueso de la risa. También sabes que no es nada divertido; puede parecerse a una descarga eléctrica hacia arriba y hacia abajo del brazo. Pero si has sentido alguna vez eso mismo, aun no habiéndote golpeado el codo, probablemente tienes lo que se conoce médicamente con el nombre de *síndrome del túnel cubital*, un trastorno por

---

SIGNO DE LOS TIEMPOS

Algunas personas atribuyen el término *hueso de la risa* —al que se solía llamar hueso loco— al poeta del siglo xix reverendo Richard Harris Barham, famoso por sus juegos de palabras. El hueso en cuestión es el que tiene la forma de un gran bulto (*cóndilo medial*) que está al final del hueso del brazo (*húmero*).

---

compresión nerviosa. Haya habido o no golpe, el afectado es el nervio ulnar, y la sensación que se experimenta puede extenderse desde el codo hasta la mano y los dedos, normalmente el anular y el meñique. La sensación de golpe en el hueso de la risa es normalmente una indicación de que se ha tenido el codo flexionado durante mucho tiempo, por ejemplo al dormir. O puede significar que has estado mucho tiempo sentado al ordenador o dedicado a actividades en las que hay que doblar el codo repetidas veces (por ejemplo, haciendo ejercicios de fortalecimiento del bíceps), o que has tenido una lesión en esa articulación. Mientras que el síndrome del túnel cubital es normalmente benigno, en casos graves pueden debilitarse los músculos del antebrazo.

El síndrome del túnel cubital es parecido al codo de golfista, médicamente conocido como *epicondilitis medial*, pero las personas que padecen este último trastorno se quejan más de dolor que de cosquilleo.

Cosquilleo y adormecimiento en los dedos de las manos

Algunas veces esa sensación demasiado familiar de golpe en el hueso de la risa se tiene en los dedos de las manos, o incluso en los pies, en lugar de en el codo. El hormigueo, adormecimiento y a veces quemazón de los dedos de las manos puede ser indicativo del *síndrome del túnel carpiano*, afección nerviosa cuya causa es la compresión del *nervio mediano* de la muñeca. Al principio, podría pensarse que las manos se están quedando dormidas. El síndrome del túnel carpiano suele presentarse pasados los cuarenta años y las mujeres tienden a desarrollarlo más frecuentemente que los hombres. Esta afección es más molesta que dolorosa pero, si progresa, el paciente puede tener dificultades para sujetar objetos, que podrán caérsele a menudo.

Durante mucho tiempo se ha creído que el síndrome del túnel carpiano es una señal de uso excesivo de los dedos en

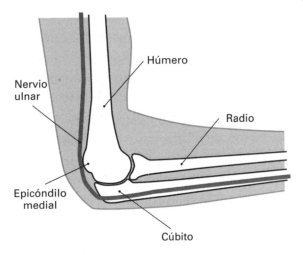

ANATOMÍA DEL BRAZO Y DEL CODO

SEÑAL DE ADVERTENCIA

 Si pasas muchas horas en el ordenador, puedes llegar a golpear las teclas entre 50.000 y 200.000 veces al día. Esto puede hacerte vulnerable a lesiones musculares, nerviosas y otras en el cuello, la espalda, los hombros, los brazos y las manos.

---

actividades como escribir a máquina, trabajar en una cadena de montaje o tocar el piano. Sin embargo, algunos investigadores creen que se exagera este factor. Según estudios recientes, en determinados casos, el síndrome del túnel carpiano puede ser un signo de trastornos médicos como la osteoartritis (véase «Rodillas que crujen»), la diabetes y el hipotiroidismo (véanse «Sensación generalizada de frío» y el apéndice I).

Cosquilleo y adormecimiento en los pies

Si sientes con frecuencia adormecimiento y cosquilleo en los pies, puede ser que estés en camino de contraer el llamado *síndrome del túnel tarsal*, primo hermano en las extremidades inferiores del síndrome del túnel carpiano (véase «Cosquilleo y adormecimiento en los dedos de las manos»). Otro síntoma de este problema, que entra dentro de la categoría de los trastornos por compresión nerviosa, es la sensación de mucho calor y quemazón en los pies. (Véase «Cosquilleo y adormecimiento en el cuerpo».) Cualquier traumatismo o bulto que presione un nervio del pie puede dar lugar a este trastorno por compresión nerviosa. Una sensación de cosquilleo y quemazón en los pies puede ser también señal de neuropatía periférica (véase «Cosquilleo o adormecimiento en las extremidades») a consecuencia de la diabetes u otros trastornos.

Esta sensación también puede ser un signo de un trastorno óseo progresivo y destructor conocido como *articulación de Charcot*. Esta afección afecta normalmente a las articulaciones que tienen que soportar mucho peso, especialmente las rodillas y los pies, pero también puede producirse en las caderas. Otros signos de articulación de Charcot son hinchazón y flojedad en las articulaciones y otras deformidades de los pies y los tobillos. Una de estas, conocida como *pie zambo* o *pie equinovaro*, es una afección en la que la estructura ósea del pie se colapsa, dejando un abultamiento parecido a una bola.

La articulación de Charcot es bastante común en personas afectadas por daños nerviosos derivados de una diabetes no controlada *(neuropatía diabética)*. (Véase «Cosquilleo o adormecimiento en las extremidades».) Pero, de hecho, cualquier persona que sufra de algún daño nervioso, por la causa que sea, puede padecer este trastorno.

El cosquilleo, quemazón o adormecimiento localizados en la parte delantera del pie pueden también ser un signo de una lesión poco importante conocida como *neuroma*, o engrosamiento del tejido nervioso. Las personas afectadas por un neuroma ven cómo los síntomas se agudizan cuando se ponen unos zapatos apretados, que hacen que el neuroma se comprima. Algunos pacientes dicen que sienten como si tuvieran una piedra en el zapato o pliegues en la punta del calcetín. Afortunadamente, la mayoría de los neuromas pueden tratarse con éxito sin cirugía, aunque a veces es necesario utilizar unas plantillas ortopédicas o tratarlos con inyecciones.

Espasmos nocturnos

Te vas durmiendo dulcemente después de una dura jornada de trabajo, y de pronto… te incorporas sobresaltado sintiendo que te caes. Esta sensación, a la que se designa de diferentes maneras —entre ellas *mioclonus, espasmo mioclónico* y *sacudida hípnica* o *hinogénica*—, es un signo frecuente y benigno, aunque algunas veces pueda provocar un gran sobresalto. Se le llame como se le llame, es un espasmo muscular que por lo general se produce durante la transición entre la vigilia y el sueño. La mayoría de las personas lo tienen de vez en cuando, especialmente cuando están excesivamente cansadas o han dormido poco o mal los días anteriores.

Estos espasmos nocturnos pueden estar asociados con el *síndrome de piernas inquietas (SPI)*, que es un trastorno neurológico (véase «Piernas inquietas»), y otros trastornos del sueño.

Sin embargo, algunas veces puede ser que nos despertemos repetidas veces a causa de espasmos nocturnos. Estos movimientos convulsivos constituyen una auténtica afección médica denominada *trastorno del movimiento periódico de los miembros* que puede ser a veces un signo del trastorno del sueño denominado *narcolepsia*, en el que una persona se queda dormida sin quererlo.

Piernas inquietas

Bien, el día llega a su fin y te sientas un rato a ver la televisión para relajarte antes de ir a dormir. Y, de pronto, experimentas una sensación como de nerviosismo, hormigueo o cosquilleo en las piernas, que parece que solo se alivia si las mueves. Este es el clásico signo de un trastorno neurológico denominado *síndrome de piernas inquietas (SPI)*. Aunque esta sensación de inquietud, que se produce a intervalos de entre 30 y 60 segundos, puede presentarse tanto durante el sueño como durante la vigilia, es más frecuente por la tarde o en momentos de inactividad. De hecho, el síndrome de piernas inquietas se considera a veces un trastorno del sueño. Dado que la sensación de piernas inquietas puede hacer difícil conciliar el sueño, o mantenerse dormido, las personas a quienes afecta suelen estar fatigadas durante el día.

SEÑAL DE STOP

La Sociedad de Investigación del Sueño y la Academia Americana de Medicina del Sueño han ideado una sola pregunta para determinar qué personas tienen síndrome de piernas inquietas: «Cuando intenta usted relajarse por la tarde, o dormir por la noche, ¿tiene a veces una desagradable sensación de inquietud en las piernas que se alivia caminando o moviéndose?». Si la respuesta es positiva, probablemente esa persona padece este molesto trastorno.

El SPI no es solo un inconveniente para dormir bien. En un reciente estudio realizado en Canadá se obtuvieron algunas pruebas de que está asociado a un mayor riesgo de desarrollo de enfermedades cardiovasculares, especialmente en las personas mayores. Otro estudio sugiere que el SPI podría estar ligado al síndrome del colon irritable (véase el capítulo 8).

CALAMBRES EN LAS PIERNAS DURANTE LA NOCHE

Estás durmiendo tranquila y profundamente hasta que, de repente, te despiertas con una sensación de desgarro en una pierna. Acabas de sentir uno de esos desagradables *calambres nocturnos en las piernas*. Estas contracciones involuntarias de los músculos de la pantorrilla, y algunas veces de los de la planta del pie, son muy comunes en personas mayores. De hecho, alrededor del 70 % de las personas mayores de cincuenta años se despiertan sobresaltadas de vez en cuando debido a esta sensación sumamente molesta. Parece que las personas que tienen pies planos padecen calambres más a menudo. Aunque nadie está del todo seguro de por qué se presentan estos inoportunos visitantes nocturnos, pueden ser un signo de esfuerzo excesivo o de deshidratación. Aunque son inofensivos, los calambres nocturnos en las piernas pueden en ocasiones ser señal de diabetes, enfermedad de Parkinson, anemia y problemas de tiroides.

CALAMBRES EN LAS PIERNAS DURANTE EL DÍA

Si sientes con frecuencia calambres en las piernas cuando caminas o subes escaleras, puede ser que estés experimentando *claudicación intermitente*, una disminución del flujo de sangre rica en oxígeno hacia las extremidades causada por la formación de placa grasa en las arterias de las piernas. Este trastorno es el síntoma clásico de la *enfermedad arterial periférica (EAP)*, problema circulatorio progresivo potencialmente mortal. (Véase «Cosquilleo o adormecimiento en las extremidades».)

SEÑAL DE PELIGRO

Si presentas sensibilidad, hinchazón, enrojecimiento o calor en una pierna, y empiezas a notar dolor en el pecho o problemas para respirar, toma medidas urgentes, ya que pueden ser signos de embolia pulmonar, complicación potencialmente fatal de la trombosis venosa profunda.

Los calambres en las piernas, especialmente en una de ellas, también pueden ser un signo de otro trastorno potencialmente mortal: *la trombosis venosa profunda (TVP)*. En la trombosis venosa profunda se forma un coágulo en una vena grande que fácilmente puede desprenderse y trasladarse al corazón o a los pulmones ocasionando la muerte. Otros síntomas de la TVP, que normalmente se presentan de manera bastante repentina, son sensibilidad en los músculos o dolor, hinchazón y calor en la musculatura profunda, acompañados de decoloración de la zona afectada.

SIGNO DE LOS TIEMPOS

La palabra *claudicación* proviene del verbo latino *claudicare*, «cojear». El emperador romano Claudio recibió este nombre porque renqueaba.

La TVP afecta con más frecuencia a personas de más de cuarenta años y a las que dejan de moverse durante un período de tiempo prolongado a causa de una enfermedad o de una lesión, o por cualquier otra razón. De hecho, la TVP se llama a veces *síndrome de la clase turista* o *trombosis del viajero* porque ha habido personas que han sufrido accidentes vasculares relacionados con la TVP al permanecer sentadas en un pequeño espacio durante un vuelo largo. Estar encerrado, con poca capacidad de movimiento, hace que la sangre se estanque en las venas profundas de las piernas, creándose las circunstancias propicias para una peligrosa coagulación.

SIGNO DE LOS TIEMPOS

Estando destacado como periodista en la guerra de Irak, en 2003, David Bloom, corresponsal de NBC News de treinta y nueve años, murió de una embolia pulmonar provocada por un coágulo que se le había formado en una pierna (TVP). Bloom había venido quejándose de calambres en las piernas durante los largos viajes en los que había estado confinado en el estrecho espacio de un tanque del ejército.

Las mujeres que están sometidas a terapia de reemplazo hormonal, o las que están tomando píldoras anticonceptivas, tienen un mayor riesgo de desarrollar este tipo de coágulos mortíferos, al igual que las que están embarazadas. Las personas con problemas de coagulación, o con determinados trastornos médicos que restringen la movilidad, como insuficiencia cardíaca o enfermedad respiratoria crónica, tienen también un gran riesgo.

SEÑAL DE STOP

Con independencia de lo largo que sea el vuelo, cuando estés en un avión levántate y camina de vez en cuando. Puede ayudarte a prevenir una TVP. Llevar unas medias o calcetines protectores, especialmente en vuelos largos, puede también contribuir a evitar un accidente vascular potencialmente fatal.

También quienes han sufrido una fractura en las piernas, las que se han sometido a una operación quirúrgica (especialmente a intervenciones ortopédicas, en la pelvis o en el abdomen) y las que padecen cáncer tienen un riesgo elevado de desarrollar estos coágulos. Y las personas que ya hayan padecido un episodio de TVP tienen un gran riesgo de que se repita.

SEÑAL DE ADVERTENCIA

La TVP sin una causa evidente que la desencadene puede ser uno de los síntomas más precoces de cáncer. De hecho, la relación entre el cáncer y la TVP fue señalada por primera vez por el físico del siglo XIX Armand Trousseau. Curiosamente, el propio Trousseau desarrolló una TVP posteriormente y le diagnosticaron un cáncer de estómago menos de un año después.

TEMBLORES

Si notas que a una persona le tiemblan las manos o el cuerpo, podrías llegar a la conclusión de que se trata de una persona nerviosa o de que tiene problemas con la bebida, y puede ser que estés en lo cierto. Pero esos temblores también pueden indicar otros muchos problemas de salud.

Existen más de veinte tipos diferentes de temblores. Los *temblores esenciales*, también conocidos como *temblores posturales*, son los más comunes y los más leves. Normalmente afectan a las manos pero también pueden presentarse en la cabeza, los brazos, las piernas, la cavidad de la laringe e incluso en la lengua. (Véase el capítulo 5.)

Antes se les llamaba *temblores seniles* porque son frecuentes en las personas mayores pero, en realidad, los temblores esenciales pueden presentarse a cualquier edad, aunque es cierto que suelen empeorar con el paso de los años. Más o menos en la mitad de los casos, los temblores esenciales tienden a afectar a varios miembros de una familia, recibiendo entonces el nombre de *temblores familiares*. En la otra mitad de los casos, la causa es desconocida (trastorno idiopático).

Aunque son médicamente benignos, los temblores esenciales suelen ser muy molestos y pueden dificultar, e incluso imposibilitar, las actividades en las que se requieran movimientos precisos de los dedos, como la costura, el miniaturismo o la cirugía. Por eso afectan no solo a la calidad de vida sino a la carrera profesional. Es interesante comprobar cómo los temblores esenciales tienden a desaparecer cuando la parte del cuerpo afectada está en reposo.

SEÑAL DE ADVERTENCIA

El gesto en el que los dedos parece que están amasando algo es un signo característico de la enfermedad de Parkinson. Es un temblor en el que el pulgar y el índice se mueven frotándose entre sí repetidas veces, hasta tres por segundo. Es más llamativo cuando la mano está en reposo o cuando la persona afectada está tensa.

Algunos temblores están inducidos por la ingesta de medicamentos o drogas y pueden indicar que se está abusando de la cafeína, la nicotina, los tranquilizantes, las anfetaminas o la cocaína. Y los temblores matutinos son un síntoma casi infalible de abuso del alcohol. También son una reacción común a los medicamentos antipsicóticos, a la teofilina (para el asma), al Dilantín (para la epilepsia) y a la Compacina (medicamento tranquilizante y que combate las náuseas), así como a algunos estimulantes de herbolario como la efedra, el gingko biloba y el ginseng.

Los temblores son a veces un signo de *alcalosis*, desequilibrio del pH (escasez de ácidos en los fluidos del cuerpo). Otros signos de alcalosis pueden ser los espasmos musculares, los mareos y la sensación de adormecimiento y cosquilleo. Los temblores relacionados con la alcalosis pueden ser

---

SIGNO DE LOS TIEMPOS

Algunos políticos famosos, como Samuel Adams, Oliver Cromwell y, más recientemente, Sandra Day O'Connor, sufrían de temblores esenciales. El dramaturgo Eugene O'Neill y la actriz Katharine Hepburn también los padecieron. De hecho, para Hepburn, su voz temblorosa característica resultaba algo atractivo.

---

indicativos del trastorno de la alimentación llamado bulimia. Lo bueno es que la alcalosis tiene fácil tratamiento. Y lo malo es que, si no se trata, puede provocar *arritmias* (latidos del corazón irregulares), coma e incluso un desenlace fatal.

Los temblores pueden también ser indicativos de trastornos sistémicos, como hipoglucemia (tanto en las personas diabéticas como en las que no lo son) e hipertiroidismo. (Véanse «Sensación de calor cuando no lo hace» y el apéndice I.) Y pueden ser indicativos de esclerosis múltiple, de enfermedad del riñón o del hígado, de derrame cerebral o incluso de un tumor cerebral.

Existe otro tipo de temblores que tienen lugar cuando los brazos o las piernas están en descanso. Fenómeno conocido

HECHO SIGNIFICATIVO

Nuestro cuerpo vibra de manera continua. Solo quedamos completamente quietos cuando estamos muertos.

con el nombre de *temblor de reposo*, es uno de los signos más precoces de la enfermedad de Parkinson. Otros síntomas tempranos del Parkinson son los cambios en la caligrafía, la pérdida del sentido del olfato (véase el capítulo 4), la inestabilidad y la rigidez postural.

Sentir los latidos del corazón

La mayoría de nosotros no percibimos los latidos del corazón, salvo que hayamos estado corriendo o haciendo deporte. Pero hay personas que notan cómo su corazón late con fuerza, con rapidez, agitadamente o de forma irregular, incluso cuando están quietas. La percepción puede ser más clara en posición de tumbado, especialmente sobre el lado izquierdo. Esta percepción de los latidos del corazón —médicamente conocida como *palpitaciones*— es por lo general una sensación normal y benigna. La palabra *palpitación* se usa también para designar a los latidos del corazón irregulares y, especialmente, rápidos.

Las palpitaciones son un signo habitual de la ansiedad y los temores diarios; la reacción típica ante algo que nos da cierto miedo. Pero pueden ser fuertes, por ejemplo en un *ataque de pánico*. Un corazón desbocado y que late muy fuerte puede ser también indicativo de que se ha fumado, bebido demasiado alcohol o consumido mucha cafeína en forma de café, té o bebidas de cola. Las palpitaciones pueden también delatar un abuso de cocaína o de anfetaminas, o pueden darse como reacción a algunos medicamentos de prescripción habitual que producen temblores (véase «Temblores»), como algunos descongestionantes, antidepresivos, medicinas contra el asma y medicaciones para combatir problemas de tiroides. Determinados suplementos de herbolario, como el ginseng y los que se venden para perder peso, como el guaraná y la efedra, también pueden hacer que el corazón se desboque.

Por otro lado, las palpitaciones pueden ser indicativas de multitud de problemas médicos. Por ejemplo, pueden ser un signo de fiebre, anemia, bajo nivel de azúcar *(hipoglucemia)*, niveles bajos de potasio o hipertiroidismo. («Sensación de calor cuando no lo hace» y el apéndice I.)

Y por supuesto, las palpitaciones son un signo común de problemas cardíacos, tanto leves como graves. Entre estos se incluyen el *prolapso de la válvula mitral* (deformidad de una válvula del corazón que es muy corriente y normalmente no demasiado importante) y las *arritmias*, o latidos anormales o irregulares del corazón. De hecho, las palabras *palpitación* y *arritmia* se usan frecuentemente de manera indistinta. Cuando el corazón late demasiado deprisa, el fenómeno se conoce como *taquicardia*; cuando late demasiado lentamente, como *bradicardia*.

HABLANDO DE SEÑALES

 El corazón no es un reloj suizo sino un complejo sistema biológico que, de vez en cuando, tiene hipo.

DOUGLAS ZIPES, médico cardiólogo, facultad de medicina de la Universidad de Indiana

Cuando se produce un latido de más, puede ser una señal de *contracciones atriales prematuras*, el tipo más común y leve de arritmia. Por otro lado, si se siente que el corazón «se salta» ocasionalmente un latido, puede ser un signo de *contracciones ventriculares prematuras*. Aunque estas contracciones son normalmente benignas, pueden ser señal de una enfermedad del corazón o de un desequilibrio electrolítico, o sea, un desequilibrio de minerales en la sangre que, si no se trata, puede dar lugar a problemas graves en el corazón y en los riñones. Por desgracia, algunas veces, pueden poner en peligro la vida del paciente, especialmente cuando están acompañadas de taquicardia, mareo o desmayo, o si se producen en una persona con una enfermedad cardíaca.

TEMPERATURAS CAPRICHOSAS

Manos y pies fríos

¿Comenta la gente cuando te da la mano lo fría que la tienes? ¿Te produce escalofríos la idea de descalzarte? Todos tenemos en algunos momentos las manos y los pies fríos, normalmente en invierno o en habitaciones con demasiado aire acondicionado. Pero si tienes las extremidades constantemente frías, puede deberse a una reacción a determinados medicamentos, como los betabloqueantes, las medicinas

---

HABLANDO DE SEÑALES

Un dolor en el dedo meñique lo siente todo el cuerpo.

Proverbio filipino

para tratar problemas de tiroides y las usadas contra la migraña.

Unos dedos de las manos o de los pies que se ponen azules o blancos cuando se exponen al frío son característicos de la *enfermedad de Raynaud* (también llamada *fenómeno de Raynaud*), trastorno circulatorio en el que se reduce la afluencia de sangre a las manos y a los pies. La exposición a bajas temperaturas puede precipitar una crisis, aunque en algunas personas también puede hacerlo el estrés. Típicamente, los dedos de las manos y de los pies no solo cambian de color sino que algunas veces se siente en ellos un latido o una sensación de cosquilleo o adormecimiento. Algunas veces, la enfermedad de Raynaud afecta también a las orejas, a la nariz y a las piernas. En Estados Unidos, se da en un porcentaje de la población que está entre el 5 % y el 10 %, y suele afectar más a las mujeres con edades comprendidas entre los veinte y los cuarenta años, así como a los fumadores. Desgraciadamente, en las mujeres, esta afección va a veces acompañada de *fibromialgia*, trastorno musculoesquelético incapacitante que también suele afectar más a las mujeres que a los hombres. Alrededor del 30 % de las personas con fibromialgia padecen también Raynaud.

HABLANDO DE SEÑALES

 La principal función del cuerpo es trasladar al cerebro de un lugar a otro.

THOMAS A. EDISON

La frialdad en las manos y en los pies puede también ser una señal de *enfermedad arterial periférica (EAP)*. (Véase «Cosquilleo o adormecimiento en las extremidades».) Y puede ser un signo de un trastorno potencialmente grave llamado *enfermedad de Buerger,* también conocido como tromboangeítis. Este infrecuente trastorno se da casi exclusivamente en hombres de edades comprendidas entre los veinte y los cuarenta años que fuman o mastican tabaco. Tanto en la EAP como en la enfermedad de Buerger, se forman depósitos de grasa en las arterias, los cuales hacen que disminuya la circulación de la sangre hacia el estómago, riñones, brazos, piernas, manos y pies *(arteriosclerosis)*. Otros signos son cambios en la coloración de las piernas, problemas al caminar y *disfunción eréctil* (impotencia). Como ocurre con la EAP, la enfermedad de Buerger puede desembocar en una gangrena, haciendo necesaria una amputación.

Sensación generalizada de frío

¿Eres de los que tienen siempre un jersey puesto y quiere subir la calefacción mientras los demás están a gusto? Si es así, puedes estar presentando uno de los signos de hipotiroidismo, o poca actividad de la glándula tiroides, con producción demasiado escasa de la hormona tiroides. (Véase el

---

HECHO SIGNIFICATIVO

Las personas mayores tienen frío frecuentemente, incluso en verano, y suelen evitar abanicarse y usar aire acondicionado. Como consecuencia, son muy susceptibles a los golpes de calor y a los ataques al corazón. De hecho, durante la terrible ola de calor que asoló Europa en 2003 murieron 35.000 personas, la mayoría de ellas de edad avanzada.

---

apéndice I.) Aunque el hipotiroidismo afecta a ambos sexos, es especialmente frecuente, aunque a menudo se diagnostica equivocadamente, en mujeres mayores. Entre otros signos típicos se incluyen el aumento de peso, la sequedad de piel, la voz ronca y el estreñimiento.

La intolerancia al frío puede también ser una señal del trastorno hormonal llamado *hipopituitarismo*, que consiste en un funcionamiento deficiente de la pituitaria, glándula principal del sistema endocrino. Además de hipersensibilidad al frío, las personas afectadas de hipopituitarismo pueden sufrir cansancio, problemas de fertilidad y baja presión sanguínea. Y la intolerancia al frío puede también ser un signo de otro trastorno hormonal, la *disfunción hipotalámica*, que afecta al hipotálamo, glándula que ayuda a regular la temperatura del cuerpo, el apetito, el peso y las emociones. La disfunción hipotalámica puede ser en sí misma síntoma de un tumor, de una infección, de un traumatismo en la cabeza o de malnutrición.

Sentir frío muy a menudo puede también ser señal de anemia. Alrededor del 20 % de las personas con anemia por deficiencia de hierro tienen intolerancia al frío. En raras ocasiones, la sensibilidad al frío puede ser un signo de cáncer de huesos o de *leucemia* (cáncer de la sangre).

Si tienes sensación constante de frío y te encuentras rígido y dolorido, puede ser que tengas fibromialgia (véase «Manos y pies fríos»), trastorno musculoesquelético que también suele afectar más a las mujeres. Aunque no pone en peligro la vida, puede ser incapacitante.

Sensación de calor cuando no lo hace

Como se suele decir a propósito de la menopausia, «¿Hace calor aquí o está dentro de mí?». Sentir calor todo el tiempo y tener sofocos son signos típicos de la menopausia, pero no siempre que las mujeres se quejan de tener mucho calor es por ese motivo. Y no solo las mujeres sufren intolerancia al calor. Este es un signo clásico de varios trastornos hormonales, especialmente de *hipertiroidismo*, en el que un exceso de hormona tiroides hace subir la temperatura corporal y acelera el metabolismo. (Véase el apéndice I.) Otros signos comunes son nerviosismo, pérdida de peso, hambre y sed excesivas y ojos saltones. Aunque tanto los hombres como las mujeres pueden tener la tiroides hiperactiva, es más frecuente entre las mujeres.

Sentir calor a menudo puede ser una reacción al exceso de cafeína, a las anfetaminas, a determinados antidepresivos y a la medicación para la tiroides. Y la hipersensibilidad al calor puede incluso ser indicativa de trastornos tan graves como la esclerosis múltiple (EM). De hecho, la exposición al calor y al agua muy caliente puede hacer que empeoren temporalmente los síntomas de EM, entre los que se incluyen temblores, visión borrosa y problemas de memoria. La intolerancia al calor puede ser también una señal de alarma de *anhidrosis*, o incapacidad para sudar. Este trastorno puede llegar a ser mortal. (Véase el capítulo 8.) Al no sudar, la temperatura corporal puede subir de tal manera que pueden llegarse a producir los llamados agotamiento por calor y golpe de calor.

A MODO DE CONCLUSIÓN

Hay muchos órganos del cuerpo que están en el torso, y el número de cosas que pueden ir mal en alguno de ellos es casi infinito. Abajo figura una lista de especialistas a quienes podrías recurrir. Sin embargo, si experimentas un dolor crónico o extremo, hemorragias, vómitos, hinchazón excesiva o repentina, picor intenso, mareos o desmayos empieza visitando inmediatamente a tu médico de cabecera o acudiendo al servicio de urgencias de un hospital.

- *Cardiólogo*: médico especializado en el diagnóstico y tratamiento de enfermedades y trastornos del corazón y del sistema circulatorio.
- *Endocrinólogo*: médico especializado en el diagnóstico y tratamiento de enfermedades y trastornos hormonales.
- *Ginecólogo*: médico especializado en el diagnóstico y tratamiento de trastornos del aparato reproductor femenino. Algunos ginecólogos también practican la cirugía.
- *Neurólogo*: médico especializado en enfermedades y trastornos relacionados con el sistema nervioso central (el cerebro y la médula espinal) y con el sistema nervioso periférico (nervios sensoriales y motores).
- *Oncólogo*: médico especializado en el tratamiento del cáncer. Algunos oncólogos también practican la cirugía o están especializados en el tratamiento del cáncer con radioterapia.
- *Podólogo*: médico especializado en el tratamiento de enfermedades y trastornos del pie y del tobillo.
- *Reumatólogo*: médico especializado en el diagnóstico y tratamiento de enfermedades y trastornos relacionados

con las articulaciones, los músculos, los tendones, los ligamentos, el tejido conectivo y los huesos.

- *Terapeuta físico*: profesional sanitario especialmente formado para la evaluación y tratamiento de problemas de movilidad física y de función muscular.
- *Traumatólogo*: médico y cirujano especializado en el tratamiento de enfermedades y trastornos de los huesos, las articulaciones y los músculos.

8

ZONAS ÍNTIMAS, GASES Y EXCREMENTOS

> No dejes las partes íntimas a la vista,
> es vergonzoso y aborrecible,
> es detestable y grosero.
>
> RICHARD WESTE, 1619

Las partes íntimas no siempre se han visto como algo vergonzoso, y ni siquiera como algo tan íntimo. Según la Biblia, cuando Adán y Eva habitaban en el paraíso «estaban desnudos... y no sentían vergüenza». Pero poco después, cuando comieron la tristemente famosa manzana, tomaron conciencia de su desnudez y la hoja de parra pasó a ser el primer artículo de moda para el ser humano.

Desde entonces, la desnudez y la vergüenza han ido de la mano. A pesar del estigma que ha acompañado a veces a los órganos genitales, la fascinación hacia ellos ha perdurado. A lo largo de la historia, las representaciones de personas desnudas, por delante y por detrás, han decorado las paredes de las cuevas, los museos, los dormitorios, los cuartos de baño, los bares y los burdeles.

Parte de nuestra obsesión con las partes íntimas, y de nuestra ambivalencia ante ellas, reside no solo en el placer que pueden proporcionarnos sino también en el hecho de que son necesarias para la procreación y la eliminación de los desechos corporales. Dado que hacemos el amor y nos reproducimos por medio de los órganos genitales, y que también orinamos a través de ellos, nos producen tanto atracción como repulsión. Por no hablar de las nalgas y de lo que sale del orificio que está entre ellas.

HABLANDO DE SEÑALES

Oyendo hablar a muchos creyentes podríamos pensar que Dios creó el torso, la cabeza, los brazos y las piernas pero que fue el demonio quien se ocupó de los genitales.

DON SCHRADER, personaje televisivo
y comentarista cultural de Nuevo México

Algunos de nuestros desechos corporales (o *humores*, como antes se denominaba a algunos de ellos) han sido objeto de estudio y fuente de humor durante miles de años. Hipócrates, conocido como el padre de la medicina, explicó que existían cuatro humores que afectaban tanto a la salud física como a la mental: la bilis amarilla, la bilis negra, la sangre y la flema. Se pensaba que todas las enfermedades estaban provocadas por un desequilibrio de estos «fluidos esenciales» y por la consiguiente incapacidad del cuerpo de deshacerse de los productos de desecho. Las curas eran: el sudor, la purga, la sangría y el vómito.

Hoy en día, aún dedicamos una gran cantidad de tiempo y dinero a intentar eliminar los desechos corporales. Aunque ya no se recurre normalmente a la sangría y el vómito inducido, muchas personas purgan su cuerpo por medio de laxantes o de enemas, toman diuréticos y eliminan toxinas a través

HABLANDO DE SEÑALES

El órgano sexual de un hombre es tan simple como un dedo pero el de una mujer es misterioso, incluso para ella misma; escondido, viscoso y húmedo.

SIMONE DE BEAUVOIR, *El segundo sexo*, 1949

del sudor en saunas y gimnasios. Y las sanguijuelas vuelven a estar en boga.

Los sistemas que regulan la reproducción, la digestión, la micción y la temperatura corporal son maravillas de la naturaleza pero también pueden dar lugar a multitud de percepciones visuales, olores y sonidos desconcertantes... o directamente embarazosos. Por ejemplo, un pene puede tener gran variedad de tamaños, formas y colores que parecen cambiar mágicamente. Y aunque la vagina puede estar algunas veces expuesta a la vista, es raro que pueda oírse... a no ser que su propietaria experimente gases vaginales. El estómago y el intestino, por su parte, son capaces de producir una asombrosa variedad de sonidos, no precisamente melodiosos, frecuentemente acompañados de malos olores.

Y no nos olvidemos del sudor, al que solemos hacer menos caso... al menos en el terreno humorístico y en el vocabulario callejero. Aunque atendiendo a su constante presencia, el sudor gana por goleada. Así como es fácil desprenderse de las heces y la orina y olvidarse de ellos, el olor del sudor puede permanecer por mucho tiempo en el cuerpo y en la ropa, así como en el ambiente del gimnasio o del coche, hasta que recurrimos al agua y al jabón.

Los signos corporales relacionados con nuestras partes íntimas y sus a menudo desagradables secreciones son muchas ve-

---

HECHO SIGNIFICATIVO

 Algunos científicos creen que los fuertes olores corporales que acompañan a algunas enfermedades pueden ser una defensa de la naturaleza para alejarnos de compañeros que puedan estar enfermos.

---

ces motivo de chanza, tanto para los niños como para los adultos. Pero como por otro lado el tema nos resulta incómodo, puede costarnos trabajo mencionárselos al médico. Y no hacerlo sería un gran error. Seas o no aficionado a los llamados «chistes marrones», no deberías soslayar los signos corporales que te envía el aparato excretor. Motivo de vergüenza o no, pueden facilitar incontables pistas sobre la salud del organismo. Prestar atención a las deposiciones, a la orina, al sudor y a otros desechos no es en modo alguno una pérdida de tiempo. Lo que nos digan puede tener gran valor e incluso salvarnos la vida.

SIGNO DE LOS TIEMPOS

El teólogo alemán del siglo XVI Martín Lutero afirmaba que era capaz de «alejar de mí al espíritu maligno, simplemente con una ventosidad».

PARTICULARIDADES DEL PENE

Pene curvado

Aunque algunos hombres pueden llegar a ser muy «retorcidos» en lo que respecta a sus gustos sexuales, puede ser que tengan, de hecho, el órgano sexual torcido. Si bien un pene curvado puede ser una anomalía anatómica totalmente benigna (conocida médicamente como *curvatura congénita del pene*), a veces es un signo de la *enfermedad de Peyronie (EP)*. (Véase el capítulo 7.) Este trastorno se produce al formarse un bulto duro (placa) debajo de la piel del pene que hace que este se tuerza hacia arriba, hacia abajo, hacia la derecha o hacia la izquierda. Puede aparecer de la noche a la mañana o de manera gradual y, algunas veces, resulta muy doloroso, dificultando extraordinariamente la relación sexual y haciendo que en algunos casos sea imposible. A muchos hombres les avergüenza mucho padecer este trastorno, que agrava sus problemas sexuales.

También conocida como *cavernositis fibrosa*, la enfermedad de Peyronie puede tener un componente genético. Pero lo más probable es que sea consecuencia de un traumatismo físico sufrido posiblemente haciendo deporte o incluso practicando relaciones sexuales de manera excesivamente vigorosa. También puede ser una señal de *vasculitis*, inflamación de los vasos sanguíneos o linfáticos. Alrededor del 3 % de los hombres que padecen la EP tienen también *trastornos del tejido conectivo*. El más frecuente de ellos es la enfermedad de Dupuytren, que consiste en un engrosamiento anormal de la piel en la palma de la mano que hace que los dedos se doblen, de manera parecida a como lo hace el pene en la EP. (Véase el capítulo 7.)

La enfermedad de Peyronie suele afectar a hombres que están en edades comprendidas entre los cuarenta y los sesenta años y es más frecuente en las personas de raza blanca que en las de raza negra o asiática. Hasta un 4 % de los hombres estadounidenses de raza blanca padecen esta afección. El prototi-

---

SIGNO DE LOS TIEMPOS

El cirujano francés del siglo XVIII François Gigot de Peyronie informó sobre tres casos de este trastorno que afecta al pene y que ahora lleva su nombre. Sin embargo, el primer profesional que escribió sobre la enfermedad de Peyronie fue el anatomista italiano del siglo XVI Giulio Cesare Aranzi, quien describió el trastorno como «una rara afección de los genitales que se da en personas que mantienen un exceso de relaciones sexuales». Se dice que el ex presidente de Estados Unidos Bill Clinton la padece.

---

po sería un hombre de cierta edad con erecciones débiles pero que mantiene enérgicas y frecuentes relaciones sexuales (más de cuatro veces a la semana). Afortunadamente, la EP puede desaparecer espontáneamente. Pero en algunos casos es necesaria una intervención quirúrgica para corregir la anomalía, especialmente si sigue produciendo dolor o problemas sexuales.

Erección prolongada

Puede parecer el sueño de todos los hombres… y de algunas mujeres. Pero una erección que dure más de cuatro horas sin estimulación sexual es un signo de *priapismo*, que puede ser incómodo, embarazoso e incluso doloroso. También puede desembocar en un daño orgánico permanente.

El priapismo es muy común en los hombres que padecen anemia de células falciformes; de hecho, alrededor del 42 % de los hombres con este trastorno sufren de priapismo en algún momento de su vida. (También es una reacción común a un accidente muy poco habitual: recibir la picadura de una araña viuda negra. Aunque lo más probable es que la persona afectada note más el dolor y los calambres musculares producidos por la picadura.) Con menor frecuencia, las erecciones prolongadas pueden ser un signo de *leucemia* o de *malaria*.

SIGNO DE LOS TIEMPOS

El priapismo recibe su nombre de Príapo, el dios griego de la fertilidad, hijo de Afrodita. De niño era tan feo que los dioses lo expulsaron del Olimpo y se crió entre las ninfas y los sátiros. Un día, le creció tanto el pene que no se podía mover. Para complicar las cosas aún más, tuvo una erección permanente... y no podía eyacular.

El priapismo puede ser también una reacción a determinados antipsicóticos, así como a algunos antidepresivos y antihipertensivos. Y también, lo cual no debería sorprendernos, puede ser una respuesta excesiva a fármacos como Viagra, Cialis y Levitra que se utilizan para tratar la *disfunción eréctil (DE)*, comúnmente llamada impotencia. El priapismo puede también ser una señal de intoxicación por monóxido de carbono, así como de abuso del alcohol, la marihuana, la cocaína y otras drogas. Además, puede indicar una afección de la médula espinal, así como del pene. El priapismo se considera

---

SEÑAL DE ADVERTENCIA

La disfunción eréctil (DE) puede ser el primero de los signos de una enfermedad cardíaca. De hecho, según algunos estudios recientes, la enfermedad coronaria tiende a surgir tres años después de la DE. Cuanto más severa sea la DE, más grave será, si se presenta, la enfermedad coronaria.

---

una emergencia médica y, si no se trata, puede producir lesiones importantes y disfunción eréctil permanente.

Manchas en el pene

Si tu pareja se pone un preservativo de colores puede parecerte divertido o incluso sexy. Pero si es su pene el que cambia de color, no es para tomárselo a risa. Una ulceración indolora, rojiza o amoratada en el pene es normalmente el primer síntoma de un *cáncer de pene*, una forma poco habitual de cáncer de piel que se produce principalmente en hombres con problemas de fimosis. A medida que progresa el cáncer, a veces se presentan otros signos como una secreción fuerte de color rojizo o una hemorragia.

Los hombres infectados por el *virus del papiloma humano* (VPH) —una de las *enfermedades de transmisión sexual (ETS)* más frecuentes tanto en los hombres como en las mujeres— tienen un riesgo considerablemente más elevado de padecer cáncer de pene. Los fumadores y los afectados por el sida, o los que han sido tratados con rayos ultravioleta y el fármaco psoralen para combatir la psoriasis, también tienen un mayor riesgo de contraer un cáncer de pene.

Inflamación del escroto

Si un hombre nota una pequeña hinchazón dentro del escroto, puede ser que le dé que pensar, o que no le haga ni caso. De hecho, probablemente no es algo importante. Este tipo de inflamación es muy probablemente un signo de *varicocele*, que consiste en la presencia de una vena varicosa que rodea un testículo, similar a una variz en la pierna. (Véase el capítulo 9.) Los varicoceles, que normalmente se presentan alrededor del testículo izquierdo (aunque pueden darse en los dos), son más perceptibles cuando la persona afectada está de pie y tienden a desaparecer cuando se recuesta. Algunos hombres dicen que produce la sensación de que tienes «una bolsa de lombrices» dentro del escroto.

HABLANDO DE SEÑALES

Las tres cosas más importantes que tiene un hombre son, en resumidas cuentas, sus órganos sexuales, su dinero y sus opiniones religiosas.

SAMUEL BUTLER, escritor inglés del siglo XIX

Aproximadamente, entre el 15 y el 20 % de los hombres tiene varicoceles, y son más frecuentes en los de edades comprendidas entre los quince y los veinticinco años. Aunque por lo general son benignos, pueden ser una señal de advertencia de posible esterilidad, ya que hasta un 40 % de los hombres con problemas de fertilidad tiene varicoceles. Se cree que pueden interferir en la producción de esperma al aumentar la temperatura de los testículos.

La hinchazón del escroto puede ser también signo de

HECHO SIGNIFICATIVO

Más o menos la mitad de los niños recién nacidos tienen hidroceles. Estas hinchazones normalmente desaparecen durante el primer año de vida.

---

hidrocele, que consiste en la acumulación indolora de líquido alrededor de un testículo, que normalmente se desarrolla después de los cuarenta años de edad. A veces es una señal de lesión o infección en el escroto. El hidrocele se puede confundir con la *hernia inguinal*; en este caso se trata de un trozo de intestino que emerge a través de una pared abdominal debilitada y entra en contacto con el escroto. (Véase el capítulo 9.) Algunas veces, el hidrocele puede ser un signo de cáncer testicular. (Véase «Un bulto en el testículo».)

La inflamación del escroto —así como la sensación de pesadez en los testículos— puede ser también un signo de una grave infección del *epidídimo*, tubo en forma de espiral que almacena el esperma y ayuda a transportarlo. Médicamente conocida como *epididimitis*, esta infección está normalmente ocasionada por enfermedades de transmisión sexual, como la clamidia o la gonorrea. Aunque la hinchazón del escroto y las secreciones del pene son bastante comunes cuando hay epididimitis, lo primero que nota normalmente la persona afectada por esta enfermedad es una sensación de incomodidad que puede ser desde ligera hasta muy severa. (Véase «Secreciones del pene».) En ocasiones, la epididimitis aparece como reacción a la amiodarona, medicamento utilizado para tratar las alteraciones del ritmo cardíaco. Por último, también puede ser una señal de tuberculosis.

HABLANDO DE SEÑALES

 Si se pierde la cabeza, solo perece el individuo; si se pierden las pelotas, perece toda la naturaleza humana.

FRANÇOIS RABELAIS,
autor francés del siglo XVI

Si está inflamado todo el escroto, pero no hay dolor, puede ser un signo de *linfedema*, trastorno que afecta principalmente a los brazos y a las piernas. (Véase el capítulo 9.) A veces está causado por un bloqueo en el sistema linfático que impide el drenaje de la linfa, líquido que recoge los virus, bacterias y productos de desecho del cuerpo. El linfedema en sí mismo es a menudo un serio signo de advertencia de insuficiencia cardíaca o de cirrosis hepática.

HINCHAZÓN DE LA CABEZA DEL PENE

Probablemente todos hemos conocido hombres henchidos de vanidad. Pero si lo que tienen es la cabeza del pene *(glande del pene)* hinchada, no tienen razón para sentirse orgullosos. Más bien, puede ser que padezcan un trastorno médico llamado *balanitis*, que indica que no siguen una buena higiene personal. La balanitis puede ir acompañada de una secreción con un fuerte olor. Si la persona en cuestión no se ha circuncidado, la piel que cubre el glande *(prepucio)* puede inflamarse también, lo cual recibe el nombre de *postitis*. En un caso extremo, la inflamación e hinchazón pueden ser tan severas que la persona afectada no pueda llevar hacia atrás la piel que cubre el glande, lo que se conoce médicamente con el nombre de *fimosis*.

UN BULTO EN EL TESTÍCULO

Si descubres que tienes un bulto en un testículo se te puede formar un nudo en la garganta. Pero si es indoloro puede ser simplemente un signo de *espermatocele*, acumulación benigna de esperma unida al epidídimo, parecida a un quiste dentro del escroto. O puede ser señal de una lesión o infección testicular.

Por desgracia, algunas veces, un bulto compacto e indoloro puede indicar un *cáncer testicular*; de hecho, es el signo más habitual de este. Entre otros posibles síntomas se incluyen pesadez o incomodidad en el escroto, dolor sordo en la ingle, en el abdomen o en la espalda, o abultamiento de los pechos o sensibilidad en los mismos. (Véase el capítulo 7.) Sin embargo, algunos hombres con cáncer de testículo no tienen absolutamente ningún signo que lo ponga de manifiesto.

SIGNO DE LOS TIEMPOS

 En 1996, cuando tenía veinticinco años, al campeón ciclista Lance Amstrong le fue diagnosticado un cáncer de testículo. Pero no solo tuvo éxito en su tratamiento sino que creó la Fundación Lance Amstrong, organización sin ánimo de lucro para fomentar la educación sobre el cáncer y el apoyo a los enfermos. Y ganó el Tour de Francia siete años seguidos, desde 1999 hasta 2005.

El cáncer de testículo es un cáncer poco habitual que afecta principalmente a hombres jóvenes de entre quince y treinta y cinco años de edad y que muy raras veces se presenta en personas de más de cuarenta. En Estados Unidos, la mayor incidencia se da entre los hombres de raza blanca seguidos de los hispanos, los nativos americanos y los asiáticos; los de raza negra son los menos afectados. Es más frecuente en los hombres con un *testículo no descendente* congénito, y algunas veces existe una predisposición familiar. Los nacidos con un cromosoma X extra, trastorno genético conocido como *síndrome de Klinefelter*, tienen también un mayor riesgo de padecer cáncer de testículo. (Véase el capítulo 1.) Afortunadamente, si se detecta precozmente y se trata, el índice de supervivencia del cáncer de testículo es muy alto.

SEÑAL DE ADVERTENCIA

Todos los hombres, especialmente los que están entre los quince y los treinta y cinco años de edad, deberían realizar autoexámenes mensuales de los testículos. El mejor momento para detectar un posible bulto es después de un baño o ducha caliente.

He aquí cómo:

- Sitúa el dedo pulgar en la parte de arriba del testículo y los dedos índice y corazón debajo del mismo.
- Mueve suavemente el testículo entre los dedos.
- Busca bultos, que pueden ser del tamaño de un guisante.
- Si notas algo preocupante, visita inmediatamente a un médico.

Eyaculación de color rojo

Ver que algo está rojo, especialmente cuando tiene que ver con los órganos sexuales, puede dar un buen susto a cualquiera. La eyaculación de color rojo, médicamente conocida como *hematospermia*, es normalmente un signo de presencia de sangre en el líquido seminal, que puede provenir de casi cualquier tipo de inflamación que afecte al aparato reproductor. Los hombres que han experimentado un episodio de eyaculación rojiza tienen muchas probabilidades de que les vuelva a pasar.

Aunque normalmente este es un signo del que no hay que preocuparse, la incidencia de cáncer de próstata entre los hombres que han tenido hematospermia es algo mayor.

SECRECIONES DEL PENE

Cuando sale algo del pene, si no se trata de semen o de orina, probablemente es signo de una enfermedad de transmisión sexual o de otra infección. Las secreciones del pene son frecuentemente una señal de *uretritis*, es decir una inflamación de la uretra, que es el conducto a través del cual sale la orina del cuerpo. La uretra es un vehículo casi perfecto para la entrada y salida de microbios del pene. Estos gérmenes pueden provenir de fuentes como un catéter, una infección de la próstata o la persona con quien hemos mantenido relaciones sexuales.

HECHO SIGNIFICATIVO

Esa sustancia densa, pegajosa, de fuerte olor, con aspecto de queso, que se acumula debajo de la piel que cubre el glande se llama *esmegma*. Está formada por secreciones oleaginosas y por células muertas de la piel. Curiosamente, la palabra «esmegma» proviene de la palabra griega que designa al «jabón». ¿No será una indirecta?

Las secreciones del pene son fáciles de detectar y frecuentemente no es difícil conocer su causa; por ejemplo, una secreción espesa, turbia y maloliente es el signo característico de la *gonorrea*.

AVATARES VAGINALES

Gases vaginales

Un hombre puede pensar que tener el pene curvado o con manchas es algo ridículo, pero imaginémonos una mujer que expulsa gases por la vagina. Este signo, del que se habla muy poco, conocido médicamente como *flato vaginal*, es, de hecho, más frecuente de lo que podríamos pensar.

Los gases vaginales son normalmente un signo benigno de actividad sexual; el movimiento propio de la relación sexual puede hacer que penetre y salga aire de la vagina, al igual que puede ocurrir con el sexo oral. Aunque también determinados ejercicios físicos, incluyendo algunos de yoga, pueden dar lugar a estos sonidos tan embarazosos.

SEÑAL DE ADVERTENCIA

Si el sexo oral te produce gases vaginales, di a tu pareja que debéis abandonar inmediatamente esa práctica. El aire introducido en la vagina puede provocar una embolia de aire, en ocasiones peligrosa para la vida. Tratándose de una mujer embarazada, también la vida del feto puede estar en peligro.

Normalmente, los gases vaginales no huelen. Sin embargo, cuando desprenden un olor fuerte y desagradable, pueden ser una advertencia de desgarro entre la vagina y el colon (*fístula colovaginal*). Estos desgarros —que pueden producirse con ocasión de un parto o a consecuencia de la *enfermedad de Crohn* (véase «Deposiciones de color rojo o granate») o de otras enfermedades gastrointestinales— pueden causar infecciones y otros problemas importantes.

SECRECIONES VAGINALES

Si eres mujer, conoces muy bien esas secreciones húmedas, algunas veces pegajosas, que manchan tu ropa interior. La mucosidad vaginal es totalmente normal.

La cantidad y la consistencia de la mucosidad vaginal cambian durante el ciclo menstrual y también durante el ciclo vital. Justo antes de la ovulación, la mucosidad vaginal es elástica y muy clara. Durante el embarazo, hay una pequeña cantidad de mucosidad espesa, conocida como *tapón mucoso*, que obstruye el canal cervical; cuando el tapón se desprende, es un signo seguro de que se avecina el alumbramiento. A medida que una mujer va cumpliendo años y sus niveles de estrógenos descienden con la menopausia, normalmente disminuye la producción de mucosidad.

SEÑAL DE ADVERTENCIA

La ducha vaginal no solo es innecesaria sino que puede ser peligrosa. Puede irritar los delicados tejidos vaginales, con estas consecuencias:

- Se expone a la vagina a una infección como las que se producen por transmisión sexual, incluido el sida.
- Puede provocarse una infección al alterarse el equilibrio natural de organismos en la vagina.
- Favorece la introducción de gérmenes en los órganos reproductores, dando lugar a graves infecciones e infertilidad.

Al margen de su cantidad, la secreción vaginal es casi siempre normal. Pero los cambios anormales en su consistencia y olor son algunas veces un signo de problemas. Por ejemplo, una secreción espesa y de color blanco, que a menudo se dice que tiene «la consistencia del requesón», es característica de una infección vaginal por levaduras. La infección vaginal por levaduras, médicamente conocida como *candidiasis vulvovaginal* o *cándida vaginal* (o también como *afta vaginal*), es muy común en mujeres de entre veinte y cuarenta años de edad. Otros signos de esta infección tan molesta son el picor y la incomodidad al orinar, lo que recibe el nombre de *disuria*.

SIGNO DE SALUD

La mucosidad o secreción vaginal normal es de aspecto claro o lácteo y no tiene olor desagradable. Producida principalmente por el útero, la mucosidad vaginal es un signo de que la vagina se está limpiando y humedeciendo adecuadamente. Sin una buena lubricación, la vagina se seca, lo que la expone a infecciones y hace que las relaciones sexuales sean dolorosas.

Esta puede ser a su vez un signo de otras infecciones vaginales o del tracto urinario. (Véase «Orina turbia».) Aunque las secreciones debidas a infección vaginal por levaduras suelen ser inodoras, a veces puede detectarse un olor similar al del pan o la cerveza.

Las secreciones vaginales de color blanco o grisáceo, especialmente si tienen un aspecto espumoso, pueden ser un signo de *vaginosis bacteriana (VB)*, la forma más común de infección vaginal en las mujeres en edad fértil. Este tipo de infección es mucho más importante que la infección por levaduras, y produce secreciones con olor mucho más fuerte. De hecho, frecuentemente desprenden un característico hedor «a pescado», especialmente después de las relaciones sexua-

HECHO SIGNIFICATIVO

Alrededor del 75% de las mujeres contraen una infección vaginal por levaduras en algún momento de su vida. Por desgracia, los episodios suelen repetirse; de hecho, la mitad de las mujeres que tienen una de estas infecciones experimenta más de una.

les. Y hablando de sexo, la VB se considera una enfermedad de transmisión sexual, aunque a veces no se conoce su causa exacta. Se produce cuando varía el equilibrio normal de bacterias en la vagina. Aunque es verdad que el cambio de pareja, o la proliferación de parejas sexuales, aumenta el riesgo de VB, también las mujeres sexualmente inactivas pueden contraer esta potencialmente peligrosa infección.

SEÑAL DE ADVERTENCIA

Alrededor del 16% de las mujeres embarazadas tienen *vaginosis bacteriana*, pero muchas de ellas no se dan cuenta porque la VB no siempre produce síntomas. Desgraciadamente, puede poner en riesgo al feto, a la mujer y a su futura fertilidad. Como consecuencia de una VB durante el embarazo pueden producirse abortos, alumbramientos prematuros, niños con poco peso y enfermedad inflamatoria pélvica.

Las secreciones vaginales amarillentas, espumosas y hediondas, así como el picor y la sensación de quemazón al orinar, pueden ser indicativas de una infección parasitaria microscópica conocida como *tricomoniasis vaginal*, que es otra enfermedad de transmisión sexual muy frecuente en Estados Unidos y en muchos otros lugares del mundo.

SONIDOS Y OLORES ESTOMACALES

Gorgoteo en el estómago

Que el estómago produzca ruidos, especialmente en una habitación llena de gente, puede ser un suplicio. Estos sonidos, médicamente conocidos como *borborigmo* (que viene de una palabra griega que significa borbotear), que provienen tanto del estómago como de los intestinos, son en realidad saludables, ya que indican que el aparato digestivo está funcionando bien. Los produce la *peristalsis*, que consiste en contracciones de tipo ondulatorio de las paredes del tracto gastrointes-

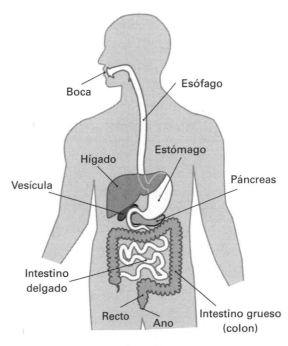

APARATO DIGESTIVO

tinal que ayudan a empujar los alimentos, líquidos y gases a través del aparato digestivo. El estómago y el intestino, estén o no vacíos, producen constantemente sonidos pero cuando hemos comido estos se amortiguan.

Aunque normalmente es algo benigno, el gorgoteo en el estómago puede a veces ser indicativo de importantes problemas gastrointestinales, especialmente si va acompañado de hinchazón, gases, calambres o diarrea. Entre los posibles problemas se incluyen los virus estomacales, las obstrucciones intestinales, la *gastritis* (inflamación del estómago), el *síndrome del colon irritable* (también llamado *colon espástico*) y

---

HECHO SIGNIFICATIVO

Siempre se ha sabido que el bostezo y la tos pueden ser contagiosos. Recientemente, unos investigadores londinenses descubrieron que otros sonidos corporales también son contagiosos. Demostraron que el dicho «Ríe y todo el mundo reirá contigo» responde a la verdad. Sin embargo, otro descubrimiento que hicieron, menos divertido, fue que el sonido de las arcadas también es contagioso.

---

la *enfermedad inflamatoria del intestino*, nombre que abarca la *colitis* y la *enfermedad de Crohn*. (Véase «Deposiciones de color rojo o granate».) La enfermedad inflamatoria del intestino es el trastorno gastrointestinal que con más frecuencia se diagnostica. Entre otros signos se incluyen eructos, hinchazón y dolor, así como mucosidad en las deposiciones y alteraciones en la frecuencia de las mismas. (Véase «Deposiciones viscosas».) Aunque el síndrome del colon irritable y la enfermedad inflamatoria del intestino tienen síntomas parecidos, la segunda es un trastorno más grave.

Exceso de eructos

Eructar en público es, por muy poco margen, el segundo entre los sonidos corporales más embarazosos. Aunque las ventosidades se llevan el primer premio, los eructos son en realidad otra forma de flatulencia.

HABLANDO DE SEÑALES

 La libertad que proclama la Constitución no incluye los eructos.

BART SIMPSON,
personaje de dibujos animados de la televisión

En la mayoría de los casos, los eructos son un signo benigno de gas en el estómago, o sea, de que nos estamos deshaciendo del exceso de aire que ha quedado atrapado en el aparato digestivo. De hecho, es normal eructar tres o cuatro veces después de haber comido. Por supuesto, los eructos también pueden ser una manera de llamar la atención con grosería deliberada.

Pero si eructas mucho contra tu voluntad, puede ser un signo de que has ingerido demasiadas bebidas carbónicas, has masticado mucho chicle o has comido demasiado deprisa. Tanto los eructos como las ventosidades pueden ser señal de que se han ingerido alimentos con mucha fibra (como alubias, algunas frutas y verduras o cereales integrales), productos lácteos, edulcorantes artificiales e hidratos de carbono, especialmente azúcar y féculas.

El exceso de eructos (y de ventosidades) puede ser también una señal de deficiencia de lactasa (también conocida

HECHO SIGNIFICATIVO

Según la ley de Nebraska, si un niño eructa en la iglesia sus padres pueden ser detenidos.

como intolerancia a la lactosa). La lactasa es una enzima necesaria para descomponer la lactosa. Si falta esta enzima, muchos alimentos, incluida la leche y demás productos lácteos, en los que la lactosa es un componente fundamental, no pueden digerirse correctamente, con lo que se producen gases.

El exceso de eructos es también un signo de alergia alimentaria o de indisposición estomacal. O puede ser un síntoma de *enfermedad por reflujo gastroesofágico (ERGE)*, trastorno potencialmente grave en el que los alimentos o los ácidos del estómago regurgitan al esófago. (Véase el capítulo 6.) También puede ser una señal de síndrome del colon irritable. (Véase «Gorgoteo en el estómago».)

HECHO SIGNIFICATIVO

Los eructos y las ventosidades no deben tomarse a broma en relación con el calentamiento global. El gas expelido por las vacas y demás ganado supone cerca del 20% de las emisiones de metano en todo el mundo. El estiércol, rico en nitrógeno, agrava el problema. En Nueva Zelanda la cosa es aún peor, ya que un increíble 60% de las emisiones de gas con efecto invernadero provienen del ganado.

El exceso de eructos puede también poner en evidencia algunos otros trastornos intestinales o estomacales importantes, como úlceras gástricas, enfermedad de la vesícula, cálculos en la vesícula y *hernia de hiato*. Sin embargo, es probable que en todos estos trastornos se presenten otros síntomas más desagradables, como náuseas, vómitos, dolores y alteraciones intestinales.

Además, el exceso de eructos puede ser indicativo de trastornos de la vesícula, o incluso de cáncer de esófago o de colon. Otros signos de estas enfermedades pueden ser hinchazón, pérdida de peso, vómitos de sangre y deposiciones sanguinolentas. (Véase «Información que dan las heces».) Finalmente, el exceso de eructos con fuertes náuseas o vómitos puede ser un signo de peligro de ataque al corazón.

VENTOSIDADES FRECUENTES

Las ventosidades probablemente provocan más carcajadas que cualquier otra función corporal. Son difíciles de disimular debido al sonido y al olor que producen.

El exceso de gas en el aparato digestivo se conoce médicamente como *flatulencia* o *flato*. Ese gas puede flotar por el intestino, causando hinchazón y a veces dolor. Cuando se escapa por la boca, como hace la mayor parte de él, se le llama eructo. (Véase «Exceso de eructos».) Y cuando el gas es expelido por el ano, se le llama ventosidad.

HECHO SIGNIFICATIVO

La palabra *pedo* es popular desde los tiempos de Chaucer. Se ha llegado a aceptar de manera tan generalizada que la sección de la enciclopedia *Oxford Companion to the Body* que trata sobre las flatulencias se titula simplemente «Pedos».

Resulta interesante el hecho de que aunque a veces se utilizan las expresiones «expulsar gases o ventosidades», no hay un solo término médico que exprese en concreto el acto de liberar una ventosidad.

La mayoría de las personas liberan una ventosidad a la hora por término medio, evacuando de esta manera entre medio y un litro y medio de gas al día. Este, que normalmente no huele, está compuesto principalmente por dióxido de carbono, oxígeno, nitrógeno, hidrógeno y algunas veces metano. Las dos últimas sustancias son inflamables y por eso es posible encender una ventosidad.

SIGNO DE LOS TIEMPOS

Según el escritor del siglo XVI John Audrey, el conde de Oxford liberaba sonoras ventosidades cuando se inclinaba ante la reina Isabel I. Estaba tan avergonzado que se impuso a sí mismo siete años de exilio. Cuando regresó, la reina le dijo al darle la bienvenida: «Señor conde, ya me había olvidado de sus ventosidades».

Afortunadamente para nosotros y para los demás, las ventosidades malolientes son más la excepción que la regla. Sin embargo, cuando huelen mal, normalmente es por causa del sulfuro que algunos alimentos contienen en grandes cantidades. Los alimentos peores en este sentido son las verduras crucíferas, como el brécol, la coliflor y la berza, así como las cebollas, el ajo, los huevos y los productos lácteos. Dado que muchos de estos alimentos son también ricos en fibra, pueden ser especialmente molestos, aunque son muy saludables.

También son causa del mal olor los alimentos que contienen sulfitos, una forma de sulfuro que se añade como conservante.

Las pasas y otros frutos secos son ejemplos típicos de alimentos con sulfitos, al igual que los productos cocidos, la cerveza, el vino, la sidra de manzana y muchos otros alimentos y bebidas. Las ventosidades malolientes —así como las deposiciones— pueden también ser señal de una sobreabundancia de bacterias en el intestino delgado. (Véase «Información que dan las heces».) Y a propósito de las deposiciones, cuando el recto está lleno de excrementos el olor de las heces se escapa con las ventosidades.

HECHO SIGNIFICATIVO

Durante cientos de años se han conocido casos de personas envueltas en llamas sin razón aparente, lo que se conoce como *combustión espontánea*. Algunos científicos creen que estos desgraciados acontecimientos son casos en los que la electricidad estática hace que ardan las ventosidades.

Las ventosidades frecuentes pueden ser también un signo de intolerancia a la lactosa (véase «Exceso de eructos») o de alergia alimentaria. O pueden ser indicativos de importantes trastornos gastrointestinales, como cálculos biliares, síndrome del colon irritable o enfermedad inflamatoria del intestino. (Véase «Gorgoteo en el estómago».) El exceso de flatulencia puede delatar algunas veces un cáncer de esófago, de colon o de recto.

SENSACIÓN DE ESTAR LLENO

¿Te has sentido alguna vez como si te hubieras comido un globo, o has tenido aspecto de habértelo comido? Si es así, puede ser que tengas, de hecho, un globo de aire en el estómago. Como ocurre con los eructos y las flatulencias en general (véanse «Exceso de eructos» y «Ventosidades frecuentes»), la sensación de estar lleno, o de tener el estómago hinchado, es a menudo un signo de exceso de gases. En el caso del estómago hinchado, lo que ocurre es que los gases no se liberan; como consecuencia la tripa se hincha. De hecho, puede ser un signo de los mismos trastornos —como intolerancia a la lactosa y problemas gastrointestinales— o del consumo de los mismos alimentos que producen el exceso de eructos.

HECHO SIGNIFICATIVO

Alrededor del 70 % de los afroamericanos tienen intolerancia a la lactosa. Los asiáticos y los judíos también tienen un riesgo mayor de padecerla.

Además, la sensación de hinchazón puede indicar una retención de agua —conocida médicamente como *edema*— provocada por tomar alimentos demasiado salados o determinado fármacos, especialmente píldoras anticonceptivas u otras que contengan estrógenos. El edema puede ser también una señal que indica hipertensión y cambios hormonales relacionados con la menstruación y el embarazo.

Sentirse hinchado puede ser también un síntoma de diferentes problemas intestinales, incluido estreñimiento, obstrucción intestinal, síndrome del colon irritable y cánceres en el aparato digestivo, como el de colon o el de estómago. También puede ser indicativo de enfermedad de la tiroides, cirrosis hepática y enfermedad crónica del riñón.

Y puede ser un síntoma precoz —y a veces el único— de

cáncer de ovario, el más mortífero, y uno de los menos diagnosticados, que afecta a las mujeres. El pronóstico es bueno si se diagnostica precozmente. Por desgracia, en la mayoría de los casos, hasta un 80 %, no se detectan con la suficiente prontitud como para salvar la vida de la mujer.

SEÑAL DE ADVERTENCIA

 Los síntomas de cáncer de ovario son tan poco claros que a menudo se pasan por alto o se confunden con los de otras enfermedades menos graves.

En junio de 2007, la Sociedad Americana del Cáncer y otras asociaciones médicas reconocieron como signos precoces de cáncer de ovario, especialmente si duran más de unas cuantas semanas, los siguientes:

· Dolor pélvico o abdominal.

· Dificultades para comer o rápida sensación de saciedad.

· Sensación de necesidad frecuente o urgente de orinar.

INFORMACIÓN QUE DAN LAS DEPOSICIONES

Se utilizan diversos términos para referirse a los desechos sólidos producidos por el cuerpo. Algunos son formales, como por ejemplo *movimientos intestinales*, *heces*, *excrementos* y *deposiciones*, y otros más coloquiales como *caca*. Y luego está la palabra posiblemente más popular pero menos aceptada socialmente: *mierda*.

Independientemente de cómo los llamemos, a la mayoría no nos gusta hablar de ellos y menos aún mirarlos u olerlos. Sin embargo, observando, por ejemplo, si las deposiciones

---

HECHO SIGNIFICATIVO

Una deposición normal está compuesta en un 75% de agua. Si contiene demasiada poca agua se vuelve dura y a menudo sale en pequeñas bolitas. En otras palabras, estás estreñido. Las deposiciones muy blandas, por otro lado, contienen demasiada agua. Como consecuencia, se produce la diarrea.

---

flotan, se hunden o hieden podemos obtener un montón de información sobre nuestra salud. Estas características, así como el color, la textura, el tamaño, la forma y la cantidad, están condicionadas por muchos factores, de los cuales uno de los más importantes es la dieta. El dicho popular de que «lo que entra por un extremo sale por el otro» es totalmente cierto cuando se trata de productos de desecho. Pero hay en juego otros elementos que pueden afectar al aspecto que tengan las deposiciones, así como a la frecuencia de las evacuaciones.

La próxima vez que vayas al retrete, en vez de refugiarte en una revista del corazón para enterarte de la última primicia sobre las estrellas de Hollywood, harías mejor en buscar la noticia en tu propia deposición. Puedes levantar la liebre sobre multitud de trastornos médicos, algunos de los cuales podrían amenazar tu vida.

DEPOSICIONES DE COLOR VERDE

Todos querríamos que el planeta fuera verde pero... ¿y las deposiciones? De hecho, las deposiciones de color verde pueden ser un signo perfectamente saludable y benigno de que hemos comido muchas verduras ricas en clorofila (el pigmento verde de las plantas). O podrían significar que hemos tomado mucho licor de lima o demasiadas rosquillas verdes y magdalenas en la festividad de San Patricio.

SIGNO DE LOS TIEMPOS

Antes de inventarse los modernos urinarios, la gente se sentaba en bancos de madera para defecar. Se decía eufemísticamente «ir al banco» para decir que se iba a defecar. Para el siglo XVI la palabra *stool* («banco» en inglés) era sinónimo de *heces*. Resulta interesante que este término se usa más habitualmente hoy en día en la práctica de la medicina que el más científico *excremento* o *heces*.

Las deposiciones verdes son también una consecuencia normal de la ingesta de suplementos de hierro y de determinados antibióticos. Junto con las deposiciones sueltas, las de color verde pueden ser una reacción al abuso de laxantes o de cualquier otra sustancia que provoque diarrea. Y si además tienes el aspecto de estar blanco como un papel, las deposiciones verdes y sueltas son probablemente indicativas de una infección gastrointestinal o de otro trastorno que produzca diarrea.

DEPOSICIONES DE COLOR NARANJA

Darse cuenta de que las deposiciones son anaranjadas puede ser muy preocupante, ya que podría parecer que indica la presencia de sangre. Pero el color anaranjado puede querer decir simplemente que hemos comido alimentos que contienen betacaroteno, un importante antioxidante que se encuentra en los alimentos de color naranja, como las zanahorias, el mango, las batatas, los albaricoques y la calabaza. De la misma manera, tomar demasiados suplementos de betacaroteno (vitamina A), o alimentos de color anaranjado o rojo,

---

HECHO SIGNIFICATIVO

La bilis, un jugo digestivo de color amarillo verdoso producido por el hígado y almacenado en la vesícula, colabora en la descomposición de las grasas y en la eliminación de los desechos del organismo. Normalmente, al moverse por el intestino, la bilis se mezcla con bacterias y adquiere un color marrón. Como consecuencia, las deposiciones son de este color.

---

puede tener el mismo efecto. Las deposiciones de color naranja son también una reacción común al fármaco rifampin, que se utiliza para tratar determinadas infecciones bacterianas, especialmente la tuberculosis. (Véase «Orina de color dorado».)

Deposiciones de color rojo o granate

De vez en cuando, todos nos ponemos rojos de vergüenza. Pero ver que nuestras deposiciones tienen un color rojizo puede desatar la alerta roja. Afortunadamente, algunas veces es una falsa alarma. Aunque es verdad que lo que estamos viendo puede ser sangre y un signo de importantes trastornos, también puede ser una señal sin importancia de que hemos comido o bebido grandes cantidades de algo de color rojo, como remolacha, zumo de tomate, gelatina o refrescos de frutas rojas.

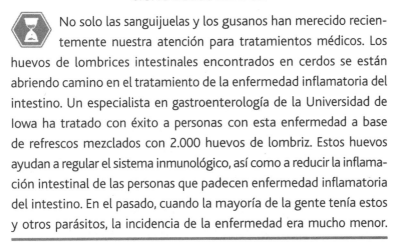

SIGNO DE LOS TIEMPOS

No solo las sanguijuelas y los gusanos han merecido recientemente nuestra atención para tratamientos médicos. Los huevos de lombrices intestinales encontrados en cerdos se están abriendo camino en el tratamiento de la enfermedad inflamatoria del intestino. Un especialista en gastroenterología de la Universidad de Iowa ha tratado con éxito a personas con esta enfermedad a base de refrescos mezclados con 2.000 huevos de lombriz. Estos huevos ayudan a regular el sistema inmunológico, así como a reducir la inflamación intestinal de las personas que padecen enfermedad inflamatoria del intestino. En el pasado, cuando la mayoría de la gente tenía estos y otros parásitos, la incidencia de la enfermedad era mucho menor.

Por otro lado, si aprecias rayas o manchas rojas —lo que se conoce médicamente como *hematoquecia*— en el papel higiénico o en el retrete, puede ser una señal de que tienes *hemorroides* o *fisuras anales* sangrantes, o bien otras lesiones anales o del recto. Estas lesiones pueden estar ocasionadas por un parto difícil, por estreñimiento, por relaciones anales o por la inserción de algún objeto en el recto. Además de un signo de hemorroides o fisuras, las deposiciones de color rojo pueden ser un síntoma de problemas en el tracto gastrointestinal. Si son de un color rojo brillante, probablemente están señalando un problema en el tracto inferior, seguramente en el colon. La hematoquecia puede ser, por ejemplo, un signo de *diverticulitis*, trastorno que se produce cuando las pequeñas bolsas intestinales del colon se irri-

---

HECHO SIGNIFICATIVO

Dado que el *síndrome del colon irritable* y la *enfermedad inflamatoria del intestino* tienen nombres parecidos, a menudo se confunden entre sí.

- El síndrome del colon irritable es más frecuente y tiene una serie de síntomas que incluyen incomodidad o dolor abdominal alternados con episodios de diarrea y estreñimiento.
- La enfermedad inflamatoria del intestino es mucho menos frecuente y normalmente más grave, y hace referencia a dos enfermedades crónicas: el *Crohn* y la *colitis ulcerosa*. La enfermedad inflamatoria del intestino puede producir calambres severos, diarrea y deposiciones sanguinolentas.

---

tan o se infectan. Puede dar lugar a dolores o sensibilidad, frecuentemente en la parte inferior izquierda del colon. Si las deposiciones son de un color rojo oscuro, es más probable que el problema esté en la parte superior del tracto digestivo, incluyendo el esófago, el estómago y el intestino delgado. (Véase «Deposiciones negras, alquitranadas».)

SEÑAL DE ADVERTENCIA

Las deposiciones sanguinolentas son frecuentemente el único signo que advierte de un pólipo en el colon que puede llegar a ser canceroso, o incluso de un cáncer de colon.

Las deposiciones con aspecto sanguinolento pueden también ser una señal de infección intestinal o incluso de la presencia de parásitos. Además, pueden indicar una enfermedad inflamatoria del intestino. (Véase «Ventosidades frecuentes».)

Entre otros síntomas de enfermedad inflamatoria del intestino pueden incluirse la diarrea, los calambres, las náuseas y la pérdida de peso.

Las deposiciones rojizas pueden ser también una reacción a determinados medicamentos, como las pastillas de potasio y algunos antibióticos que producen ulceraciones en el intestino con la consiguiente hemorragia. Por último, son una señal de alarma de pólipos o de cáncer de colon. En resumen, cualquier cosa que provoque el sangrado de una parte del sistema gastrointestinal, desde la boca hasta el ano, puede dar lugar a deposiciones rojizas o sanguinolentas.

DEPOSICIONES NEGRAS, ALQUITRANADAS

Las deposiciones negras pueden parecer incluso más siniestras que las de color rojo. Pero, de hecho, pueden ser totalmente benignas y simplemente una señal de que se han tomado suplementos de hierro, polvo de carbón (para controlar los gases) o Pepto-Bismol u otros fármacos que contengan bismuto. El regaliz y los arándanos también pueden hacer que las deposiciones sean negras.

Pero si además de negras son alquitranadas —lo que médicamente se conoce como *melena*—, pueden indicar la presencia de sangre. Cuando la sangre se desplaza desde el tracto gastrointestinal superior (el esófago y el estómago) hasta el inferior (los intestinos y el recto) se vuelve viscosa y hedionda.

Las deposiciones negras y alquitranadas son también un signo común de úlcera sangrante de estómago (conocida como *úlcera gástrica* o *péptica*) o de *duodeno* (una de las partes del intestino delgado). Además, pueden ser un signo de

En caso de persistir, las siguientes pueden ser señales de advertencia de un posible cáncer de colon o de otros problemas graves:

- Alteración de la frecuencia y momento del día de la defecación.
- Evidencia de sangre en las deposiciones.
- Deposiciones de color muy oscuro.
- Deposiciones muy delgadas.
- Diarrea o estreñimiento.
- Sensación de que el intestino no se vacía por completo.
- Pérdida de peso sin explicación.
- Fatiga excesiva.
- Vómitos.

abuso del alcohol, así como de un uso continuado de determinados fármacos que pueden hacer que el estómago sangre. Entre estos están la aspirina, el ibuprofeno, el naproxen y otros antiinflamatorios no esteroideos (AINES), así como el acetaminofén. La melena puede ser también un signo de gastritis, de inflamación de la pared estomacal o de cáncer en cualquier lugar del tracto gastrointestinal superior.

Deposiciones pálidas

Puedes pensar que la importancia de las deposiciones pálidas palidece en comparación con la de las negras o rojas, y en algunos casos puedes tener razón. Que en alguna ocasión las heces sean pálidas, amarillentas o incluso ligeramente grisáceas puede ser un signo de que hemos tomado demasiados alimentos de color blanco o blanquecino, como arroz, patatas o tapioca. Las personas que han estado expuestas a rayos X con bario pueden notar que sus deposiciones son del color de la cal durante unos cuantos días. Los antiácidos, los suplementos de calcio y algunos fármacos para la diarrea pueden tener el mismo efecto.

SIGNO DE LOS TIEMPOS

Existe un tipo de inodoro alemán, el *Flachspueler* o de palangana, que está diseñado para facilitar el examen de las deposiciones. Las deposiciones quedan retenidas en la superficie plana del inodoro en vez de caer directamente en el agua. Un inconveniente es que probablemente haya que vaciar muchas veces la cisterna para limpiar la superficie. Otro es la salpicadura que puede producirse al miccionar de pie. Para evitar que el asiento y el usuario reciban la salpicadura se pide a los hombres que se sienten para orinar. Para recordar esta norma se pega debajo de las tapas de estos retretes la siguiente pegatina:

Por otro lado, las deposiciones persistentemente pálidas —médicamente conocidas como *deposición acólica*— pueden indicar que la bilis no está llegando al intestino. El bloqueo puede ser un signo de tumor en el conducto biliar o en el páncreas. A veces la deposición acólica es señal de diversas enfermedades graves del hígado que implican el bloqueo de los

conductos biliares, como hepatitis, cirrosis y cáncer de hígado. Entre otros posibles signos de que un conducto biliar está
bloqueado se incluyen la orina de un color amarillo oscuro o
marrón (véase «Orina del color del té»), los ojos y piel amarillos (ictéricos), el picor y los dolores ocasionales.

Heces flotantes

¿Te ha pasado alguna vez que has tenido que vaciar la cisterna del retrete una y otra vez sin conseguir limpiarlo? Por lo
general las deposiciones se hunden, pero algunas veces se
quedan flotando en la superficie. Solía pensarse que el motivo de estas «heces flotantes» era la grasa. Pero en realidad es
el exceso de gas lo que las mantiene a flote. Si la causa del gas
está en la dieta, no hay nada de lo que preocuparse… a no ser
que alguien vaya a usar el cuarto de baño inmediatamente
después.

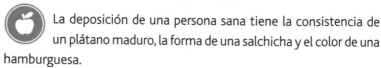

SIGNO DE SALUD

La deposición de una persona sana tiene la consistencia de
un plátano maduro, la forma de una salchicha y el color de una
hamburguesa.

Por otro lado, si el gas es consecuencia de un trastorno
gastrointestinal, las heces flotantes pueden ser señal de una
enfermedad celíaca (también conocida como *esprúe*, trastorno en el que una persona no puede digerir el gluten, que se
encuentra predominantemente en el trigo). Las deposiciones
flotantes se dan también en el síndrome del colon irritable y

en la enfermedad inflamatoria del intestino. (Véase «Ventosidades frecuentes».) Las personas que tienen estos problemas gastrointestinales a menudo sufren de diarrea, además de tener deposiciones flotantes.

Deposiciones grasientas y con mal olor

Si percibes que tus deposiciones flotantes están recubiertas de una capa oleaginosa y son caldosas y malolientes presentas el signo clásico de la *esteatorrea*, un nivel anormalmente elevado de grasa en las deposiciones. Estas heces grasientas y fétidas pueden ser un signo de enfermedad inflamatoria del intestino (véase «Deposiciones de color rojo o granate») o

---

HECHO SIGNIFICATIVO

Muchas personas creen que si no defecan todos los días tienen estreñimiento. Pero para algunos es totalmente normal no ir al baño varios días seguidos. Se considera que una persona es estreñida cuando tiene menos de tres deposiciones a la semana o cuando sus heces son pequeñas, secas y duras y las expulsa con gran dificultad.

---

también pueden significar que tu dieta es demasiado rica en grasas o que tu cuerpo no las absorbe adecuadamente. De hecho, una esteatorrea a menudo indica un *síndrome de malabsorción*, trastorno en el que no se absorben adecuadamente la grasa y otros nutrientes.

Dado que el exceso de grasa puede deberse al bloqueo de un conducto biliar, la esteatorrea puede en ocasiones ser señal de muchos de los mismos trastornos que acompañan

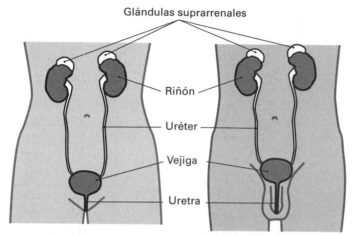

Glándulas suprarrenales

Riñón

Uréter

Vejiga

Uretra

ANATOMÍA DEL TRACTO URINARIO FEMENINO Y MASCULINO

a las deposiciones pálidas: enfermedades de la vesícula, del hígado o del páncreas, o cáncer. (Véase «Deposiciones pálidas».)

DEPOSICIONES VISCOSAS

Si tus deposiciones parecen estar cubiertas de mucosidad o de pus, más que de grasa, puede ser un síntoma de alergias alimentarias. Y, al igual que ocurre con las deposiciones grasientas, también puede indicar problemas gastrointestinales como infecciones bacterianas, obstrucciones intestinales, síndrome del colon irritable o enfermedad inflamatoria del intestino. (Véase «Deposiciones de color rojo o granate».)

Algunas veces, las deposiciones viscosas son un signo de una infección bacteriana intestinal llamada *sigelosis* o de la infección parasitaria conocida como *giardiasis*. Por último, la mucosidad en las deposiciones puede ser un signo indicativo de problemas en el recto como la *proctitis* o inflamación del revestimiento del recto.

DEPOSICIONES MUY DELGADAS

La delgadez no es siempre algo deseable. Si has percibido que tus deposiciones son estrechas como un lápiz, el signo no es bueno. Pueden indicar síndrome del colon irritable (véanse «Heces flotantes» y «Deposiciones de color rojo o granate») o una obstrucción intestinal parcial provocada posiblemente por una adherencia, un pólipo, un tumor o un cáncer. De hecho, las deposiciones extremadamente delgadas son un importante signo precoz de cáncer de colon.

LA ORINA

Nuestras madres seguramente necesitaron muchas semanas, meses o, en algunos casos, años para enseñarnos a utilizar el orinal. Aparte de la afición propia de la infancia y de la adolescencia a las bromas relacionadas con el cuarto de baño, una vez que aprendemos a controlar la vejiga raras veces nos ocupamos demasiado de la orina. Puede ser que no tengamos que llegar a los extremos de los médicos de la Edad Media,

---

HECHO SIGNIFICATIVO

Nuestro organismo limpia alrededor de 180 litros de fluidos corporales al día y casi la totalidad de los mismos se incorporan al sistema circulatorio. Al orinar, excretamos 1,8 litros de líquidos de desecho.

---

que inspeccionaban obsesivamente la orina de sus pacientes como si fuera oro. Pero si prestamos atención al líquido que expulsamos del cuerpo, podemos aprender mucho sobre el estado de nuestra salud.

Como ocurre con la defecación, al referirnos a la micción usamos gran variedad de términos, algunos sucios y otros más finos. Tanto si empleamos los más aceptables socialmente (*miccionar, orinar*) como los más populares (*hacer pis, mear*, o *echar una caña*), deberíamos prestar atención de vez en cuando a esta función corporal.

ORINA DE DISTINTOS COLORES

Ver las cosas de color de rosa está muy bien, pero ver que hacemos pis rosado ya es otra historia… que puede que no nos haga precisamente sonreír. Aunque es verdad que la orina rosa, naranja, verde o del color del té puede significar simplemente que hemos tomado alimentos o medicinas que contienen colorantes, hay veces que la variedad de tonalidades de la orina puede proporcionarnos valiosas indicaciones sobre posibles problemas «de cañerías», sobre infecciones o incluso sobre daños en los órganos internos.

Orina verde como un guisante

Como muchos otros cambios en el color de la orina, el pis de color verde puede ser consecuencia del color de algunos alimentos o bebidas que hayamos ingerido. Uno de los que pueden producirlo es el espárrago que, como todos sabemos,

SIGNO DE LOS TIEMPOS

 Una broma que se suelen gastar los estudiantes de farmacia es verter disimuladamente unas gotas de azul de metileno, un tinte muy común, en el café o la Coca-Cola de un compañero de laboratorio. El producto químico, que es prácticamente insípido, inicia rápidamente su camino hacia los riñones. Cuando la inocente víctima va al lavabo comprueba sorprendida que su orina es de color verde como un guisante o incluso de un tono azulado.

hace que la orina desprenda además un olor muy especial. (Véase «Olor de la orina».) El pis de color verde puede ser también una reacción, por otro lado bastante habitual, a determinados compuestos multivitamínicos y a algunos fármacos utilizados para tratar la depresión, las alergias, las náuseas, el dolor y las inflamaciones. Los pacientes a quienes les han administrado propofol (un anestésico) a veces hacen pis de color verde después de la intervención quirúrgica (aunque se han visto casos en los que el color era rosado).

Pero la orina verde puede también indicarnos que se está produciendo bilirrubina, sustancia química verdosa fabricada por el hígado, que es un componente de la bilis y que también es la causa de la ictericia. (Véase el capítulo 2.) Un exceso de bilirrubina puede ser un signo de problemas de hígado y de páncreas. (Véase «Deposiciones pálidas».)

Orina rosácea o rojiza

La orina de color rosado o rojizo no siempre significa sangre. Los alimentos de pigmento rojo, como la remolacha, los pimientos rojos y las moras pueden hacer que la orina adquiera una tonalidad rosácea. La orina roja como la remolacha se presenta con frecuencia cuando las personas con deficiencia de hierro, o que tienen el síndrome de malabsorción, comen este alimento (o algunas veces otros de color rojo). (Véase «Deposiciones grasientas y con mal olor».)

El ruibarbo y la sena pueden hacer también que la orina adquiera una tonalidad rosácea. Contienen antraquinona, que a menudo se utiliza como tinte y que es un potente laxante. La orina rosácea o rojiza puede también ser una reacción a varios fármacos que se utilizan en psiquiatría, así como a agentes anticancerígenos que contienen antraquinona.

Desgraciadamente, la orina de color rosáceo o rojizo algunas veces indica que contiene sangre, lo que médicamente se conoce como *hematuria*. Puede, por ejemplo, ser una señal de una lesión de riñón. Aunque la sangre puede tener su origen en cualquier parte del tracto urinario, a veces es un importante signo precoz de diversos trastornos importantes del riñón, el hígado o la vejiga, como infecciones, cálculos, quistes, tumores e incluso cáncer.

Orina de color morado

La orina de un rojo oscuro, o de color morado, es característica de un conjunto poco habitual de trastornos hereditarios de la sangre llamados *porfirias*. Estos trastornos son muy comunes en algunas familias reales europeas, aunque no solo afectan a las familias de sangre azul.

Resulta interesante el hecho de que la orina puede no volverse morada mientras no se exponga a la luz durante un rato.

SIGNO DE LOS TIEMPOS

Varios miembros de la familia real británica sufrieron porfirias. María Estuardo, reina de Escocia, y su hijo Jacobo I de Inglaterra padecieron la enfermedad. Jorge III la sufrió hasta un punto de gravedad tal que fue volviéndose progresivamente loco y se quedó ciego. En la película británica *La locura del rey Jorge*, de 1994, se describe muy gráficamente su padecimiento.

Las porfirias producen muchos síntomas que van desde la hipersensibilidad a la luz hasta fuertes dolores abdominales, confusión mental, ataques epilépticos e incluso parálisis.

Orina de color dorado

La orina debe ser clara o tener una tonalidad ligeramente amarillenta. La orina de un amarillo oscuro, o de color anaranjado, puede ser un signo de alerta de deshidratación grave. La orina de olor muy fuerte es otro signo inconfundible de deshidratación. (Véanse «Orina del color del té» y «Olor de la orina».) La escasez de orina —médicamente conocida como *oliguria*— es otra importante señal de deshidratación.

La orina de color amarillo oscuro puede indicar que estamos tomado grandes cantidades de betacaroteno, bien me-

HECHO SIGNIFICATIVO

En los países de costumbres occidentales, una persona produce por término medio casi un cuarto de kilo de heces al día.

diante los alimentos o bien en suplementos. Algunos fármacos pueden hacer que la orina se vuelva de color naranja. Entre ellos están el medicamento contra la tuberculosis rifampin, el anticoagulante warfarina y algunas drogas anticancerígenas. Estos son muchos de los mismos medicamentos que hacen que las deposiciones sean de color naranja. (Véase «Deposiciones de color naranja».)

SEÑAL DE ADVERTENCIA

Aunque uno podría pensar que está suficientemente hidratado, en el momento en que se empieza a tener sed ya ha comenzado la deshidratación. Esta puede dar lugar a ataques y daños cerebrales, e incluso provocar la muerte. Es especialmente peligrosa en los niños y en los adultos de más de sesenta años.

Orina del color del té

No es necesario ser un experto en té para saber que la orina oscura, del color del té, puede ser un signo muy importante de varios trastornos significativos. La orina con aspecto de té fuerte es otro importante signo de deshidratación. O, como

---

SIGNO DE LOS TIEMPOS

La rabdomilosis fue descrita por vez primera en la literatura médica alemana en el año 1881. Pero fue con ocasión del bombardeo de Londres de 1941 cuando fue identificada como la complicación más importante que sufrieron muchas personas aplastadas por cascotes de edificios y puentes derruidos.

---

ocurre con otros colores que a veces adquiere, puede ser simplemente una reacción a determinados alimentos y medicinas. Por ejemplo, el ruibarbo puede hacer que la orina se vuelva muy oscura, así como rosácea o roja. (Véase «Orina rosácea o rojiza».) También la quinina puede hacer que la orina sea del color del té. Esta sustancia está presente en determinados medicamentos y bebidas, así como en algunos antibióticos, especialmente el metradinazole (Flagyl), muy común en el tratamiento de diferentes infecciones intestinales como la *giardiasis* y la *disentería*, así como la infección vaginal *tricomoniasis*.

SIGNO DE LOS TIEMPOS

Nuestros antepasados descubrieron muchas maneras de aprovechar la orina. Los antiguos romanos la usaban para lavar la ropa y para blanquear los dientes. A estos efectos, la orina portuguesa gozaba de gran prestigio. Los antiguos chinos usaban la orina para limpiarse la boca. En los campos de batalla, tanto en la Antigüedad como en tiempos modernos, se ha usado para esterilizar heridas a falta de antisépticos. Y a lo largo de la historia, la gente ha bebido orina para intentar curar sus enfermedades.

Una orina con aspecto de té es también signo de varios trastornos médicos importantes, incluyendo hemorragias provenientes del riñón o de la vejiga que ya hayan cesado, pero como consecuencia de las cuales la orina haya adquirido un color marrón, así como de enfermedades del hígado como la *hepatitis* y la *cirrosis*. El color amarillento en los ojos, la piel y las deposiciones es otro síntoma de hígado enfermo que está relacionado con el color. (Véanse los capítulos 2 y 9 y «Deposiciones pálidas».)

La orina del color del té puede ser también un síntoma de *cetoacidosis diabética (CAD)*, una complicación de la diabetes que puede llegar a ser mortal. (Véanse «Micciones frecuentes» y «Orina dulce».) Por último, la orina del color del té es normalmente el primer signo de *rabdomilosis*, trastorno potencialmente fatal en el que las fibras musculares se deterioran, se

---

SIGNO DE SALUD

 Podrías creer que la orina debe ser amarilla, pero no es así. La orina de una persona sana es clara, o ligeramente amarillenta, y no espumosa o caldosa.

---

vuelven tóxicas y penetran en el torrente sanguíneo. Es con frecuencia una consecuencia de lo que se llama «lesión por aplastamiento», el tipo de daño muscular importante derivado de un accidente de automóvil o de la presión de un objeto pesado. Las personas alcohólicas que hayan sufrido un *delirium tremens (DT)* severo pueden padecer también este trastorno.

El exceso de ejercicio, practicando actividades como correr un maratón o realizar agotadores ejercicios con pesas, puede provocar también este trastorno. En esencia, la rabdomilosis puede ser consecuencia de cualquier lesión, enfermedad o trastorno que provoque destrucción muscular. La bue-

---

SIGNO DE LOS TIEMPOS

Los usuarios más recatados de los urinarios públicos japoneses pueden disimular el sonido de sus ventosidades simplemente apretando un botón. Los retretes tienen dispositivos que simulan el sonido que se produce al tirar de la cisterna.

---

na noticia es que, si se detecta a tiempo, se puede tratar. En caso contrario, se pueden producir daños nerviosos o musculares, insuficiencia renal y posiblemente coágulos de sangre y arritmias cardíacas con consecuencias potencialmente fatales.

SEÑAL DE ADVERTENCIA

Si estás tomando determinados fármacos para el colesterol, comprueba si tu orina es del color del té y si tienes rigidez, dolor o debilidad en los músculos. Pueden ser signos de rabdomilosis, un grave efecto secundario.

Olor de la orina

Algunos de nuestros platos favoritos (y algunos de los que menos apreciamos) pueden hacer que la orina huela de manera repugnante. Los espárragos, la col, la coliflor y el ajo pueden hacer que la orina huela muy mal. Pero hay algunos olores de la orina, muy definidos o desagradables, que pueden alertarte sobre problemas médicos. Aunque no sea demasiado raro el olor a amoníaco en el cuarto de baño, si tu orina huele como esa sustancia, puede ser un signo de que estás deshidratado. (Véase «Orina de color dorado».)

La orina maloliente —especialmente si se trata de la primera del día— puede ser un signo de *infección del tracto urinario (ITU)*. (Véase «Orina turbia».)

La orina con olor a pescado puede ser signo de un trastorno metabólico conocido muy descriptivamente como *síndrome del olor a pescado*, o con el nombre mucho más difícil de pronunciar de *trimetilaminuria*. (Véase «Sudor con olor a pescado».)

Orina dulce

Para muchos de nosotros, el uso de perfumes y de agua de colonia es parte de la rutina diaria en el cuarto de baño. Pero si el «agua» de tu retrete tiene un olor dulzón... no es una buena señal. De hecho, puede ser un signo de una grave complicación de la diabetes conocida como *cetoacidosis diabética* (*CAD*). A causa de esta enfermedad, se pueden formar en la sangre unas sustancias llamadas *cetonas* y dar a la orina, el aliento e incluso a la piel un olor claramente dulzón parecido al de la acetona. (Véase «Sudor maloliente».) La orina de color oscuro (véase «Orina del color del té») y la micción excesiva son otros signos de este trastorno. Si no se trata, la CAD puede dar lugar a ataques cardíacos, insuficiencia renal, coma y muerte.

Orina espumosa

Si miras la taza del retrete y ves que la orina está burbujeante, no des por sentado que acaban de limpiarlo y han quedado restos de jabón. La orina espumosa puede ser el primer signo de *proteinuria* (algunas veces llamada *albuminuria*), formación en la orina de sales de bilis o de albúmina.

SIGNO DE LOS TIEMPOS

En tiempos antiguos, los médicos probaban la orina del paciente como medio de diagnóstico. Si era dulce, sabían que algo no estaba bien. La orina dulce es en este momento un signo comprobado de diabetes. De hecho, el término *diabetes mellitus* viene de la palabra griega *diabetes*, «fluir», y de la palabra latina *mellitas*, «miel».

La proteinuria es una señal de daño renal así como de enfermedad del corazón, especialmente en pacientes con diabetes e hipertensión. La orina espumosa es también muchas veces el primer signo del *síndrome nefrótico*, grave trastorno en el que el sistema de filtración del riñón puede quedar dañado por infecciones víricas, diabetes y lupus. (Véase el apéndice I.) Esto hace que un exceso de proteína vaya a parar a la orina. Las burbujas en la orina pueden también ser un signo de que existe una *fístula*, conexión anormal entre la vejiga y la vagina o el recto. Hay muchos trastornos, incluida la enfermedad de Crohn o un tumor, que pueden producir una fístula. (Véase «Gorgoteo en el estómago».)

ORINA TURBIA

La orina oscura o turbia es la característica típica de una infección del tracto urinario (ITU). Algunas veces tiene además muy mal olor (véase «Olor de la orina»). La infección puede iniciarse y permanecer en la vejiga, en cuyo caso se conoce médicamente como *cistitis*, o puede extenderse hacia arriba y afectar a los riñones, lo cual se conoce como *pielonefritis*. La turbulencia se debe a la presencia de bacterias y mucosidad. También puede haber infecciones en otras partes del tracto urinario, como la uretra y los uréteres, y frecuentemente están relacionadas con la actividad sexual.

SIGNO DE SALUD

En una persona sana, la orina es prácticamente estéril e inodora en el momento de ser expulsada del organismo.

En los hombres, una orina turbia o rojiza puede ser un signo de inflamación de la próstata, médicamente conocida como *prostatitis*, que normalmente es consecuencia de una infección del tracto urinario o en ocasiones de una enfermedad de transmisión sexual. Los hombres que tienen la próstata más grande de lo normal, lo que médicamente se conoce como *hiperplasia prostática benigna (HPB)*, son más propensos a contraer una prostatitis, normalmente derivada de una infección del tracto urinario. (Véase «Micciones frecuentes».) En la hiperplasia prostática, que es muy común a medida que los hombres van cumpliendo años, la glándula prostática bloquea el flujo de orina. Entre otros signos de prostatitis relacionados con la orina —cualquiera que sea su causa— se incluyen la dificultad para la micción y la sensación de no haber vaciado por completo la vejiga. No está claro si hay alguna relación entre la prostatitis y el cáncer de próstata.

En las mujeres, una infección del tracto urinario puede ser un signo de actividad sexual frecuente o, algunas veces, demasiado enérgica. Durante una relación sexual, puede haber bacterias empujadas hacia la uretra, el conducto por el que la orina sale de la vejiga. Las mujeres tienen uretras relativamente cortas que permiten que las bacterias entren rápidamente en la vejiga. Por otro lado, los hombres las tienen más largas, lo que puede ser la razón de que las infecciones del tracto urinario sean más frecuentes en las mujeres. Pero los hombres con hiperplasia prostática benigna (véase «Micciones frecuentes») tienen un mayor riesgo de contraerlas, porque muchas veces no pueden vaciar por completo la vejiga. La orina no eliminada es un campo abonado para el crecimiento de bacterias. Las personas diabéticas y las que tienen el sistema inmunológico debilitado son especialmente vulnerables a las infecciones del tracto urinario.

SEÑALES DE ADVERTENCIA

Estos son los signos típicos de infección del tracto urinario relacionados con la orina:

• Sensación de quemazón al orinar.
• Sensación de que se necesita orinar más de lo normal.
• Sensación de que se necesita orinar sin poder hacerlo, o haciéndolo solo en pequeña cantidad.
• Pérdidas de orina.
• Orina maloliente, turbia, oscura o sanguinolenta.

Si has tenido algún episodio de ITU, es probable que este se repita. Desgraciadamente, cuando estos episodios son frecuentes pueden ser un signo precoz de que se van a producir trastornos en el tracto urinario y en los riñones. Y las infecciones renales pueden provocar daños permanentes.

SEÑAL DE ADVERTENCIA

Tener que esperar demasiado tiempo para orinar después de sentir la necesidad de hacerlo aumenta las probabilidades de infección del tracto urinario. Una vejiga muy llena se dilata y debilita los músculos que controlan su vaciado, haciendo que este sea incompleto. La orina que queda en la vejiga es un campo abonado para las bacterias.

Micciones frecuentes

¿Hay algo más desesperante que estar en el cine y no tener más remedio que ir al lavabo a mitad de la película? O, aún peor, ¡qué suplicio el de un actor que está en el escenario, o el de un orador en pleno discurso, si siente unas ganas acuciantes de orinar, incluso aunque ya haya ido antes al baño! Si estas cosas te ocurren a ti con mucha frecuencia, estás mostrando el signo clásico de lo que se llama con mucho sentido *urgencia urinaria* o *poliuria*.

Este es uno de los signos más típicos del embarazo. Pero aunque estés embarazada, no deberías pasarlo por alto. Las micciones frecuentes —tanto en las mujeres como en los hombres—, especialmente cuando van acompañadas de sed, son un signo precoz muy común de diabetes. (Véase el apéndice I.)

SIGNO DE LOS TIEMPOS

Puede que no sea del gusto de todo el mundo, pero algunas personas muy conocidas practican la «cura de la orina», conocida con el nombre de *urofagia*. Se decía que Gandhi, Jim Morrison y Steve McQueen bebían orina para aliviar sus enfermedades.

La poliuria puede también ser una señal de infección del tracto urinario o de una enfermedad de transmisión sexual. (Véase «Orina turbia».) En ambos casos se pueden producir también secreciones. (Véanse «Secreciones del pene» y «Secreciones vaginales».)

En las mujeres de cierta edad, orinar con más frecuencia que lo que lo hacían antes es un signo especialmente común de la menopausia. A medida que bajan los niveles de estrógenos, se estrecha el revestimiento de la uretra y se debilitan los músculos de la pelvis. Esto no solo hace que las micciones sean más frecuentes, sino que produce otros problemas *genitourinarios*, como infecciones vaginales por levaduras e inflamaciones del tracto urinario. (Véanse «Secreciones del pene» y «Secreciones vaginales».)

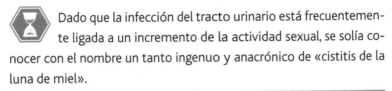

SIGNO DE LOS TIEMPOS

Dado que la infección del tracto urinario está frecuentemente ligada a un incremento de la actividad sexual, se solía conocer con el nombre un tanto ingenuo y anacrónico de «cistitis de la luna de miel».

Pero si eres un hombre de cierta edad y tienes la necesidad de hacer pis a menudo, puede ser uno de los signos clásicos de hiperplasia prostática benigna. (Véase «Orina turbia».) Cuando existe este trastorno, el aumento del tamaño de la próstata (glándula con forma de nuez que está debajo de la vejiga y rodea la uretra) comprime la uretra y bloquea el flujo de orina. Como consecuencia, la vejiga no puede vaciarse de manera rápida o completa y la persona siente la necesidad de orinar más a menudo.

SEÑALES DE ADVERTENCIA

Estos son los signos típicos de la hiperplasia prostática benigna:

- Micciones frecuentes.
- Necesidad urgente de orinar.
- Tardanza en empezar a orinar.
- Expulsar un poco más de orina después de creer que se ha acabado.
- Sentir que la vejiga no está completamente vacía después de haber orinado.

La hiperplasia prostática benigna normalmente se desarrolla poco a poco a medida que los hombres van cumpliendo años; de hecho, el 90 % de ellos padecen este trastorno cuando alcanza los ochenta años. No es peligrosa, como su nombre indica, pero puede afectar a la calidad de vida.

Si bien tener que ir constantemente al retrete durante el día es algo molesto, estar obligado a saltar de la cama varias veces por la noche para hacer pis lo es aún más. La necesidad de orinar mucho durante la noche —lo que se conoce médicamente como *nocturia*— puede ser una señal de alerta en relación con diversos trastornos, benignos y no tan benignos.

HECHOS SIGNIFICATIVOS

Cualquier parte del tracto urinario, superior o inferior, puede albergar una infección.

- Los riñones: órganos que producen la orina.
- Los uréteres: largos conductos que van desde los riñones hasta la vejiga.
- La vejiga: órgano que almacena la orina.
- La uretra: conducto a través del cual la orina sale de la vejiga.

Por ejemplo, puede ser una reacción no deseada a algunos fármacos habituales como los diuréticos, a algunos medicamentos para el corazón y a determinadas medicinas psiquiátricas. Y, por supuesto, puede ser un signo indicativo de los mismos trastornos que provocan las micciones frecuentes durante el día, como la diabetes y la hiperplasia prostática benigna. La nocturia puede también ser una señal de enfermedad renal e incluso de insuficiencia cardíaca. O, lógicamente, puede querer decir que se ha ingerido demasiado líquido, bebidas con cafeína, cerveza u otras bebidas alcohólicas.

Pérdidas de orina

Probablemente muchos de nosotros nos hemos reído tanto alguna vez al oír un buen chiste que nos hemos hecho pis en los pantalones. Pero seguro que a los 13 millones de estadounidenses que tienen *incontinencia urinaria* no les hace ninguna gracia que les pase. De hecho, aparte del trastorno en sí, la gran vergüenza que suele acompañarlo es un problema importante. Para las personas mayores, que tienen mayor riesgo

---

SIGNO DE SALUD

Una persona normal orina unas siete veces al día; si lo hace con mayor o menor frecuencia puede querer decir que hay un problema.

---

de padecerlo, los inconvenientes son aún mayores. Pero no solo lo padecen las personas mayores. Alrededor del 30 % de las mujeres y del 5 % de los hombres que están entre los quince y los sesenta y cuatro años ha tenido algún episodio de pérdida de orina.

Pero no todos los problemas de pérdida de orina son iguales. Por ejemplo, si dejamos escapar un poquito de pis cuando tosemos, estornudamos, nos reímos o hacemos un esfuerzo puede ser un signo de *incontinencia por estrés*. En este caso, los músculos que están debajo de la vejiga no pueden soportar la tensión que experimenta esta al llenarse de orina por alguna razón entre varias posibles. Por ejemplo, que la uretra no se cierre adecuadamente; en este caso, incluso una ligera presión sobre la vejiga puede hacer que se escape algo de orina.

SIGNO DE LOS TIEMPOS

Aproximadamente la mitad de los residentes en hogares para ancianos que tienen más de sesenta y cinco años sufren de incontinencia. De hecho, este trastorno es con frecuencia un factor importante a la hora de tomar la decisión de ingresar a una persona mayor en este tipo de instituciones.

La incontinencia por estrés es el tipo de pérdida de orina más frecuente entre las mujeres jóvenes y de mediana edad, especialmente si están embarazadas. También se presenta con frecuencia después del parto o de una operación quirúrgica en la pelvis, especialmente después de una *histeroctomía*. Es además un signo común de la menopausia. La caída de los niveles de estrógenos produce una disminución de la capacidad de la uretra para controlar el flujo de orina y a consecuencia de ello se produce la pérdida de pequeñas cantidades. Pero los hombres no están exentos de sufrir incontinencia por estrés, que con frecuencia es una complicación derivada de una operación de próstata.

Para algunas personas, simplemente el sonido que produce el agua al correr puede hacer que tengan que ser ellas las que corran al lavabo… a veces no con la velocidad suficiente. Este es un embarazoso signo de *incontinencia de urgencia* o *vejiga hiperactiva*, trastorno que hace que una persona se vuelva hipersensible a determinados sonidos y otras señales que estimulan el inicio del vaciado de la vejiga, incluso

SIGNO DE LOS TIEMPOS

No toda la orina se desaprovecha.

• Se hacen pruebas de orina para precisar el momento de la ovulación.

• Se hacen pruebas de orina para confirmar un embarazo.

• Debido a su composición, la orina de las mujeres que ya han pasado la menopausia se ha utilizado en ocasiones para tratar la infertilidad.

• La orina de mujeres embarazadas también se ha utilizado para fabricar fármacos que favorecen la fertilidad.

• Por último, pero no menos importante, la orina de las yeguas embarazadas ha sido una fuente de estrógenos que se ha utilizado en la terapia de reemplazo hormonal posterior a la menopausia.

aunque no esté llena. La vejiga hiperactiva afecta más a las mujeres que a los hombres, especialmente a las menores de sesenta años, y hace que tengan que ir con frecuencia al lavabo y que a veces mojen las sábanas por la noche (*enuresis nocturna*).

Este trastorno puede presentarse como reacción a algunos fármacos, especialmente los diuréticos, así como a las bebidas con cafeína, los sedantes y el alcohol, que también pueden tener efectos diuréticos.

HECHO SIGNIFICATIVO

La pérdida de orina es frecuente después del parto. Alrededor del 15 % de las mujeres sigue perdiendo orina tres meses después del alumbramiento.

Por otro lado, la vejiga hiperactiva pude ser una señal de varios trastornos médicos importantes, incluyendo infección del tracto urinario (véase «Orina turbia»), infecciones vaginales, enfermedades de transmisión sexual (véanse «Secreciones del pene» y «Secreciones vaginales») y cáncer de próstata. Y puede ser una complicación de la radioterapia o de la cirugía de la próstata. Por último, una vejiga hiperactiva es un signo común de varios trastornos crónicos, como problemas de riñón y de corazón, diabetes, enfermedad de Parkinson y esclerosis múltiple.

SEÑAL DE STOP

STOP Una buena manera de ayudar a evitar las pérdidas de orina es practicar los ejercicios Kegel, que fortalecen los músculos de la base de la pelvis que controlan la vejiga. Y tienen un beneficio añadido: las mujeres que los practican dicen que disfrutan más de las relaciones sexuales.

SUDOR

Todos sudamos. Y es bueno hacerlo. La transpiración —conocida médicamente como *hidrosis*— es normalmente un signo saludable e inofensivo de que las glándulas sudoríparas están cumpliendo su función de regular la temperatura corporal. Sudar con el calor o el ejercicio físico es algo completamente natural. También podemos experimentar un «sudor frío» o un sudor en las palmas de las manos cuando estamos emocionalmente estresados o muy asustados.

Tanto el sudor producido para regular la temperatura

como el sudor emocional provienen de las *glándulas ecrinas*, que empiezan a funcionar cuando nacemos.

Con la excepción de los labios, el lecho de las uñas y algunas partes de la vagina y el pene, las glándulas ecrinas se reparten por todo nuestro cuerpo. La mayoría están en las palmas de las manos y en las plantas de los pies, en las axilas y, en menor medida, en la cara.

HECHO SIGNIFICATIVO

Una simple gota de sudor del tamaño de un guisante puede reducir la temperatura de un litro de sangre en un poco más de medio grado centígrado.

Existe otro tipo de sudor, que proviene de las *glándulas apocrinas*, que no entran en juego hasta la pubertad. Estas glándulas sudoríparas se encuentran debajo de los brazos, alrededor de los pezones y en los lugares más peludos como el cuero cabelludo y la zona genital. A diferencia de las glándulas ecrinas, que regulan la temperatura corporal, las apocrinas no reaccionan ante el calor, sino que producen sudor en respuesta a emociones o a la acción de las hormonas.

Aunque no se sabe a ciencia cierta en qué forma, las glándulas apocrinas parecen tener una función en la atracción sexual... o en la repulsión. Parece ser que estas glándulas emiten sustancias aromáticas similares a las *feromonas*, que son la clave de la atracción y el apareamiento en el mundo animal.

La cantidad de sudor que expulsamos depende de muchos factores: la alimentación, las medicinas que tomamos, los niveles de hormonas, el estado emocional e incluso nuestros genes.

Sudor excesivo

¿Sueles lucir camiseta de manga corta cuando los demás tiemblan de frío a pesar de llevar abrigo? Sudar excesivamente durante todo el año es la característica que define a la *hiperhidrosis*, un trastorno a veces hereditario que hace que una persona produzca mucho más sudor del que necesita para regular la temperatura de su cuerpo.

La hiperhidrosis puede estar provocada por las altas temperaturas, bien sean exteriores o producidas por un exceso de calefacción, comidas picantes, bebidas calientes, cafeína y alcohol, así como por determinados fármacos. (Véase «Sudores nocturnos».)

SEÑAL DE ADVERTENCIA

Podrías pensar que es bueno sudar mucho, especialmente en el gimnasio. Pero la transpiración excesiva puede hacernos perder calcio. (Una razón más para tomar suplementos de calcio.) El sudor también produce estrés al corazón, de manera que si tienes problemas cardíacos, o tienes ya cierta edad, no te ejercites demasiado.

El sudor excesivo en mujeres de cierta edad es con frecuencia un signo de menopausia. En este caso, el sudor se acentúa por la noche. (Véase «Sudores nocturnos».) Los sofocos se deben a la caída del nivel de estrógenos.

También los hombres experimentan sofocos ocasionales a partir de una edad, normalmente debido a la caída de los niveles de testosterona, lo que médicamente se conoce como *hipogonadismo* (y también como *andropausia* o *menopausia masculina*).

SEÑAL DE PELIGRO

Si empiezas a sudar frío y te sientes mareado o tienes dolor en el pecho o en el estómago, pide inmediatamente atención médica. Puedes estar padeciendo un ataque al corazón.

El sudor desmesurado es a veces una señal de bajo nivel de azúcar en la sangre (hipoglucemia) relacionado con la diabetes, y normalmente va acompañado de temblor, mareos, debilidad y hambre. El exceso de transpiración, junto con la intolerancia al calor, es un signo muy habitual de hipertiroidismo. (Véase el apéndice I.) Además, es uno de los tres signos clásicos de un tipo de tumor adrenal, el *feocromacitoma*, que hace que se produzca demasiada adrenalina. Los otros dos signos característicos son las palpitaciones y los dolores de cabeza. Si no se tratan, los feocromacitomas pueden poner en peligro la vida del paciente, porque pueden elevar la tensión sanguínea hasta niveles peligrosos. Algunas veces son cancerosos.

HECHOS SIGNIFICATIVOS

Tenemos entre tres y cuatro millones de glándulas ecrinas en el cuerpo. El sudor que producen está compuesto de agua en un 99%. El restante 1% contiene pequeñas cantidades de sal, amoníaco, calcio y otros minerales. Estos electrolitos regulan el equilibrio corporal de fluidos y la temperatura.

Con independencia de su causa, la transpiración abundante puede producir pie de atleta, picor de deportista, calor con escozor, verrugas e infecciones en las uñas, por no hablar de sus inconvenientes de tipo social.

Sudores nocturnos

¿Te has despertado alguna vez por la noche empapado en sudor? Si eres mujer, puedes reconocer estos sudores nocturnos como el bautismo de la menopausia. El exceso de sudor nocturno (también conocido como *hiperhidrosis nocturna*) puede indicar los mismos trastornos que el exceso de sudor diurno (véase «Sudor excesivo»), pero puede ser más molesto si perturba seriamente el sueño... tanto el del que lo padece como el de su pareja.

HECHO SIGNIFICATIVO

Los varios millones de glándulas sudoríparas ecrinas distribuidas por todo el cuerpo se concentran especialmente en las manos y en los pies: unas 500 por centímetro cuadrado. Solo alrededor del 1% del sudor que produce el cuerpo sale por las axilas. Afortunadamente, el sudor de la palma de la mano normalmente no desprende olor.

Los sudores nocturnos, así como los diurnos, son reacciones frecuentes a muchos fármacos. Entre ellos se incluyen los antihipertensivos, los antidepresivos y otros medicamentos usados en psiquiatría, la cortisona, las hormonas, el leuprolide (para la infertilidad y el cáncer de próstata), la niacina (para el colesterol), el tamoxifen (para tratar el cáncer de mama y algunos otros cánceres), la nitroglicerina (para la angina de pecho) y algunos fármacos para la disfunción eréctil. Paradójicamente, los sudores nocturnos son una reacción habitual de rebote a los antipiréticos, como la aspirina, el paracetamol, el ibuprofeno y otros antiinflamatorios no esteroi-

deos que se utilizan para bajar la fiebre. Los sudores nocturnos pueden también ser un síntoma de ansiedad y, desgraciadamente, algunos de los fármacos que se utilizan para tratar
la ansiedad pueden a su vez provocar sudores nocturnos.
También pueden ser señal de abuso de alcohol o de drogas.

HECHO SIGNIFICATIVO

El sudor masculino puede ser excitante para las mujeres, según un estudio reciente llevado a cabo en la Universidad de
California, Berkeley. El sudor de un hombre contiene androstenediona,
sustancia que algunas veces se añade a los perfumes y colonias como
un poderoso afrodisíaco. Anteriormente, se había mostrado que el sudor del antebrazo del hombre mejoraba el humor de las mujeres y que
incluso posiblemente afectaba a la ovulación. Pero este es el primer
estudio que concluye que tanto las hormonas femeninas, como la
excitación sexual y el humor son afectados por la androstenediona.

Además, sudar abundantemente por la noche puede ser
un signo de diversos trastornos sistémicos, incluyendo enfermedad por reflujo gastroesofágico (véase «Exceso de eructos»), hipoglucemia relacionada con la diabetes, mononucleosis y sida. Los sudores nocturnos son también un síntoma
clásico tanto de *tuberculosis (TB)* como de *malaria*. Otros signos frecuentes de la tuberculosis son la tos y la fiebre, mientras que la malaria suele ir acompañada de náuseas, dolores
de cabeza y escalofríos. Curiosamente, el sudor va a menudo
acompañado de los escalofríos típicos de estas infecciones.

Los sudores nocturnos pueden ser un signo precoz de
algunas formas de cáncer, especialmente la *leucemia*, la *enfermedad de Hodgkin* (también conocida como *linfoma de*

Hodgkin), y el *linfoma de no Hodgkin*. Estas graves enfermedades tienen frecuentemente otros signos, como pérdida de peso y fiebre. Pero en el caso del Hodgkin, los sudores nocturnos pueden ser el único síntoma.

HABLANDO DE SEÑALES

 Cuanto más sudes en tiempos de paz, menos sangrarás en tiempos de guerra.

Proverbio chino

Por último, los sudores nocturnos son a veces un signo precoz de un trastorno sanguíneo poco frecuente y de desarrollo lento, la *policitemia vera (PV)*, trastorno en el cual el tuétano de los huesos produce demasiadas células sanguíneas, especialmente glóbulos rojos. Conocida con muchos otros nombres, entre ellos *policitemia primaria, trastorno mieloproliferativo, enfermedad de Vázquez* y *enfermedad de Osler*, afecta principalmente a personas de alrededor de los sesenta años de edad y es más frecuente en los hombres que en las mujeres. Otros signos precoces de PV incluyen dolores de cabeza, mareos, picores después de una ducha o baño calientes, rubor facial, dificultades respiratorias y sensación de estar lleno en la parte superior izquierda del abdomen. Algunas personas experimentan problemas de visión, sangrado de las en-

---

HABLANDO DE SEÑALES

 Los caballos sudan, los hombres transpiran y las mujeres brillan.

Dicho popular

---

cías y otras alteraciones de tipo hemorrágico. El exceso de glóbulos rojos espesa la sangre, con posibilidad de que se produzcan daños en los tejidos y en los órganos, así como derrames cerebrales, ataques cardíacos o embolias en los pulmones, en las piernas o en cualquier otra parte del cuerpo. De hecho, si no se trata, la mitad de las personas que padecen PV fallece en el transcurso de dos años.

FALTA DE SUDOR

Parece que hay algunas personas que no sudan nunca. Haga el calor que haga, están más frescas que una lechuga. Esto puede ser el signo característico de *hipohidrosis*, o poca capacidad de producir sudor, o incluso de *anhidrosis*, o incapacidad de sudar. Aunque pudiera pensarse que es una suerte tener estos trastornos, no es así. Son potencialmente mortales porque pueden provocar hipertermia, agotamiento por calor, golpe de calor y, en último término, la muerte. Las personas mayores tienen un especial riesgo de padecer este trastorno porque, en todo caso, tienen menor capacidad para sudar. Pueden no darse cuenta de que su temperatura corporal es excesiva hasta que es demasiado tarde y sucumben al agotamiento por calor.

Aunque los trastornos relacionados con el sudor pueden ser signos de algunas enfermedades genéticas graves, en la mayoría de los casos se trata de afecciones adquiridas. Por ejemplo, la hipohidrosis y la anhidrosis —que pueden afectar a zonas pequeñas o grandes del cuerpo— pueden ser debidas a una reacción a diversos fármacos, especialmente los antihistamínicos o los que se utilizan para combatir el exceso de sudor. Estos trastornos relacionados con el sudor también pueden estar causados por un conjunto de medicamentos (llamados *agentes anticolinérgicos*) que se utilizan para tratar la hipertensión y la angina de pecho, así como algunos trastornos psiquiátricos y los calambres musculares.

HECHOS SIGNIFICATIVOS

Según un estudio reciente realizado en Austria, todos tenemos un olor característico que, como las huellas dactilares, puede teóricamente ser utilizado para identificarnos. Los investigadores descubrieron también que los hombres y las mujeres tienen diferentes «huellas» de olor.

En algunos casos, el sudor escaso o la ausencia de sudor pueden evidenciar daños en las glándulas sudoríparas como consecuencia de quemaduras o de otras lesiones, así como varias enfermedades de la piel. Los trastornos del sudor también pueden ser indicativos de enfermedades neurológicas graves como la enfermedad de Parkinson y el *síndrome de Guillain-Barré* (véase el capítulo 7), un trastorno nervioso autoinmune que provoca adormecimiento, debilidad y algunas veces parálisis en los miembros.

Por último, la escasez o ausencia de sudor pueden ser también un signo de *neuropatía periférica*, que es frecuente en las personas diabéticas (véase el capítulo 7), y de *neuropatía autonómica*, trastorno que implica un daño en los nervios que regulan el sudor, el ritmo cardíaco, la tensión sanguínea, la digestión y otras funciones fundamentales del organismo. Resulta interesante el hecho de que la neuropatía autonómica en sí misma es a menudo un síntoma de diabetes. También puede indicar abuso del alcohol, tumores, trastornos autoinmunes y otras enfermedades graves.

Sudor maloliente

El sudor en sí mismo es inodoro. Solo cuando se mezcla con bacterias, que abundan especialmente en las zonas del cuerpo cubiertas por pelo, desprende su mal olor característico. Como todo aquel que haya estado alguna vez en un gimnasio sabe, el olor corporal y el sudor suelen ir juntos. Las glándulas sudoríparas apocrinas son las principales culpables. (Véase «Sudor».)

No debería sorprendernos el hecho de que el olor corporal —médicamente conocido como *bromhidrosis*— sea a menudo una prueba de peso sobre la falta de higiene personal. Pero el sudor maloliente puede también revelar algunos gustos culinarios. Si tomamos mucho ajo o cebolla, o condimentamos las comidas con curry y otras especias fuertes, podemos llegar a oler como la olla de la cocina. Este tipo de olor corporal se conoce médicamente como *bromhidrosis ecrina*, porque el olor emana de las glándulas sudoríparas ecrinas. (Véase «Sudor».)

HECHO SIGNIFICATIVO

Los estadounidenses se gastan casi dos mil millones de dólares al año en desodorantes y antitranspirantes.

Un olor extraño puede ser una reacción a determinados medicamentos, incluida la penicilina, algunos antidepresivos, los fármacos contra el glaucoma y algunas drogas anticancerígenas. También puede ser una clara indicación de que una persona le ha estado dando demasiado a la botella. Sin embargo, si el sudor huele a cerveza, puede que no sea porque se haya bebido mucha. Más bien puede indicar una infección por levaduras. (Véase «Secreciones vaginales».)

SIGNO DE LOS TIEMPOS

En el pasado, muchos médicos olían a sus pacientes para detectar enfermedades. La rubéola olía a plumas, la difteria tenía un aroma dulce, el tifus olía a pan recién hecho y la *escrófula* (tuberculosis de las glándulas linfáticas) a cerveza rancia.

Los olores corporales desagradables o inusuales son a veces una señal de otros trastornos. Por ejemplo, si el sudor o la orina de una persona tienen un olor dulzón o parecido al de la acetona, puede tratarse de un signo de diabetes. (Véase «Orina dulce».)

Olor corporal a amoníaco o a orina

Si una persona huele a amoníaco o a orina, puede ser un signo indicativo de que ha «tenido un incidente», pero también puede ser una señal de enfermedad renal o hepática. En ocasiones el sudor con olor a amoníaco significa que se ha adoptado una dieta demasiado rica en proteínas, aunque también puede ser una señal de infección producida por la *Helicobacter pylori*, bacteria responsable de algunos tipos de úlcera.

Sudor con olor a pescado

Si resulta que la persona con la que has concertado una «cita a ciegas» huele a pescado, puede querer decir simplemente que has quedado con un pescadero. Pero puede revelar que está tomando suplementos vitamínicos e ingiere mucha colina, un tipo de vitamina B que colabora en el metabolismo de las grasas, o que tiene un trastorno hepático que evita la descomposición de la colina.

Pero el sudor con olor a pescado también puede ser señal de un trastorno metabólico hereditario llamado por razones obvias *síndrome del olor a pescado* (también conocido como *trimetilaminuria*). Las personas que padecen este trastorno no pueden metabolizar la trimetilamina, sustancia que se encuentra en los alimentos ricos en colina, como los huevos, el hígado, la carne de vaca y la soja. La orina y el aliento de estas personas emiten un olor nauseabundo a pescado. (Véanse el capítulo 5 y «Olor de la orina».) Aunque los que padecen el síndrome del olor a pescado están por lo general físicamente sanos, con frecuencia sufren aislamiento social y, en consecuencia, depresiones.

A MODO DE CONCLUSIÓN

Si tienes dolores abdominales o genitales, o que se presentan al orinar o al defecar, o ves sangre en las deposiciones o en la orina, vete inmediatamente al médico. Y si tienes estreñimiento o diarrea crónicos o severos, o incontinencia urinaria, consulta con un doctor lo antes posible para que diagnostique lo que te ocurre o te envíe a un especialista. Si estás

preocupado por otros signos que se presenten debajo de la
cintura, o simplemente intuyes que algo no va bien, no dudes
en comentarlo con tu médico. Podría ser que necesitaras también consultar con uno de los siguientes especialistas:

- *Endocrinólogo*: médico especializado en la evaluación y
  el tratamiento de trastornos hormonales.
- *Gastroenterólogo*: médico especializado en enfermedades y trastornos del tracto gastrointestinal, incluidos el
  esófago, el estómago, el páncreas y los intestinos.
- *Ginecólogo*: médico especializado en el diagnóstico y
  tratamiento de trastornos relacionados con el aparato
  reproductor femenino.
- *Proctólogo*: médico especializado en el tratamiento de
  los trastornos del recto y del ano.
- *Urólogo*: médico especializado en el diagnóstico y tratamiento de enfermedades y trastornos del tracto urinario.

LA PIEL Y LAS UÑAS

Investiguemos en la superficie

> El dicho de que la belleza es algo tan superficial como la piel es un dicho que es tan superficial como la piel.
>
> JOHN RUSKIN, siglo XIX,
> escritor y crítico inglés

La piel —que hablando con propiedad incluye el pelo y las uñas— es el más grande de los órganos humanos. (El segundo es el hígado.) La piel cubre cada centímetro cuadrado del cuerpo, si exceptuamos los ojos y los dientes. Además, es uno de los órganos más importantes que tenemos. Es como una manta viva que nos protege y a través de la cual también respiramos, y para colmo es impermeable. La piel nos protege de los ataques del medio ambiente y establece una barrera frente a las infecciones. Contribuye a regular la temperatura del cuerpo, manteniéndolo caliente cuando hace frío y defendiéndolo del calor. También ayuda a preservar el adecuado equilibrio de fluidos y minerales. Y, por último, aunque no menos importante, es el vehículo del sentido del tacto.

Muchos de los signos del cuerpo se manifiestan en la piel. De hecho, la mayoría de las señales que podemos ver y palpar están en la piel, el pelo o las uñas. Y al ser muy accesibles a nuestro examen y al de los demás, los signos que se manifiestan en la piel pueden ser tan desconcertantes estéticamente como reveladores para el diagnóstico.

Desde los tiempos antiguos, la gente ha estado obsesionada con las enfermedades de la piel. Por ejemplo, el Antiguo Testamento, Levítico 13, dedica todo un capítulo al diagnóstico de la lepra y a la prevención de su propagación mediante la quema de la ropa y el aislamiento forzado del paciente.

SIGNO DE LOS TIEMPOS

La primera vez que se hizo mención al ántrax fue en la Biblia. Así se describe en ella una forma de curar los forúnculos producidos por esta enfermedad: «Tomad una torta de higos. Una vez hecho, la aplicaron sobre el forúnculo y sanó».

En 2003, el Instituto Nacional de la Salud y la industria farmacéutica de Estados Unidos consideraron la posibilidad de estudiar la utilización de higos como tratamiento para el ántrax.

La lepra y otras enfermedades de la piel tenían implicaciones morales además de las sanitarias; las personas que las padecían eran consideradas malditas, repugnantes, peligrosas o diabólicas. Los leprosos purgaban sus «pecados» con el estigma social y el aislamiento. Incluso las marcas de nacimiento se consideraban un mal presagio y los que las presentaban eran considerados malvados.

Los médicos examinaban la piel buscando no solo signos de maldad sino también de enfermedad. Por ejemplo, la lectura de las manos —conocida como quiromancia— ha gozado de una enorme popularidad durante miles de años en diversas culturas, y no solo como manera de adivinar el futuro. Aristóteles y Galeno leían la palma de la mano buscando indicios de enfermedades. En la Edad Media, la lectura de las manos se consideraba una práctica propia de los gitanos y fue prohibida por la Iglesia católica, al entender que era una forma de adoración al diablo.

SIGNO DE LOS TIEMPOS

En la Edad Media, una forma de maldecir a los enemigos era desear que contrajeran la viruela u otra enfermedad de la piel. O mejor aún, asociarlos con una de ellas. Llamar a alguien «bellaco escorbútico» era una de las maldiciones preferidas. Probablemente el insulto más grave relacionado con la piel fue el que lanzó el rey Lear shakesperiano a su hija Goneril cuando dijo que era «una enfermedad en mi carne... un forúnculo, una úlcera pestilente, un carbunco estampado en mi piel».

En algunos lugares del lejano Oriente, por no hablar del East Village de Nueva York y de gran parte de la costa Oeste de Estados Unidos, se sigue practicando la lectura de las líneas y promontorios de las manos para adivinar el futuro y el estado de salud.

También las uñas han tenido un papel clave a lo largo de la historia, pero más por su importancia estética que por su significado médico. Las uñas —que también forman parte de la piel— han sido desde hace siglos un foco de atención de la moda. Hoy en día seguimos limándolas, recortándolas, dándoles forma, puliéndolas y pintándolas para que estén más bonitas. Sin embargo, el aspecto de la uñas no solo refleja la meticulosidad (e incluso la obsesión) en relación con el aspecto físico, sino también el historial médico de una persona y sus costumbres en materia de alimentación... e incluso, en algunos casos, puede darnos pistas sobre su profesión.

HABLANDO DE SEÑALES

 Desafortunado el hombre que no tenga uñas para rascarse la cabeza.

Proverbio árabe

Un rápido examen de las uñas puede revelar gran cantidad de cosas sobre cómo funciona nuestro cuerpo y las enfermedades y trastornos que podrían estar acechándonos. De hecho, las uñas de los dedos de las manos y de los pies pueden proporcionar tanta información sobre nuestra salud como la tensión sanguínea o el peso.

EMPECEMOS POR LAS UÑAS

Las uñas —o *placas de la uña*, como se conocen médicamente— están compuestas principalmente de una proteína: la queratina. Aunque la queratina también está presente en la piel y en el pelo, las uñas tienen menos agua y, por lo tanto, son más duras. La consistencia de las uñas las convierte en protectoras perfectas de los vasos sanguíneos, nervios y huesos que están debajo de ellas.

No es probable que vayas al médico a todo correr porque tus uñas presenten un color extraño o tengan alguna malformación. Pero afortunadamente, la mayoría de ellos suelen echarles una ojeada cuando examinan a un paciente. Las uñas pueden darnos muchas pistas que nos alertan sobre diferentes trastornos médicos.

Colores cambiantes en las uñas

Marcas blancas

Probablemente todos estamos familiarizados con unas pequeñas motas o unas líneas blancas e irregulares ocasionalmente repartidas por las uñas. Estas manchas como de cal —conocidas médicamente como *leuconicia*— son normalmente signos benignos de pequeñas lesiones en la uña que por lo general desaparecen con el tiempo.

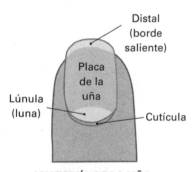

Distal
(borde
saliente)

Placa
de la
uña

Lúnula
(luna)

Cutícula

ANATOMÍA DE LA UÑA

Las marcas o puntos blancos en las uñas pueden también deberse a una *onicolisis*. Esta consiste en la separación de la placa de la uña del llamado lecho de la uña. Como bien sabe cualquiera que se haya dado alguna vez un martillazo en la uña, esta probablemente terminará por caerse.

Pero algunas veces, las manchas blancas y las rayas en las uñas, o debajo de ellas, no son benignas en absoluto. Estas manchas blancas pueden ser también ser una señal de trastornos como hongos o verrugas *(onicomicosis)* o de otras enfermedades de la piel como la *psoriasis* y el *eccema*, que pueden

---

SIGNO DE SALUD

 Las uñas de una persona adulta sana crecen a un ritmo lento pero constante de alrededor de unos tres milímetros al mes. Para que se renueve por completo una uña de las manos se necesitan entre ocho y doce meses.

---

afectar a las uñas. Las manchas blancas son a veces uno de los signos del trastorno sistémico conocido como *sarcoidosis*, que afecta a la piel, a los pulmones y a otros órganos. (Véanse «Manchas escamosas en la cara» y el apéndice I.) Si además de tener manchas blancas, las uñas están blandas —lo que se conoce como *uñas de Plummer*—, puede ser un síntoma de hipertiroidismo. (Véase el apéndice I.)

Una sola línea blanca

Una línea ligeramente gruesa que cruce la uña en sentido horizontal —llamada *línea de Mee*— es un signo clásico de envenenamiento con arsénico o con talio. Pero antes de decidir

---

HECHO SIGNIFICATIVO

 A medida que envejecemos, las uñas crecen más despacio y pueden volverse apagadas, amarillentas, opacas, duras, agrietadas y gruesas.

---

que alguien está intentando deshacerse de ti, piensa en lo siguiente: las líneas de Mee pueden indicar una gran variedad de trastornos sistémicos graves que a veces dañan las uñas, como la *insuficiencia cardíaca*, la *enfermedad de Hodgkin*, la *malaria* e incluso la *lepra*. Dado que estas líneas blancas, que suelen afectar a una sola de ellas, están metidas dentro de la propia uña, desaparecerán a medida que vaya creciendo o si se trata con éxito la causa que motivó su formación. De hecho, este signo puede ayudar a determinar el comienzo de la enfermedad o el momento del envenenamiento. Cuanto más abajo se encuentre la línea más recientemente se produjeron esa enfermedad o envenenamiento.

Doble línea blanca

Si percibes dos rayas estrechas, blancas y horizontales en una o varias uñas, estás presentando el signo llamado *líneas de Muehrcke*. Estas líneas están, en realidad, en el lecho de la uña (el tejido que está debajo de la parte dura), de manera que no se mueven ni desaparecen a medida que esta crece.

HECHO SIGNIFICATIVO

Para distinguir entre las líneas de Mee y las líneas de Muehrcke tienes que presionar sobre la raya blanca. Si la uña se vuelve rosácea, se trata de una línea de Muehrcke.

Las líneas de Muehrcke son un signo muy común de *hipoalbuminemia*, que consiste en un nivel de albúmina en la sangre inferior al normal. Esta anomalía y estas líneas pueden estar producidas por varios trastornos médicos agudos y crónicos, incluyendo, entre otros, enfermedad del riñón, cirrosis hepática, insuficiencia cardíaca y malnutrición. No obstante, la mayoría de los casos se deben a una respuesta inflamatoria ante una infección o una lesión.

Uñas con dos tonalidades

Si tienes la mitad de una uña de color marrón y la otra mitad de color blanco —algo así como la famosa galleta blanca y negra de Nueva York— puede tratarse de lo que se llama muy

---

SIGNO DE LOS TIEMPOS

Los granjeros solían hacerse una marca en la base del dedo pulgar en el momento de plantar la tierra. Cuando esa pequeña marca llegaba hasta la punta de la uña, sabían que las semillas habían germinado y crecido y había llegado el momento de la cosecha.

---

gráficamente *uñas mitad y mitad*. En este trastorno, la parte blanca está en la zona de la cutícula y la parte marrón está en la de la punta. Por desgracia, las uñas mitad y mitad son signos frecuentes de una enfermedad crónica del riñón.

Sin embargo, si la uña es casi totalmente de color blanco opaco puede ser que tengas un tipo de leuconiquia (véase «Marcas blancas») que recibe el nombre de *uñas de Terry*. En las uñas de Terry, signo que normalmente afecta a todas ellas, estas son blancas desde la cutícula hasta casi la punta y al final presentan una banda de color rosáceo oscuro o marrón.

UÑAS DE TERRY

Algunas veces, las uñas son tan blancas y opacas que la parte en forma de luna, llamada *lúnula*, desaparece. Los colores blanco y marrón proceden del lecho de la uña en lugar de la propia uña.

Las uñas de Terry son un signo bastante común de envejecimiento. Desgraciadamente, especialmente en los jóvenes, a menudo pueden indicar una cirrosis hepática, una diabetes, una insuficiencia renal crónica o una insuficiencia cardíaca congestiva.

Uñas azuladas

Mientras que pintarte las uñas de color azul puede ser señal de fantasía o de rebeldía juvenil, unas uñas que se han vuelto azules de manera natural pueden indicar que no obtienes su-

---

HABLANDO DE SEÑALES

Después de la muerte, el pelo y las uñas de los dedos de las manos siguen creciendo durante tres días, pero las llamadas de teléfono van disminuyendo.

JOHNNY CARSON, comediante
de un programa nocturno de radio

---

ficiente oxígeno, lo que médicamente se conoce como *cianosis*. Como ocurre con los labios azulados, la piel azulada (véanse el capítulo 5 y «Piel azulada») y otros síntomas de cianosis, las uñas azules pueden indicar una enfermedad pulmonar o una *enfermedad arterial periférica (EAP)*, entre otros posibles problemas circulatorios. (Véase el capítulo 7.) Las uñas de las personas que padecen la *enfermedad de Raynaud*, que se considera una enfermedad arterial periférica, adquieren algunas veces una tonalidad azul, normalmente como respuesta al frío o al estrés, y después vuelven a su color normal al reanudarse la circulación. Las uñas azules pueden también ser una reacción a algunos medicamentos como los antivirales y la tetraciclina.

Uñas amarillas

Unas uñas amarillentas pueden ser señal de que una persona fuma mucho o de que ha tomado tetraciclina durante cierto tiempo. O puede ser que solo sean indicativas de que se ha usado un esmalte de uñas de color oscuro, que puede dejar una mancha amarilla. Pero en ocasiones indican también algo más grave.

De manera muy parecida a los ojos y a la piel amarillentos (véanse el capítulo 2 y «Piel amarillenta»), las uñas amarillas pueden revelar una ictericia. También pueden ser un síntoma de sida. Y si además tienen la base ligeramente azulada quizá sean un signo de diabetes.

Pero algunas veces, las uñas amarillas —especialmente si crecen lentamente, son muy gruesas y curvadas, pierden la cutícula e incluso se caen— pueden indicar un extraño trastorno conocido con el previsible nombre de *síndrome de las uñas amarillas.* Además de unas uñas amarillas y desfiguradas, la persona que padece este síndrome normalmente tiene una enfermedad pulmonar o un *linfedema* o formación de fluido linfático en los tejidos. Normalmente quedan afectadas todas las uñas y, por desgracia, casi siempre de manera permanente.

SEÑAL DE ADVERTENCIA

 Las uñas de color marrón o amarillo, en algunos casos con pequeñas manchas blancas, pueden ser un signo de hongos. Además, a veces desprenden mal olor.

Cambios en el color de la lúnula

La zona pálida en forma de media luna que está en la base de la uña se llama *lúnula*. Puede tener tantos colores como fases tiene la luna. Por ejemplo, «luna azul» no es simplemente el nombre de una vieja canción. Médicamente conocida como *lúnula azul*, la media luna de color azul puede ser un signo de la *enfermedad de Wilson*, trastorno hepático degenerativo y hereditario en el que se produce la formación de cobre. Por

---

HECHO SIGNIFICATIVO

Las uñas de los dedos de las manos crecen más deprisa que las de los dedos de los pies, y ambas crecen más rápidamente en verano que en invierno. Las uñas de los dedos de la mano dominante crecen más deprisa que las de la mano que usamos menos. Por último, las uñas de los hombres crecen más rápidamente que las de las mujeres.

---

otro lado, una lúnula de color rojo puede ser una señal de insuficiencia cardíaca. Y una lúnula amarilla, como las uñas amarillas (véase «Uñas amarillas»), puede revelar que hemos tomado tetraciclina. Las medias lunas azules grisáceas pueden ser señal de envenenamiento con plata y, por último, las de color marrón o negro pueden indicar la ingestión excesiva de flúor.

SIGNO DE SALUD

 Unas uñas sanas son:
- lisas
- ligeramente curvadas
- consistentes
- sin manchas

MARCAS EXTRAÑAS

Rayas oscuras

Las rayas oscuras pueden ser una prueba de que no has hecho caso a la advertencia de no comer carne de cerdo o caza mayor poco cocinada y has contraído la enfermedad parasitaria llamada *triquinosis*. Médicamente conocidas como *hemorragias en astilla*, estas pequeñas rayas horizontales parece como si estuvieran incrustadas dentro de la uña o justamente debajo de ella y son, de hecho, pequeñas hemorragias en el lecho de la uña. Las hemorragias en astilla son también un signo clásico de *endocarditis*, que es una infección del corazón. O pueden ser señal de *vasculitis*, o sea una inflamación de los va-

---

HECHOS SIGNIFICATIVOS

A medida que cumplimos años, las uñas nos crecen más lentamente. Una uña de la mano tarda en crecer, por completo, tres meses cuando somos niños y seis cuando tenemos setenta años.

---

sos sanguíneos. Las hemorragias en astilla pueden también indicar varias enfermedades autoinmunes, entre ellas *psoriasis*, *lupus* (véanse «Máscara de mariposa» y el apéndice I), *artritis reumatoide* y *síndrome antifosfolípido*, trastorno de la coagulación de la sangre potencialmente grave. (Véase «Manchas moradas».) Por último, las hemorragias en astilla pueden ser un signo de úlcera péptica y de enfermedad renal.

Bandas oscuras verticales

Una banda longitudinal oscura y ancha en la uña —médicamente conocida como *melanoniquia estriada*— puede desarrollarse como reacción a la tetraciclina, a los medicamentos contra la malaria o a algunos fármacos utilizados para tratar el cáncer. Cuando la causa está en la medicación, normalmente son varias las uñas afectadas. Las rayas oscuras pueden también ser un signo de infección por hongos, especialmente si se presentan en las uñas de los dedos de los pies.

Una raya oscura conocida como *melanoniquia por fricción* en las uñas de los dedos de los pies puede indicar que te aprietan mucho los zapatos. Si se presenta en un dedo de la mano puede ser que trabajes mucho con ellas y te hayas lesionado una uña. Las rayas oscuras pigmentadas benignas son comunes en personas de piel oscura. De hecho, más de tres

HECHO SIGNIFICATIVO

El acrónimo ABCDEF se ideó para facilitar la memorización de los síntomas y poder diagnosticar el *melanoma subungueal*.

A: Afroamericanos, asiáticos y americanos nativos en edad comprendida entre los cuarenta y los sesenta años (son los casos más frecuentes).

B: Banda de color marrón o negro, con una anchura de unos tres milímetros, o algo más, y con bordes multicolores.

C: Cambio en el color de la raya de la uña, o sin cambios de coloración después de haberse intentado un tratamiento.

D: Dígito afectado más frecuentemente (el pulgar y el dedo gordo del pie).

E: Extensión del pigmento hasta el pliegue de la uña.

F: Familiar: historial familiar o personal de *nevo displástico* (lunar anormal) o de melanoma.

cuartas partes de los adultos de raza negra tiene una o varias en las uñas.

Pero con independencia del color de la piel, estas bandas de color marrón o negro no deberían tomarse a la ligera, es-

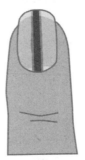

BANDAS OSCURAS VERTICALES
(Melanoniquia estriada)

HECHO SIGNIFICATIVO

La mitad de los casos de melanoma en personas de piel oscura se presenta en forma de bandas oscuras que se extienden a lo largo de la uña.

---

pecialmente si la piel que está debajo de la uña (sobre todo si ocurre en una sola uña) también está oscura, o si la raya llega hasta dentro del pliegue posterior de la uña, lo que médicamente se conoce como el *signo de Hutchinson*. Todo esto puede indicar la existencia de un *melanoma subungueal*, un tipo muy peligroso de cáncer situado en la piel del lecho de la uña que es bastante frecuente en determinados grupos raciales, especialmente en los afroamericanos, los asiáticos y los americanos nativos. A diferencia de la mayoría de los demás tipos de rayas en la uña, estas no desaparecen sino que más bien tienden a aumentar. Esta forma de cáncer de piel es más frecuente en personas que superan los cincuenta años.

MALFORMACIONES DE LAS UÑAS

Uñas curvadas hacia abajo

Unas uñas exageradamente curvadas hacia abajo en lugar de presentar solo una ligera curvatura —lo que médicamente se

UÑAS EN PALILLO DE TAMBOR

conoce como *uñas en palillo de tambor*— no son simplemente un problema estético. El abombamiento está provocado por el engrosamiento del *lecho de la uña*, tejido blando que está debajo de la placa. Desgraciadamente, la curvatura suele desarrollarse de manera tan lenta que el paciente muchas veces no se da cuenta de la misma y este importante signo pasa inadvertido. Normalmente, la deformación de la uña es permanente.

SIGNO DE LOS TIEMPOS

En el año 2000, un fotógrafo indio retirado cuyas uñas eran de una longitud nunca vista intentó subastarlas. Todas ellas tenían un metro y pico de longitud, y la más larga casi metro y medio. Según informes fidedignos, eran gruesas e irregulares, presentando un aspecto de cuernos rugosos o de bastones torcidos. Se desconoce cómo se las arreglaba para hacer fotografías.

Las uñas con curvatura excesiva pueden ser indicativas de varios trastornos graves e incluso peligrosos para la vida del paciente, como *cirrosis hepática* y *enfermedad inflamatoria del intestino*. (Véase el capítulo 8.) También pueden indicar que el organismo no está obteniendo suficiente oxígeno *(cianosis)*. En este caso, las uñas, al igual que la piel, suelen adquirir un tono azulado. (Véanse «Uñas azuladas» y «Piel azulada».) Por último, las uñas exageradamente curvadas a menudo se presentan junto con los dedos en palillo de tambor (véase el capítulo 7), signo frecuente en personas con graves trastornos pulmonares, como la *enfermedad pulmonar obstructiva crónica (EPOC)* y el cáncer de pulmón.

Uñas curvadas hacia arriba

Si los lados de las uñas se curvan hacia arriba, lo que común-mente se llama *uñas en forma de cuchara*, puede ser un signo de deficiencia nutricional, bien sea de hierro o de vitamina B12, que puede producir anemia. Médicamente conocida como *coiloniquia*, esta característica es una señal de trastornos sistémicos como la enfermedad de Raynaud (véanse el capítulo 7 y «Uñas azuladas») y el lupus. (Véanse «Máscara de mariposa» y el apéndice I.) También puede ser un signo revelador de manipulación de productos petrolíferos, posiblemente en el trabajo. Si las uñas de los dedos de las manos tienen forma de cuchara y son extremadamente gruesas puede ser un signo de diabetes.

SEÑAL DE STOP

 Para determinar si una uña presenta el signo de forma de cuchara, haz la siguiente prueba. Pon una gota encima de ella. Si no resbala y se cae, la uña está adquiriendo dicha forma.

ALTERACIONES DE LA TEXTURA

Uñas gruesas

El engrosamiento de las uñas de los dedos de las manos —conocido médicamente como *onichauxis*— puede ser un signo benigno de envejecimiento. Sin embargo, con el tiempo, a veces llegan a ser enormemente gruesas y adquieren forma de gancho. Cuando ocurre con las de los dedos de los pies, esta

deformidad de las uñas —conocida como *onicogriposis*—
puede hacer que sea difícil caminar y especialmente peligroso para las personas mayores. Las uñas gruesas pueden también indicar una lesión, una infección, mala circulación, diabetes o deficiencias en la dieta.

SEÑALES DE ADVERTENCIA

La piel y las uñas de los dedos de las manos pueden presentar gran variedad de señales que indican diabetes:

• Uñas gruesas y blandas.

• Uñas con aspecto de tener pequeñas gotas de cera.

• Uñas con forma de cuchara.

• *Xantomas palmares* (diminutos depósitos de grasa en las
palmas de las manos).

• Palmas de las manos rojizas.

Uñas rugosas

Algunas personas tienen las uñas rugosas y con crestas, lo que
médicamente se conoce como *traquioniquia*. Dado que suelen tener también un aspecto grisáceo, opaco y falto de lustre, a veces se las llama *uñas de papel de lija*. La traquioniquia
puede aparecer en una de ellas, en unas cuantas e incluso en
todas las uñas de las manos y de los pies. Cuando están afectadas las veinte uñas, el fenómeno se conoce como *distrofia de
las veinte uñas*.

La traquioniquia, que significa «uñas rugosas», se presenta a menudo en personas que padecen *liquen plano*, enfermedad inflamatoria de la piel y de la boca bastante poco fre-

cuente que provoca un intenso picor. (Véase el capítulo 5.)
Unas uñas delgadas y partidas son también un signo de este
trastorno. De hecho, las alteraciones de las uñas son algunas
veces la única señal del mismo. En algunos casos de liquen
plano la uña presenta una *onicolisis,* separación entre la placa
y el lecho y, en casos graves, esta se desprende y puede no volver a crecer.

Las uñas de papel de lija pueden ser indicativas de otros
problemas de la piel y del pelo, incluyendo *psoriasis, eccema,
vitiligo* (véase «Grandes manchas blancas») y *alopecia areata*
(véase el capítulo 1). Por desgracia, incluso cuando se tratan
los problemas que las producen, las alteraciones de las uñas
propias de la traquioniquia son permanentes.

Uñas quebradizas

Para algunos de nosotros, que se nos rompa una uña es un inconveniente fastidioso pero no más que muchos otros. Aunque muchas veces podemos atribuir las uñas quebradizas a la
sequedad del clima o a los productos de limpieza, también
pueden ser indicativas de una enfermedad tiroidea o de una
deficiencia de hierro o de vitamina A. No está claro si la falta
de calcio puede, o no, ser causa de esta anomalía.

Uñas picadas

Una pequeña mella en la uña puede ser un signo indicativo
del trastorno de la piel conocido como *psoriasis.* (Véase «Manchas rojizas».) De hecho, hasta la mitad de las personas que

padecen psoriasis tienen diminutas hendiduras en las uñas. Pero esta alteración no se produce solo con la psoriasis. También es un signo bastante común de varias enfermedades autoinmunes, incluido el *síndrome de Reiter* (véase «Erupción escamosa en las palmas de las manos o en las plantas de los pies»), que abarca un conjunto de trastornos que incluye problemas articulares, urinarios y oculares, la *sarcoidosis* (véase «Manchas escamosas en la cara»), el *penfigus vulgaris*, que ocasiona ampollas y heridas en la piel y en las membranas mucosas, y la *alopecia areata* que hace que se desprendan grandes mechones de pelo. (Véase el capítulo 1.) Como ocurre con muchos otros problemas que se presentan en ellas, las uñas picadas pueden ir deshaciéndose hasta llegar a desprenderse.

Surcos horizontales

Unos surcos transversales en la uña —conocidos médicamente como *líneas de Beau*— pueden indicar una gran variedad de graves trastornos sistémicos. Estas hendiduras tienen as-

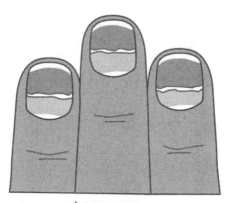

LÍNEAS DE BEAU

pecto de zanjas excavadas en la uña. Pueden desarrollarse en una, en varias o en todas las uñas. Cuando está afectada más de una, las líneas suelen aparecer en el mismo lugar de cada uña.

Las líneas de Beau son un signo que indica que una enfermedad o lesión en la uña ha hecho que se detenga temporalmente el crecimiento de la misma. Por ejemplo, las líneas de Beau se presentan algunas veces en personas que han sufrido recientemente un ataque al corazón, una operación quirúrgica o una infección, o que han recibido un tratamiento contra el cáncer. Normalmente, después de este tratamiento, o de la recuperación posterior a la enfermedad, las uñas vuelven a crecer con normalidad.

A veces, los surcos se forman en las uñas de personas con trastornos crónicos. Por ejemplo, pueden ser una señal de enfermedad de Raynaud (véanse «Uñas azuladas» y el capítulo 7) o de *penfigus vulgaris* (véase «Uñas picadas»).

LO QUE LO ABARCA TODO: LA PIEL

Colores inusuales de la piel

Piel pálida

¿Te han dicho últimamente que estás más blanco que la sábana de un fantasma? Si es así, no deberías tomártelo a la ligera. Tu palidez puede ser un signo de anemia, trastorno en el que hay una cantidad de glóbulos rojos inferior a la normal. Aunque existen muchos tipos de anemia, el más frecuente es la *anemia ferropénica*, que normalmente se produce por una

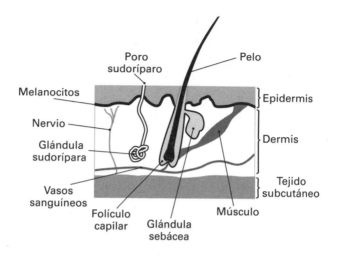

Poro sudoríparo

Pelo

Melanocitos

Epidermis

Nervio

Glándula sudorípara

Dermis

Vasos sanguíneos

Tejido subcutáneo

Folículo capilar

Glándula sebácea

Músculo

ANATOMÍA DE LA PIEL

dieta demasiado baja en hierro. Mientras que es muy poco frecuente en los hombres, un 20 % de las mujeres y hasta un increíble 50 % de las embarazadas tienen carencia de hierro.

El cansancio es otra de las señales habituales de anemia, a la que algunas veces se llama popularmente «sangre cansada». Entre otros signos se incluyen debilidad, aliento escaso, irritabilidad y uñas quebradizas. (Véase «Uñas quebradizas».) También puede ocurrir que el blanco del ojo (la *esclerótica*) adquiera una tonalidad azulada.

HECHOS SIGNIFICATIVOS

- La piel es el órgano más grande del cuerpo.
- La piel es el órgano de más rápido crecimiento.
- Tenemos aproximadamente 19 millones de células en cada centímetro cuadrado de piel.

Mientras que la mayoría de los casos de anemia en las mujeres están relacionados con la dieta, o se deben a la abundancia de sangre en la menstruación, la anemia en los hombres y en las mujeres que ya han pasado la menopausia es frecuentemente un signo de hemorragia interna, especialmente en el tracto gastrointestinal. La hemorragia puede provenir de una úlcera o puede ser consecuencia de la ingestión excesiva de aspirina o de otros fármacos antiinflamatorios no esteroideos.

La anemia puede ser también un signo precoz de leucemia y de otros cánceres, especialmente de estómago, de colon y de esófago. También es consecuencia muchas veces de tratamientos contra el cáncer.

Piel azulada

Si te das cuenta de que, recientemente, tu piel ha adquirido un tono azulado, puede ser un signo de *cianosis* o falta de oxígeno en la sangre. Una sangre bien oxigenada es de color rojo brillante. A medida que la sangre empieza a perder oxígeno se vuelve amoratada. Cuando la falta de oxígeno es importante adquiere un color azul. Normalmente, este cambio de color se hace visible en los labios (véase el capítulo 5) y en las uñas (véase «Uñas azuladas») y, algunas veces, en los pies, en la nariz y en las orejas.

La cianosis puede estar provocada por algunos factores externos, como una excesiva exposición al frío o a altitudes muy elevadas. Pero una piel persistentemente azul puede ser una señal de alarma en relación con multitud de trastornos sistémicos que impiden la entrada de oxígeno en la sangre.

Entre estos se incluyen las enfermedades pulmonares, como el asma, la *enfermedad pulmonar obstructiva crónica (EPOC)* y el cáncer. La cianosis puede también indicar una enfermedad del corazón.

Piel amarillenta

Si notas una tonalidad amarillenta en la piel, lo más probable es que sea el clásico signo de *ictericia*, que también suele hacer que el blanco del ojo se ponga amarillo. (Véase el capítulo 2.) El color amarillo proviene de un exceso de *bilirrubina*, sustancia de dicho color que es un producto de la degradación de la hemoglobina. Pero si tienes la piel más anaranjada que amarilla, puede simplemente ser un signo de *carotenemia* (véase el capítulo 7), trastorno normalmente benigno que es consecuencia de la ingestión excesiva de betacaroteno o de vitamina A, tanto en suplementos como en alimentos como las zanahorias.

En algunos casos, la piel amarilla puede ser señal de una forma hereditaria y benigna de ictericia denominada *síndrome de Gilbert*. (Véase el capítulo 2.) Sin embargo, lo más probable es que indique un trastorno del hígado como la hepatitis, la cirrosis o el cáncer, o un cáncer de páncreas. La ictericia puede ser también un signo de hipotiroidismo (véase el apéndice I) o de *mononucleosis infecciosa*, una infección vírica contagiosa también conocida como «la enfermedad del beso».

SEÑAL DE ADVERTENCIA

 Si tienes la piel excesivamente seca, y las uñas y el pelo están también secos además de quebradizos, puede ser una señal de hipotiroidismo.

MARCAS Y MÁSCARAS FACIALES

Mejillas rosáceas

¿Te ruborizas frecuentemente y se te ponen rojas las mejillas aunque no estés avergonzado? Si eres mujer, puede ser que estés experimentando sofocos, signo clásico de la menopausia. El color rojo y los sofocos normalmente desaparecen enseguida.

Si persisten, puede ser un signo de *rosácea*. (Véase el capítulo 4.) La rosácea es un tipo de sarpullido que algunas veces se parece a una máscara, pero que es diferente de la «máscara del lupus» (véase «Máscara de mariposa») o de la «máscara del embarazo» (véase «Manchas oscuras en las mejillas»). En sus primeras etapas, puede ser que la rosácea solo provoque sofocos o rubores periódicos pero, cuando progresa, puede lle-

HECHOS SIGNIFICATIVOS

Cada centímetro cuadrado de piel contiene:

• 1.300 células nerviosas.

• 100 glándulas sudoríparas.

• 3 millones de células.

• 3 metros de vasos sanguíneos.

gar a producir una coloración roja permanente en la cara. La erupción de la rosácea a menudo consiste en unos granos diminutos, razón por la que a veces se la llama el «acné de los adultos», y en la dilatación de pequeños vasos sanguíneos justo debajo de la piel, lo que médicamente se conoce como *telangiectasia*. Algunas personas desarrollan rosácea en el torso o en los miembros en lugar de en la cara. Entre otros signos de rosácea relacionados con la piel se incluyen los picores y la quemazón.

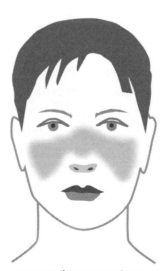

ERUPCIÓN DE ROSÁCEA

La rosácea es más habitual en las mujeres que en los hombres y afecta principalmente a personas que están entre los treinta y los cuarenta años de edad. Suele ser más frecuente en las de piel pálida, especialmente las de ascendencia noreuropea o celta. El viento, el sol, el ejercicio extenuante, el estrés, las comidas picantes y la cafeína pueden desencadenar una rosácea o exacerbarla. Y es especialmente común en personas que abusan del alcohol. De hecho, la rosácea relacionada con el alcohol produce esas narices bulbosas que a menudo se dan en los grandes bebedores. (Véase el capítulo 4.)

El rubor facial puede ser también el primer síntoma de un trastorno muy poco frecuente, pero muy grave, denominado *síndrome carcinoide*, el cual está causado por un extraño tipo de cáncer conocido como *tumor carcinoide*. Este tipo de tumor se origina en el tracto gastrointestinal y segrega grandes cantidades de unas sustancias, parecidas a las hormonas, que hacen que se dilaten los vasos sanguíneos. Al igual que los sofocos debidos a la rosácea, los relacionados con el síndrome carcinoide se desencadenan muchas veces por la ingestión de bebidas o alimentos muy calientes o picantes, o de alcohol, o a causa del estrés. Sin embargo, los sofocos por carcinoide normalmente duran solo unos veinte o treinta segundos y pueden dejar una tonalidad azulada en la piel, mientras que los rela-

---

SIGNO DE SALUD

Una piel sana es:
- Suave.
- Elástica.
- Cálida al tacto.
- Sin cortes, raspaduras ni magulladuras.

cionados con la rosácea persisten durante mucho más tiempo. Y a diferencia de otros tipos de sofocos y rubores, en los producidos por carcinoide la cara se pone roja como la remolacha y queda con las marcas características de las telangiectasias.

Entre otros signos del síndrome carcinoide pueden incluirse aliento escaso, silbidos al respirar, calambres y fuertes diarreas. Por desgracia, para cuando se presentan estos síntomas, normalmente el cáncer está ya muy avanzado y se ha extendido al hígado.

Máscara de mariposa

Una erupción en la cara con forma de mariposa —conocido médicamente como *eritema malar*— es el signo característico del *lupus*; conocido médicamente como *lupus eritematoso sistémico (LES)*, es una enfermedad crónica inflamatoria

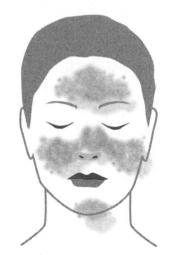

**ERUPCIÓN EN ALAS DE MARIPOSA
DEL LUPUS**

autoinmune muy grave. (Véase el apéndice I.) De hecho, alrededor de la mitad de las personas que tienen LES padecen esta erupción característica a la que a veces se denomina «erupción en alas de mariposa del lupus» o la «máscara del lupus». Como las de la rosácea, las erupciones típicas del lupus son *fotosensibles*, es decir, pueden desencadenarse o empeorar con la luz del sol. Pero a diferencia de las de la rosácea, estas erupciones son lisas en lugar de desiguales.

Manchas oscuras en las mejillas

Si tienes unas manchas oscuras y simétricas en las mejillas y en el puente de la nariz, como si llevaras una máscara en la cara, se trata del signo característico de *melasma* (también conocido como *cloasma*), un tipo de hiperpigmentación. El melasma es mucho más frecuente en las mujeres que en los hom-

---

HECHOS SIGNIFICATIVOS

He aquí unas cuantas definiciones de utilidad en relación con la piel.

- *Eritema*: enrojecimiento anormal de la piel.
- *Mácula*: manchita lisa que puede verse pero que no se siente al tacto.
- *Nevus*: lunar de nacimiento u otra marca en la piel.
- *Nódulo*: bulto sólido debajo de la piel.
- *Pápula*: bulto sólido sobre la piel.
- *Pústula*: pequeño bulto en la piel que contiene pus.
- *Telangiectasia*: vasos sanguíneos dilatados, visibles debajo de la piel.

---

bres. Las mujeres de piel oscura suelen desarrollar con más frecuencia esta enfermedad que las de piel clara. El riesgo aumenta con la exposición al sol y con los estrógenos.

En una mujer joven el melasma es con frecuencia un signo de embarazo. De hecho, es tan frecuente en el embarazo, presentándose en alrededor de la mitad de las mujeres normalmente durante el segundo o tercer trimestre del mismo, que a menudo se lo denomina *máscara del embarazo*. Las manchas oscuras pueden ser también una reacción a las píldoras anticonceptivas o a la terapia de reemplazo hormonal. Afortunadamente, pocos meses después de interrumpir la ingestión de estos fármacos, o de dar a luz, las manchas van desapareciendo.

Manchas escamosas en la cara

Unas manchas escamosas de color amarillento en mitad de la cara son difíciles de pasar por alto. Y no deberías hacerlo. Pueden ser un signo indicativo de *lupus pernio*, especialmente si son persistentes. Las manchas del lupus pernio pueden ser lisas o sobresalir y normalmente aparecen también en las mejillas, en la nariz, en los labios y en las orejas.

El lupus pernio (que no debe confundirse con el más conocido *lupus eritematoso sistémico* o *LES*) es una forma crónica de una enfermedad inflamatoria bastante común llamada *sarcoidosis* (véase el apéndice I), que produce diminutas acumulaciones de células en varios órganos del cuerpo. La sarcoidosis puede afectar no solo a la piel, sino también a muchos otros órganos del cuerpo, entre ellos los ojos, el hígado, los nódulos linfáticos y los pulmones. De hecho, en el 70 % de los casos, las personas con sarcoidosis tienen los pulmones afectados, lo que les produce tos crónica y falta de aliento. Cuando resultan afectados los ojos, pueden presentarse ojo seco, pérdida de visión, glaucoma y otros trastornos oculares.

HECHOS SIGNIFICATIVOS

Los síntomas de sarcoidosis relacionados con la piel incluyen:

- Sarpullidos de color rojo en la cara y en el cuerpo.
- Bultos rojos, especialmente en las piernas (eritema nodoso).
- Erupciones en la piel.
- Manchas moradas.
- Picores.

La sarcoidosis desencadena a veces otros problemas cutáneos. Cuando afecta a las piernas, a los tobillos o a las espinillas se denomina *eritema nodoso*.

A veces, la sarcoidosis no presenta ningún signo. A menudo se descubre por casualidad; por ejemplo, a propósito de un examen con rayos X efectuado antes de una intervención quirúrgica o por otros problemas de salud. Sin embargo, cuando presenta signos, los relacionados con la piel suelen ser los primeros en manifestarse, mostrándose en alrededor de una tercera parte de las personas afectadas por la enfermedad. Otros indicadores precoces de sarcoidosis pueden ser cansancio, fiebre, dolor en el pecho, dolores articulares y pérdida de peso. Estos y otros signos de sarcoidosis dependen en parte de cuál sea el órgano afectado.

El curso de esta enfermedad varía mucho de unas personas a otras: puede ser desde leve hasta muy grave, puede empeorar o no empeorar y puede tener brotes súbitos o no tenerlos. Los síntomas pueden durar poco tiempo o un año o más, e incluso pueden desaparecer. Afortunadamente, en dos terceras partes de los casos de sarcoidosis pulmonar la enfermedad mejora o incluso desaparece espontáneamente.

HABLANDO DE SEÑALES

 Necesito las relaciones sexuales para tener la piel clara, pero las practico por amor.

JOAN CRAWFORD, actriz

La sarcoidosis se da más frecuentemente entre las personas con ascendencia noreuropea y escandinava, especialmente sueca, y entre los afroamericanos. Afecta más a las mujeres que a los hombres y tiende a darse en personas entre los veinte y los cuarenta años de edad. Resulta interesante el hecho de que las personas de raza blanca suelen tener sarcoidosis en las piernas (*eritema nodoso*), mientras que las mujeres afroamericanas tienen más probabilidades de desarrollarla en la cara (*lupus pernio*).

MANCHAS Y MARCAS EN EL CUERPO

Grandes manchas blancas

¿Has visto alguna vez a alguien con grandes manchas blancas en la piel, que parecen las de un caballo pinto? Si es así, esa persona tiene probablemente las marcas del *vitiligo* (también conocido como *leucoderma*), trastorno de la piel que a menudo se da en más de un miembro de la misma familia y que normalmente se presenta antes de los veinte años de edad.

Las manchas blancas en sí mismas son benignas pero, debido a la falta de *melanina* (sustancia que da el color a la piel), son muy vulnerables a las quemaduras del sol y, como consecuencia, al cáncer de piel. (Véase «Manchas rojizas».)

SIGNO DE LOS TIEMPOS

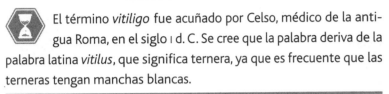

El término *vitiligo* fue acuñado por Celso, médico de la antigua Roma, en el siglo I d. C. Se cree que la palabra deriva de la palabra latina *vitilus*, que significa ternera, ya que es frecuente que las terneras tengan manchas blancas.

El vitiligo puede ser un signo muy precoz de una enfermedad tiroidea autoinmune, especialmente de la enfermedad de Graves, el tipo más frecuente. (Véase el capítulo 2.) De hecho, alrededor de una tercera parte de las personas que padecen la enfermedad de Graves así como la tiroiditis de Hashimoto (véase el capítulo 6), que tienen un componente genético, presentan estas manchas blancas. No obstante, el vitiligo puede presentarse varias décadas antes que otros signos de la enfermedad de Graves. Las personas que padecen vitiligo pueden tener también un mayor riesgo de contraer determinadas enfermedades oculares.

SIGNO DE LOS TIEMPOS

Michael Jackson ha atribuido los cambios en el color de su piel al vitiligo.

El vitiligo, que parece ser en sí mismo un trastorno autoinmune, puede ser también señal de otras enfermedades autoinmunes, además de de la enfermedad de Graves, entre ellas la diabetes, la *anemia perniciosa* (una severa forma de anemia), la *alopecia areata* (véase el capítulo 1) y la *enfermedad de Addison*, un trastorno de las glándulas suprarrenales. (Véanse «Manchas oscuras» y el apéndice I.)

Marcas negras y azules

Cualquiera que se haya golpeado una pierna o un brazo contra una esquina sabe qué aspecto tiene un moratón. Médicamente conocidos como *contusiones* o *eccimosis*, estas marcas son normalmente benignas. Por lo general son consecuencia de la ruptura de vasos capilares (pequeños vasos sanguíneos), muy frecuentemente por causa de una lesión, que hace que la sangre se extienda por el tejido que los rodea. Estas magulladuras no se ponen blancas cuando se las aprieta. Algunas veces la sangre forma un gran coágulo debajo de la piel, lo que se conoce como *hematoma*. Además de un aspecto negro azulado, la piel puede presentar pequeños bultos.

La tendencia a presentar hematomas puede ser un rasgo hereditario. Es también un signo molesto pero natural de envejecimiento. A medida que cumplimos años la capa de grasa

---

HABLANDO DE SEÑALES

La tierra tiene una piel y esa piel tiene enfermedades, una de las cuales es el hombre.

FRIEDRICH NIETZSCHE

protectora de la piel se hace más delgada, con lo que los vasos sanguíneos se rompen con mayor facilidad.

Los hematomas que no son consecuencia de un traumatismo físico se conocen médicamente como *púrpura*. Al igual que otras magulladuras, los moratones son signos de que la sangre está filtrándose a los tejidos que están bajo la piel. Tampoco se ponen blancos al ser presionados. Estas filtraciones de sangre pueden ser una reacción a determinados fármacos, especialmente a los que tienen efecto anticoagulante como la aspirina, la warfarina y los corticosteroides. Algunas infusiones y suplementos dietéticos, como el gingko, el jengibre, el aceite de pescado y el ajo pueden también aumentar las probabilidades de desarrollar marcas negras azuladas. Los hematomas pueden también indicar deficiencias nutricionales, como falta de vitamina C, K o B12, de ácido fólico o de bioflavonoides (componente que se encuentra sobre todo en los cítricos y otras frutas, así como en algunas verduras).

SIGNO DE LOS TIEMPOS

El Mar Muerto ha sido durante siglos el paraíso de las personas con enfermedades de la piel. Hoy en día existen docenas de centros médicos en la zona que están especializados en *climatoterapia* —terapia por el clima— para tratar enfermedades de la piel u otras. Se considera que el agua marina muy salada y la luz solar filtrada son muy buenas para la piel.

Los hematomas frecuentes o sin explicación pueden ser un signo que nos advierte de algunos trastornos sistémicos graves, especialmente la *leucemia*. Otros síntomas de leucemia son la palidez (véase «Piel pálida»), el cansancio, la falta de aliento durante la actividad física, las infecciones frecuentes y las hemorragias sin explicación.

Los hematomas pueden ser señal del *síndrome de Cushing* (también conocido como *hipercortisolismo*), trastorno en el que las glándulas suprarrenales producen demasiado cortisol. Las personas con esta enfermedad normalmente padecen también debilidad muscular, cansancio severo e infertilidad. Si se trata de mujeres, a menudo presentan *hirsutismo*, exceso de pelo en la cara, en los pechos y en otros lugares en los que no suelen tenerlo. (Véase el capítulo 1.) Con frecuencia también padecen obesidad y períodos menstruales irregulares.

La frecuencia de hematomas y el gran tamaño de estos pueden ser también el primer signo de advertencia de un recuento bajo de plaquetas en la sangre —médicamente conocido como *trombocitopenia*—, que puede deberse a diversos trastornos graves como la leucemia y el sida. (Las plaquetas, que son producidas por la médula ósea, son necesarias para la coagulación de la sangre.)

La proliferación de marcas oscuras y azuladas es, en ocasiones, un signo de cirrosis y de otras enfermedades del hígado, de *linfoma* (cáncer del sistema linfático), de lupus (véase «Máscara de mariposa») y de hipotiroidismo (véase el apéndice I.)

SEÑAL DE ADVERTENCIA

 Numerosas marcas negras azuladas en la piel con diferentes grados de intensidad pueden ser señal de repetidos golpes, lo que puede revelar un caso de maltrato físico.

Finalmente, los hematomas son un signo frecuente del *síndrome de Ehlers-Danlos (SED)*, un extraño trastorno del tejido conectivo que afecta principalmente a la piel, a los vasos sanguíneos y a las articulaciones. (Véase el capítulo 7.) El otro signo clásico del SED relacionado con la piel es que esta sea muy elástica. No obstante, muchas personas con este trastorno pueden no tener, o pueden pasar por alto, este o algún otro de sus signos corporales, entre los que pueden incluirse articulaciones hiperflexibles (véase el capítulo 7), desplazamiento articular, escoliosis y problemas oculares. Desgraciadamente, dado que los signos a menudo no se perciben, o son malinterpretados, aproximadamente un 90 % de las personas con SED, que es potencialmente debilitante y puede poner en peligro la vida del paciente, queda sin diagnosticar hasta que los afectados piden atención médica a causa de una emergencia.

SEÑAL DE STOP

STOP Para acelerar la cura de un hematoma, aplícale hielo durante unos quince minutos cada hora durante el primer día. Si es posible, mantén la zona magullada situada por encima del nivel del corazón.

Patrones amoratados

Si tu piel tiene un patrón en forma de red con motas entrecruzadas de color púrpura, puede ser que se trate del signo clásico del trastorno de la piel llamado *livedo reticularis*. Este patrón moteado en red (reticulado) se presenta normalmente

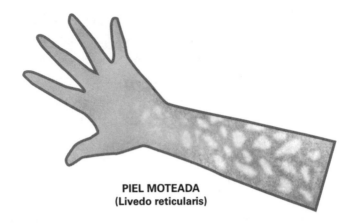

PIEL MOTEADA
(Livedo reticularis)

en el torso o en las extremidades y es consecuencia del estrechamiento de los vasos sanguíneos. La livedo reticularis suele presentarse cuando el paciente está expuesto al frío pero no desaparece cuando entra en calor.

Cuando las líneas del patrón de color púrpura están conectadas entre sí, como las de una red bien formada, normalmente es un signo benigno. Pero cuando muchas de ellas no se atienen a un modelo conexo, puede ser una señal precoz de diversas enfermedades sistémicas, incluida la artritis reumatoide, la fiebre reumática, el lupus y la *trombocitemia*. Esta última enfermedad se produce cuando hay demasiadas plaquetas en la sangre. No hay que confundirla con la trombocitopenia (véase «Marcas negras y azules»), trastorno en el que no hay suficientes plaquetas.

La livedo reticularis es a menudo el primer signo del *síndrome de anticuerpos antifosfolípido o SAAF* (véase «Rayas oscuras»), trastorno de la circulación que puede producir coágulos *(trombosis)* en las arterias o en las venas. Estos coágulos aumentan el riesgo de derrames cerebrales, ataques al corazón y embolias pulmonares.

También conocido como *síndrome de Hughes*, el SAAF en las mujeres puede hacer que estas aborten de manera recurrente. De hecho, alrededor del 20 % de los casos de abortos reiterados tiene su causa en este síndrome.

SEÑAL DE ADVERTENCIA

Las pacientes de livedo, estén o no afectadas por el SAAF, tienen un mayor riesgo de abortar repetidas veces. Si tienes estos patrones de piel amoratados y estás embarazada, o has tenido varios abortos, díselo a tu médico.

Manchas oscuras

Si tienes manchas oscuras en el cuerpo, en lugar de en la cara, y son más gruesas o aterciopeladas que una piel normal, puede ser que padezcas un tipo de hiperpigmentación conocido médicamente como *acantosis nígricans (AN)*. Las personas con AN, cuando se dan cuenta por primera vez de que tienen manchas, a menudo se quejan de suciedad en una zona de la piel que no parece posible hacer desaparecer. El color de las manchas varía entre castaño y marrón oscuro y su tamaño puede ser desde muy pequeño hasta considerablemente grande. Aparecen con mayor frecuencia en la parte posterior del cuello, en las axilas, en las ingles o en cualquiera de los pliegues o arrugas de la piel. Otro signo de AN son los *pólipos cutáneos*, que se encuentran a menudo en las manchas o alrededor de ellas. (Véase «Colgajos en la piel».) A veces, la acantosis nígricans es hereditaria y es más frecuente en las personas de ascendencia africana. Normalmente, estos cambios de la coloración de la piel son de desarrollo lento.

HECHO SIGNIFICATIVO

Según las conclusiones de un estudio reciente, en una tercera parte de los pacientes de cáncer y de AN, esta se presenta
antes que el diagnóstico del cáncer.

La AN puede deberse a una reacción a determinados fármacos o sustancias, incluidos los corticosteroides, los anticonceptivos por vía oral, la hormona del crecimiento humano
y la insulina. Se presenta con más frecuencia en personas obesas, en cuyo caso puede indicar una resistencia a la insulina.
A menudo es un importante signo temprano de diabetes. En
las mujeres con sobrepeso puede ser indicativa del *síndrome del
ovario poliquístico (SOP)*, el trastorno hormonal más común
entre las mujeres en edad fértil y una de las primeras causas de esterilidad. (Véase el capítulo 1.) La AN también se
presenta a veces en personas que padecen el síndrome de
Cushing, trastorno hormonal de las glándulas suprarrenales.
(Véase «Marcas negras y azules».)

Las manchas oscuras en la piel, especialmente en los nudillos, en los pezones, en las axilas, en la zona del pubis y en
las arrugas de la piel pueden ser también un signo de otros
trastornos de las glándulas suprarrenales, como la *enfermedad de Addison*, en la que estas glándulas dejan de funcionar correctamente. (Véanse «Grandes manchas blancas» y
el apéndice I.)

A diferencia de las manchas localizadas características de
la AN, las manchas oscuras de la enfermedad de Addison
tienden a estar diseminadas por todo el cuerpo. Normalmente aparecen en zonas expuestas al sol, pero también pueden
presentarse debajo de los brazos, alrededor de los pezones,

en las palmas de las manos y en las plantas de los pies, alrededor de los genitales, en el ano e incluso en la boca. Si tienes manchas oscuras en la boca además de en la piel, es un signo bastante seguro de que padeces la enfermedad de Addison. Otros signos de Addison incluyen vitiligo (véase «Grandes manchas blancas»), pérdida de pelo en el pubis y en las axilas (en las mujeres), debilidad, pérdida de peso y problemas gastrointestinales. Por desgracia, la enfermedad de Addison es un trastorno que pocas veces se diagnostica y que, si no se somete a tratamiento, amenaza la vida de quien la padece.

SEÑAL DE ADVERTENCIA

Si tienes necesidad constante de sal, puede tratarse de un signo precoz de enfermedad de Addison, grave trastorno autoinmune que afecta a las glándulas suprarrenales.

La AN puede ser también un signo precoz de cáncer de estómago o de otros cánceres gastrointestinales. Las personas afectadas por la AN relacionada con un cáncer suelen ser más delgadas y de más edad que las que padecen AN sin relación con un cáncer y generalmente desarrollan las manchas negras muy rápidamente.

Manchas rojizas

La abundancia de manchas rojas en la piel puede ser un problema pasajero y benigno, como los granos o la fiebre miliar. O puede ser indicativa de un trastorno más problemático y persistente. Por ejemplo, una serie de manchas rojas con relieve y con escamas plateadas puede ser un síntoma de *psoria-sis*. Las manchas de la psoriasis aparecen a menudo en varias partes del cuerpo, como el cuero cabelludo, los codos, las rodillas, la espalda y las nalgas.

HECHO SIGNIFICATIVO

El hecho de que las personas de piel clara se quemen fácil-mente con el sol no es la única razón por la que tienen más riesgo de contraer un cáncer de piel. Otro factor es la dificultad que tienen para broncearse. La piel se broncea por un aumento de melani-na, sustancia que la protege de los rayos ultravioleta. Los científicos están ahora experimentando con cremas que pueden aumentar la concentración de melanina en la piel, permitiendo así el bronceado sin una exposición excesiva a los rayos del sol.

Se cree que la psoriasis es una enfermedad autoinmune que tiene cierto componente genético. Aunque este trastorno puede durar toda la vida, algunos pacientes no tienen erup-ciones durante largos períodos. Alrededor del 20 % de ellos padece también un tipo de artritis, médicamente conocido como *artritis psoriásica*. En ciertas personas, la psoriasis es un signo que precede a la artritis mientras que en otras la se-cuencia es la contraria.

Por otro lado, una única mancha rojiza, rugosa o escamo-sa puede ser una señal indicativa de *queratosis solar* (también

---

SEÑAL DE ADVERTENCIA

Las personas con psoriasis tienen un mayor riesgo de infarto y de cáncer de los nódulos linfáticos *(linfoma)*.

---

conocida como *queratosis actínica*), una afección precancerosa. (Es posible tener más de una de estas manchas precancerosas.) La mancha o manchas pueden ser también de color rosáceo o incluso del color de la piel, en cuyo caso es más fácil notarlas al tacto que verlas. Si no se elimina, la queratosis solar puede convertirse en un *carcinoma de células escamosas (CCE)*.

SIGNO DE LOS TIEMPOS

Jane Austen y John F. Kennedy sufrieron la enfermedad de Addison, aunque el ex presidente nunca admitió en público que padecía esta enfermedad, de consecuencias potencialmente fatales. A los veintisiete años de edad, la cantante Helen Reddy fue también diagnosticada de Addison. Patrocinó la Asociación Australiana de la Enfermedad de Addison.

El CCE es el segundo tipo más común de cáncer de piel. El más frecuente es el *carcinoma de células basales (CCB)*, y el más infrecuente, aunque también el más mortífero, el *melanoma*. (Véase «Bultos y protuberancias».) Los CCE consisten normalmente en unas zonas de color rojo y bordes irregulares, que están inflamadas y presentan costra o escamas. Pueden tener algo de relieve, de manera parecida a una verruga, y pueden abrirse *(ulcerarse)* y sangrar. Y muchas veces no es posible curarlas.

Como todos los cánceres de piel, el CCE se debe principalmente a la excesiva exposición a los rayos ultravioleta del sol o de los salones de belleza. Los efectos carcinógenos de los rayos ultravioleta, provengan de donde provengan, son acumulativos.

HECHO SIGNIFICATIVO

El cáncer de piel es el único cáncer que es casi totalmente evitable. Así y todo, en Estados Unidos una de cada seis personas desarrollan un cáncer de piel.

Los cánceres de piel más frecuentes se localizan en la cara, en el cuello, en el cuero cabelludo de las personas calvas, en las manos, en los hombros, en los brazos y en la espalda, lugares todos ellos de mucha exposición al sol. La zona del pecho que, según el diseño de un tipo de camisetas, también queda expuesta es a su vez un lugar propicio para el cáncer de piel. También el borde de las orejas y el labio inferior son zonas susceptibles. Al igual que ocurre con otros cánceres de la piel, las personas de pelo, piel y ojos claros tienen un mayor riesgo, lo mismo que sucede con las que tienen muchas pecas y difícilmente se broncean. Las personas de piel oscura, especialmente las de ascendencia africana, tienen menos probabilidades de contraer un cáncer de piel que las de raza blanca. Pero cuando les afecta, es más probable que se trate de un CCE que de un CCB o de un melanoma.

Con independencia del color de la piel, el CCE puede presentarse en lugares que hayan sufrido quemaduras, cortes o heridas que no hayan curado rápidamente, así como en aquellos otros que hayan estado expuestos a muchas sesiones de

SEÑAL DE ADVERTENCIA

Según estudios recientes, el consumo excesivo de alcohol parece aumentar el riesgo de desarrollar un melanoma, especialmente en las mujeres.

rayos X o a determinadas sustancias químicas tóxicas. Además, los trastornos que causan una inflamación crónica de la piel, o que deprimen el sistema inmunológico durante un largo período de tiempo, ponen a quien los padece en riesgo de contraer un CCE.

Aunque crece lentamente, si no se trata, puede invadir los tejidos adyacentes provocando daños importantes y desfiguración. También se puede extender a los nódulos linfáticos y a otras partes del cuerpo, lo cual puede ser fatal.

EL CCE y una fase temprana del mismo, conocida como *enfermedad de Bowen* o *carcinoma de células escamosas in situ*, pueden presentarse también como reacción a una terapia inmunodepresiva aplicada después de un trasplante de órganos o tras un tratamiento contra la diabetes u otras enfermedades crónicas.

SEÑAL DE ADVERTENCIA

 Los CCE que aparecen por primera vez en la oreja, en el labio inferior o en la boca son los que tienen más probabilidades de extenderse.

La enfermedad de Bowen también puede estar asociada a la presencia de un *papilomavirus humano (PVH)*, especialmente cuando este afecta a los genitales. El signo clásico de la enfermedad de Bowen es la irritación de la piel con aspecto de erosión de la misma. Comparadas con las propias de la queratosis actínica, las manchas de la enfermedad de Bowen tienden a presentar costra y a ser mayores (a menudo bastante más de un centímetro) y más rojizas y escamosas.

SEÑAL DE STOP

Para ayudar a prevenir el cáncer de piel:
• Evita la exposición directa al sol entre las diez de la mañana y las cuatro de la tarde.
• Evita las lámparas solares y las cabinas de bronceado.
• Aplícate crema solar cada dos horas.
• Viste con manga larga y sombrero, y usa gafas de sol cuando vayas a estar expuesto al sol.
• Aplícate cremas solares con índice de protección 15 o superior y que incorporen filtros que bloqueen tanto los rayos UVA como los UVB.

Palmas de las manos rojas

Si te das cuenta de que siempre tienes rojas las palmas de las manos aunque no estén irritadas, puede ser que presentes un *eritema palmar*. Puede ser una alteración totalmente benigna, o una señal de deficiencia de vitamina B o de un elevado consumo de alcohol. De hecho, las palmas rojas son a veces un signo de alarma de cirrosis hepática por alcoholismo, así como de hepatitis y de otras enfermedades del hígado. También pueden ser una señal de hipertiroidismo, de diabetes, de artritis reumatoide, de tuberculosis e incluso de cáncer.

Unos puntos rojos, indoloros y lisos en las palmas de las manos pueden ser debidos a un trastorno muy extraño llamado *lesiones de Janeway*. (También aparecen en las plantas de los pies.) Las lesiones de Janeway son un signo indicativo de *endocarditis infecciosa*, inflamación del revestimiento del corazón que puede dar lugar a una insuficiencia cardíaca, a una embolia o a un derrame cerebral. La infección puede provenir de distintas causas, desde el consumo de drogas por vía intravenosa hasta las operaciones quirúrgicas dentales o del corazón. Otros signos de endocarditis relacionados con la piel son unos nódulos dolorosos de color rojo en los dedos de las manos y en los de los pies —conocidos médicamente como *nódulos de Osler*— y las hemorragias debajo de las uñas (véase «Rayas oscuras») y en el blanco del ojo *(manchas de Roth)*. El edema y el sudor excesivo son signos de que la infección está empeorando.

Erupción escamosa en las palmas de las manos o en las plantas de los pies

Si notas que tienes muchas pequeñas escamas en las palmas de las manos o en las plantas de los pies es posible que las confundas con verrugas o incluso con una psoriasis (véase «Manchas rojizas»); sin embargo, quizá se trate del *síndrome de Reiter* (conocido también como *artritis reactiva*), una inflamación de las articulaciones que afecta principalmente a varones jóvenes. (Véase «Uñas picadas».) Estas lesiones —médicamente conocidas como *queratosis blenorrágica*— pueden tener aspecto rojizo o amarillo oscuro y ocasionalmente agruparse como callosidades con los bordes despellejados. Otros signos del síndrome de Reiter —que puede estar causado por

---

HECHO SIGNIFICATIVO

Entre el 30 y el 50 % de los diabéticos desarrollan algún tipo de enfermedad de la piel.

---

determinadas enfermedades de transmisión sexual o por infecciones intestinales— son las infecciones oculares y el dolor al orinar. En ocasiones, una erupción escamosa en las palmas de las manos o en las plantas de los pies revela una *psoriasis postular*, un tipo raro de psoriasis que puede producirse como reacción a determinados medicamentos o a sustancias químicas como los esteroides, el litio, la penicilina y el yodo. Este trastorno puede también desencadenarse por infecciones y por estrés emocional.

PÁPULAS Y VENAS

Pequeñas pápulas rojas levantadas

Si observas que tienes en el torso unas pequeñas pápulas esféricas de color rojo o violeta, es posible que se trate de puntos de *Campbell de Morgan* (conocidos también como *angiomas en cereza*). Su aspecto suele ser el de un pequeño grano rojizo de unos pocos milímetros de diámetro.

Los puntos de Campbell de Morgan son un signo benigno habitual de envejecimiento que suelen presentarse en hombres y mujeres de entre cuarenta y sesenta años. Dado que frecuentemente aumentan con la edad, solía llamárselos *angiomas seniles*. De hecho, estos puntos responden a un crecimiento de los vasos sanguíneos de la piel. Al presionar sobre ellos, no adquieren una tonalidad blanca. Normalmente son del todo inofensivos, aunque pueden resultar bastante antiestéticos.

Pecas y otras pequeñas manchas

Cuando vemos que alguien tiene unas pequeñas motas oscuras en la piel damos por sentado que son pecas. Conocidas médicamente como *efélides*, son acumulaciones de pigmento *(melanina)* y pueden ser de color rojo, marrón o negro. Normalmente son benignas, a veces constituyen un rasgo hereditario y suelen aparecer con mayor frecuencia en personas de piel clara que se exponen al sol. A medida que el sol pierde su fuerza en invierno, la intensidad de las pecas tiende a disminuir. Pero algunas veces son algo más de lo que se aprecia a simple vista.

SIGNO DE LOS TIEMPOS

En la antigua Roma, las mujeres y los hombres que querían ir a la moda se aplicaban falsos lunares en la cara, cuello, hombros y brazos. Estos lunares artificiales eran también muy populares en los siglos XVII y XVIII y a menudo se hacían con tejidos de fantasía como tafetán y cuero español. Se colocaban en un lugar u otro del cuerpo para indicar las simpatías políticas de quienes los lucían.

Por ejemplo, si detectas la presencia de puntos muy oscuros o negros con aspecto de pecas que no pierden intensidad, puede ser un signo indicativo de la *enfermedad de Addison* (véanse «Manchas oscuras» y el apéndice I.) Estos puntitos suelen aparecer en la cara (especialmente en la frente) y en los hombros.

Por otro lado, si tienes puntos muy definidos de color rojo, morado o marrón debajo de la piel —o sea, subcutáneos—, no se trata de pecas. Más bien son *petequias*, o pequeñas hemorragias. Estas manchitas subcutáneas normalmente son rojas al principio y luego se vuelven moradas o de color marrón, hasta que desaparecen.

SIGNO DE LOS TIEMPOS

 Los lunares artificiales han seguido siendo populares hasta nuestros días. He aquí una lista de personas que se han caracterizado por hacer uso de ellos:

• Marilyn Monroe
• Cindy Crawford
• Goldie Hawn
• Sarah Jessica Parker
• Demi Moore
• Robert De Niro

Las petequias son un tipo de telangiectasia, pequeños vasos sanguíneos dilatados visibles debajo de la piel. (Véase «Mejillas rosáceas».) Como en el caso de la púrpura (véase «Marcas negras y azules») —que en realidad son grandes conjuntos de petequias— no se ponen blancas ni desaparecen cuando se las presiona. Este tipo de puntitos se presentan en la cara, en las piernas, en los brazos e incluso en la boca. Aunque pueden aparecer en cualquier otra parte del cuerpo, incluso en los genitales.

Tanto las petequias como la púrpura pueden ser una señal de bajo recuento de plaquetas. Pueden desarrollarse como reacción a determinados medicamentos anticoagulantes como la aspirina y el coumadin, y a los corticosteroides, que pueden interferir en la producción de plaquetas. En algunos casos son un signo revelador de algún trastorno o enfermedad autoinmune que está afectando a la médula ósea, como la leucemia, el sida, algunos tipos de anemia y determinadas infecciones víricas.

Las petequias son signos clásicos de *púrpura trombocitopénica idiopática (PTI)*, trastorno hemorrágico autoinmune que también se caracteriza por niveles bajos de plaquetas. (Véase «Marcas negras y azules».) Además de las pequeñas manchas rojas en la piel, entre otros signos de la PTI se incluyen la facilidad para la formación de hematomas, el sangrado prolongado a raíz de un corte, las hemorragias espontáneas de la nariz o de las encías, la sangre en la orina o en las deposiciones y los períodos menstruales anormalmente abundantes.

La PTI afecta a las mujeres dos o tres veces más frecuentemente que a los hombres, y las muy jóvenes (entre los doce y los quince años) tienen un mayor riesgo de padecerla. De hecho, muchas mujeres con este trastorno experimentan menstruaciones muy abundantes. Por fortuna, es una afección que muy raras veces provoca hemorragias cerebrales; pero cuando lo hace, podrían ser fatales.

Marcas en araña

Ver una araña pegada a la piel tiene que ser terrorífico, pero ver una marca con forma de araña también puede producir una sensación muy desagradable. Médicamente conocidas como *nevus en araña* (y también como *angioma en araña* o *araña vascular*, y como *nevus aracneus*), son pequeñas agrupaciones anormales de vasos sanguíneos situadas justo debajo de la superficie de la piel. Normalmente tienen un punto rojo en el centro que parece la cabeza de una araña y unas líneas hacia fuera en forma de patas. Estas marcas en araña son la forma más frecuente de telangiectasia y suelen aparecer generalmente en la cara y en la parte superior del cuerpo. No deben confundirse con las *venas de araña*, que son pequeñas venas varicosas que normalmente se presentan en las piernas. (Véase «Pequeñas venas en las piernas».)

A diferencia de las petequias y de los puntos de Campbell de Morgan (véase «Pequeñas pápulas rojas levantadas»), que no se ponen blancos cuando se presiona sobre ellos, los nevus en araña sí lo hacen momentáneamente, o desaparecen, con la presión.

Los nevus en araña suelen ser benignos y pueden ser un síntoma de embarazo. No obstante, a veces son una señal de determinados trastornos sistémicos, como la cirrosis hepática y otras enfermedades del hígado, la artritis reumatoide y el hipertiroidismo. (Véase el apéndice I.)

VENAS VISIBLES

Pequeñas venas en las piernas

Si percibes pequeños vasos sanguíneos en las piernas, cerca de la superficie de la piel, lo más probable es que se trate de *venas de araña*, que son pequeñas venas varicosas. (Véase «Grandes venas en las piernas».) Las venas de araña se presentan normalmente en los muslos, las pantorrillas y los tobillos. Puede parecer que son una quemadura del sol, una telaraña o una pequeña ramita.

Las venas de araña afectan a veces a varios miembros de una misma familia y son más frecuentes en las mujeres que en los hombres. Normalmente son benignas y pueden aparecer durante la pubertad o el embarazo, o por el consumo de píldoras anticonceptivas o como consecuencia de una terapia de reemplazo hormonal. El sobrepeso es otro factor de riesgo, al igual que llevar unas medias apretadas que dificulten la circulación.

Grandes venas en las piernas

Mientras que las venas de araña son pequeñas y rojas o amoratadas, las *venas varicosas* son grandes, salientes, retorcidas y azules, y la zona que las rodea puede escocer o doler. Pueden ser un rasgo de tipo hereditario, o una señal de embarazo, de obesidad o de cambios hormonales. O simplemente pueden ser una señal de que hemos estado demasiado tiempo de pie. Como ocurre con las venas de araña, a veces ponen de manifiesto que llevamos calcetines o medias demasiado apretados. No es raro que una misma persona tenga a la vez venas de araña y varices.

HABLANDO DE SEÑALES

 Las venas varicosas son consecuencia de no haber elegido bien a nuestros abuelos.

WILLIAM OSLER, padre de la medicina moderna

Aunque normalmente solo son un problema de tipo estético, las varices pueden incrementar el riesgo de contraer un tipo de úlcera de piel llamada *úlcera por estasis venosa*, que se produce cuando la vena varicosa hace que la piel no pueda recibir el oxígeno necesario. Las personas con este problema tienen un riesgo mayor de *flebitis* (llamada también *tromboflebitis*), que es una hinchazón o inflamación de las venas que suele afectar a las de las piernas y está causada por coágulos de sangre. (Véase «Patrones amoratados».) No todas las venas afectadas por una flebitis pueden verse, pero en caso de que la vena afectada se haga visible el trastorno recibe el nombre de *tromboflebitis superficial*. Aunque por lo general es benigno, puede resultar muy incómodo. En algunas ocasiones, podría ser un signo de cáncer abdominal o de *trombosis venosa profunda (TVP)*. (Véase el capítulo 7.)

En la TVP se forma un coágulo en una vena profunda de una pierna, provocando coloración rojiza, hinchazón y dolor. Si el coágulo se pone en movimiento, puede alojarse en los pulmones produciendo una *embolia pulmonar*, que puede ser mortal. Algunas veces, el coágulo se desplaza hasta el corazón o el cerebro, provocando un ataque cardíaco o una trombosis cerebral.

Bultos y protuberancias

Casi todos tenemos bultos y protuberancias de distintos tamaños en la piel. Como muchos otros signos relacionados con la piel, la mayoría son benignos, pero algunos pueden ser una señal de enfermedades y trastornos sistémicos subyacentes, y a veces incluso son cancerosos.

Desgraciadamente, no siempre es fácil detectar los bultos cancerosos y distinguirlos de los que no lo son. El cáncer de piel puede adoptar muchas formas, tamaños, texturas y colores. Algunos son lisos, otros tienen relieve; algunos exudan,

HECHO SIGNIFICATIVO

El cáncer de piel es el más frecuente entre los hombres de más de cincuenta años. Esto significa que se dan más cánceres de piel en los hombres que de próstata, pulmón y colon, en conjunto. Y los hombres tienen el doble de probabilidades de desarrollar un carcinoma de células basales, y el triple de contraer un carcinoma de células escamosas, que las mujeres.

otros no. Y pueden presentarse en cualquier parte del cuerpo, incluyendo el cuero cabelludo, las plantas de los pies, el interior de la boca e incluso alrededor o en el interior del recto o de la vagina.

SEÑAL DE ADVERTENCIA

Unos investigadores de la Universidad de San Luis han descubierto que si conduces con el brazo fuera de la ventanilla puedes estar aumentando el riesgo de contraer un cáncer de piel. Comprobaron que, entre los conductores varones, existían más casos en los que estaban afectados el brazo y la mano izquierdos.

Pero hay una serie de principios generales sobre los mismos: cualquier bulto o protuberancia en la piel (médicamente conocidos como *pápulas*) que cambie de tamaño o de aspecto, sangre o no desaparezca puede ser un signo de cáncer de piel y debería ser examinado.

Por ejemplo, si tienes un bulto pequeño, brillante, saliente, que va creciendo poco a poco y sangra ocasionalmente, es posible que sea una señal de *carcinoma de células basales (CCB)*. Por lo general, estos carcinomas son indoloros, tienen

---

SEÑAL DE ADVERTENCIA

Uno de cada tres estadounidenses desarrolla un cáncer de piel en algún momento de su vida. Lo ideal sería que las personas adultas se sometieran a un examen de piel una vez al año. La frecuencia perfecta depende de los factores de riesgo personales, incluyendo el historial familiar, el color de la piel, la edad, la raza y la exposición al sol.

---

bordes irregulares y pueden ser consistentes y blancos como una perla. Para aumentar la confusión, varían mucho en cuanto a tamaño y aspecto. Pueden ser rosáceos, rojos, morados, marrones o negros. Algunos son como manchas lisas parecidas a una cicatriz y otros pueden abrirse, formándose una postilla. Los hay que crecen tan poco a poco que apenas se nota.

HECHO SIGNIFICATIVO

El riesgo de desarrollar un melanoma es más de diez veces mayor para las personas de raza blanca que para los afroamericanos. Sin embargo, cuando las de raza negra lo contraen, el cáncer es más mortífero.

El carcinoma de células basales no solo es la forma más frecuente de cáncer de piel sino que es el cáncer más frecuente en Estados Unidos. Por fortuna, el CCB que se produce en la capa exterior de la piel *(epidermis)* raras veces se reproduce en otro lugar (metástasis). La mala noticia es que, si no se trata, puede invadir los tejidos contiguos provocando importantes daños y desfiguración, así como extenderse a otros órganos.

Si bien puede presentarse en cualquier lugar del cuerpo, el carcinoma de células basales normalmente se desarrolla en la piel que está expuesta al sol, especialmente en la de la cara, la cabeza y el cuello. La exposición a los rayos X y al arsénico también puede aumentar el riesgo.

Lunares multicolores

Muchos de nosotros tenemos lunares, esos puntos oscuros que parecen surgir en casi cualquier lugar del cuerpo. De hecho, una persona tiene por término medio entre 10 y 40 lunares. Pero si son muchos —100 o más— existe un mayor riesgo de *melanoma*, el menos común y más letal de todos los cánceres del piel.

Normalmente, los melanomas son oscuros, ya que crecen a partir de las células de la piel que producen la pigmentación. Aunque por lo general surgen desde un lunar u otra mancha oscura, o cerca de ellos, algunas veces aparecen también en partes de la piel donde no los hay. El melanoma suele tener estas características: lunar liso, saliente, multicolor y de forma irregular. El lunar donde se desarrolla puede ser nuevo o antiguo y cambiar de aspecto.

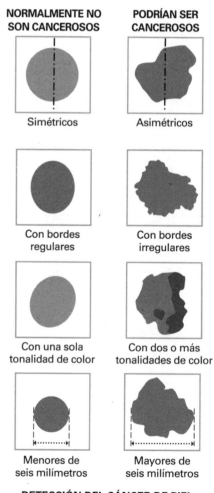

NORMALMENTE NO SON CANCEROSOS

PODRÍAN SER CANCEROSOS

Simétricos — Asimétricos

Con bordes regulares — Con bordes irregulares

Con una sola tonalidad de color — Con dos o más tonalidades de color

Menores de seis milímetros — Mayores de seis milímetros

DETECCIÓN DEL CÁNCER DE PIEL

HECHO SIGNIFICATIVO

La frecuencia del melanoma es cada vez mayor y aumenta más rápidamente que la de cualquier otro tipo de cáncer. Entre 1973 y 1995 se dobló su incidencia en personas de raza blanca.

Como otros cánceres de piel, los melanomas pueden adoptar muchas formas, tamaños, colores y texturas. Por ejemplo, pueden consistir en una mancha grande y marrón con motitas más oscuras, en un bulto irregular con puntos rojos, blancos, azules o azules negruzcos, o en unas protuberancias brillantes, sólidas y con forma abombada. Aunque aparecen con mayor frecuencia en la parte superior de la espalda y en la cara, pueden presentarse en cualquier sitio, incluyendo los miembros, las palmas de las manos, las plantas de los pies, las puntas de los dedos de las manos y de los pies, así como en las membranas mucosas de la boca, la nariz, la vagina y el ano.

La exposición al sol es la principal causa del melanoma. Una persona que haya padecido quemaduras importantes de

---

SEÑALES DE ADVERTENCIA

La prueba del *ABCDE* del melanoma sería:

A: Asimetría: lados de diferente forma.

B: Bordes irregulares.

C: Color (multicolor).

D: Diámetro normalmente mayor que el tamaño de la goma de un lápiz.

E: Evolución: puede cambiar de tamaño, forma, color y grosor, y puede sangrar, picar o formar costra.

---

sol en la infancia tiene un riesgo mayor de contraerlo. De hecho, haber tenido una sola vez quemaduras severas en la piel durante la infancia supone un riesgo doble. Y las personas que utilizan cabinas o lámparas de bronceado, especialmente antes de los treinta y cinco años, también tienen un mayor riesgo.

Afortunadamente, el melanoma se cura en muchas ocasiones si se detecta a tiempo. Sin embargo, si no se descubre en los primeros estadios de su desarrollo puede ser rápidamente mortal.

SEÑAL DE ADVERTENCIA

 De acuerdo con un estudio reciente, el índice de supervivencia en los casos de melanoma en los pies y tobillos es significativamente inferior al de los de melanoma en una pierna.

Protuberancias que parecen verrugas cerosas

Si ves un abultamiento que tiene el aspecto de la cera marrón, y no vienes de una cena romántica con velas, puedes estar ante un signo de *queratosis seborreica*. A veces denominadas «percebes», porque recuerdan a estos moluscos, estas protuberancias se confunden a menudo con verrugas. De hecho, algunas personas las llaman *verrugas seborreicas*. Pero no lo son; no contienen el VPH, virus responsable de las verrugas.

Las queratosis seborreicas suelen ser de color marrón pero también pueden ser negras o del color de la carne. Pueden ser redondas o de forma oval y su tamaño oscila entre poco más de medio centímetro y varios centímetros. Estas protuberancias normalmente se presentan en las zonas de más exposi-

---

HECHO SIGNIFICATIVO

La mayoría de los melanomas son detectados por familiares y amigos de la persona afectada más que por los médicos. Pero entre los pacientes a los que un médico detectó un melanoma, los que fueron diagnosticados por un dermatólogo tuvieron mejores índices de supervivencia.

---

ción al sol: la cara, los hombros, la espalda y el pecho. Algunas personas tienen una sola, pero otras tienen muchas repartidas por todo el cuerpo. En general los bordes no están unidos a la piel y pueden eliminarse fácilmente. Dado que suelen producir picor, la gente suele rascárselas con riesgo de que se infecten.

Su presencia tiende a aumentar a medida que cumplimos años. De hecho, son el tumor benigno más frecuente en las personas mayores. Estas lesiones cutáneas se confunden a veces con un cáncer de piel, especialmente con un melanoma. Afortunadamente no son cancerosas. Sin embargo, en ocasiones se desarrolla en su interior un carcinoma de células escamosas o un melanoma (véanse «Bultos y protuberancias» y «Lunares multicolores»).

Colgajos en la piel

Si percibes unas excrecencias cutáneas pequeñas, antiestéticas y del color de la propia piel, que parece como si estuvieran colgando de un hilo, se trata de pólipos cutáneos, que son conocidos médicamente como *acrocordones*. Se presentan con frecuencia debajo de los pliegues de la piel, por ejemplo alrededor del cuello, debajo de las axilas, en las ingles o debajo de los pechos. Pero también pueden aparecer en otros lugares del cuerpo.

HECHO SIGNIFICATIVO

El melanoma es uno de los cánceres más frecuentes entre las personas muy jóvenes. De hecho, una de cada 30.000 chicas y uno de cada 15.000 chicos de edades comprendidas entre los quince y los diecinueve años desarrolla un melanoma.

Muchos de nosotros tenemos estos antiestéticos signos de aumento de peso y de envejecimiento. Normalmente empiezan a salir cuando estamos en la treintena y la mayoría de las personas los tienen cuando han alcanzado los setenta años. Parecen darse con mayor frecuencia en las personas con sobrepeso y en las mujeres embarazadas.

Aunque pueden ser estéticamente desagradables, no son cancerosos. Algunas veces pueden sangrar e incluso infectarse si los cortamos o arrancamos.

Antes solía creerse que eran signos de pólipos en el colon, pero de acuerdo con pruebas recientes son más probablemente señales de diabetes no insulinodependiente y de obesidad.

Pequeños bultos amarillentos

Un bulto que se encuentra justamente debajo de la superficie de la piel, blando y de color amarillo, con bordes bien definidos, es muy probablemente un depósito de grasa, médicamente conocido como *xantoma*. Estos depósitos de grasa pueden ser desde muy pequeños hasta de un tamaño de más de siete centímetros de diámetro y pueden indicar unos elevados niveles de lípidos en sangre, especialmente de tipo hereditario, así como enfermedades del corazón, diabetes, cirrosis biliar primaria y algunos tipos de cáncer.

SIGNO DE LOS TIEMPOS

 En Italia, cuenta una leyenda que los populares tortellini tomaron su forma a imitación del ombligo de Venus, la diosa del amor.

Si se encuentran en los párpados, que es donde aparecen con más frecuencia, se conocen médicamente como *xantelasmas*. (Véase el capítulo 2.) Otros lugares frecuentes de desarrollo de xantomas son los codos, las articulaciones, los tendones, las manos, los pies y las nalgas. Tanto los xantelasmas como los xantomas son normalmente benignos, pero pueden indicar niveles altos de colesterol, lo que es un importante factor de riesgo de enfermedades coronarias.

Bultos que pueden moverse

Notar la presencia de unos bultos redondeados, fácilmente movibles y adiposos debajo de la piel, especialmente en el cuello, el tronco y los antebrazos, puede resultar desconcertante. Pero probablemente se trata de *lipomas*, que son tumores de grasa no cancerosos e inofensivos (a no ser que empiecen a pinzar un nervio). De hecho, el lipoma es el tumor de

tejidos blandos benigno más común en personas adultas.
(Véase el capítulo 6.) Normalmente crecen poco a poco y suelen tener un diámetro de entre cinco y siete centímetros. Algunas personas desarrollan un solo bulto; otras pueden tener múltiples lipomas. Son más frecuentes en las mujeres y en las personas con sobrepeso.

Un bulto indoloro, blando, movible y de crecimiento lento podría también ser un *quiste sebáceo*. (Véase el capítulo 6.) Aunque estos quistes suelen aparecer alrededor del cuello, pueden surgir casi en cualquier lugar del cuerpo, incluso en la piel del escroto y en la vagina. A diferencia de los lipomas, estos bultos normalmente tienen en el medio un punto o cabeza negra. Son completamente benignos, aunque algunas veces pueden abrirse y exudar.

Bulto en el ombligo

Al examinarte el ombligo, probablemente has reconocido si es de los que sobresalen o de los que están en un huequecito. Aunque en los dos casos el ombligo es totalmente normal, alrededor del 90 % de ellos son «interiores». De hecho, esta característica anatómica es una cicatriz permanente de nacimiento que se produce al cortar el cordón umbilical.

Un ombligo que anteriormente era «interior» y que recientemente ha salido hacia fuera es un signo habitual de embarazo, especialmente durante el segundo trimestre. Si eres hombre, o una mujer que no está embarazada, un ombligo que ha salido hacia fuera puede ser una señal de *hernia umbilical*, trastorno en el que un trozo del intestino traspasa la pared abdominal a través de un agujero o por una debilidad de la misma. (Cuando sucede esto en la zona de la ingle se le llama *hernia inguinal*.)

Las hernias umbilicales son más frecuentes en la infancia pero pueden producirse en la edad adulta, a menudo como consecuencia de la obesidad, de un gran número de embarazos, de un violento esfuerzo muscular o incluso por toser de manera persistente. Cuando es posible empujar la hernia y colocarla en su sitio, normalmente el problema no pasa a mayores. Sin embargo, una hernia puede *estrangularse* o *encarcelarse*, lo cual es una situación muy dolorosa y potencialmente muy peligrosa.

Si notas un bulto que está en el interior del ombligo, de forma irregular, y a veces con vasos sanguíneos visibles, puede ser un signo del llamado *nódulo de la hermana Joseph* (también llamado *nódulo de Mary Joseph*). Este extraño bulto es generalmente indoloro y consistente pero a veces exuda. Puede ser de color violeta azulado, marrón rojizo o incluso blanco.

Desgraciadamente, el nódulo de Mary Joseph es señal de un cáncer avanzado en la cavidad abdominal, aunque la malignidad puede provenir de prácticamente cualquier órgano. En algunos casos, el nódulo de Mary Joseph es el único síntoma de un cáncer de ovario, colo-rectal o de páncreas.

SIGNO DE LOS TIEMPOS

En 1912, la hermana Mary Joseph, cirujana asistente del doctor William Mayo, fundador de la clínica Mayo, identificó este nódulo. Diez años antes de que el nódulo recibiera su nombre, la hermana Joseph, como solía llamársela, murió a la edad de ochenta y dos años de una bronconeumonía. De acuerdo con varias fuentes de la época, poco antes de fallecer percibió que tenía un nódulo en el ombligo.

Cambios en la textura

Rayas en la piel

Para algunos de nosotros la escritura a mano ya es historia. Pero hay personas que pueden, literalmente, escribir palabras sobre su piel rascándola ligeramente con las uñas o con un objeto punzante. Médicamente conocido como *dermografismo* (o *dermatografismo*), que significa «escribir en la piel», este trastorno es de hecho la forma más común de un tipo de urticaria llamada *urticaria física*. Está causada por la liberación de histamina —la misma sustancia que produce estornudos y moqueo alérgicos— ante una presión sobre la piel. La histamina puede producir hinchazón, enrojecimiento y picores. En respuesta a un simple rasguño, se forma un cardenal que sigue la línea que marca el rasguño. El cardenal puede permanecer en la piel desde media hora hasta tres horas y a veces produce picor. Aunque cualquier persona puede contraer dermografismo, este es más frecuente en personas adultas jóvenes. Puede ser un síntoma de estrés, de un trastorno tiroideo o de una infección vírica anterior.

Si las líneas en la piel son paralelas, de color rosáceo, amoratado o blanco y no se quitan, se trata de unas marcas conocidas como *estrías*. Normalmente se forman en el abdomen, las nalgas, los pechos, los muslos y los brazos. Son signos de un estiramiento rápido o persistente de la piel. Pueden afectar a los adolescentes, cuando experimentan el popularmente conocido como «estirón» o crecimiento muy rápido, o a cualquier persona que acumule grasa en poco tiempo. Estas marcas son también características del embarazo, así como un recuerdo permanente del mismo. De hecho, el 90 % de las mujeres embarazadas las tiene. Las personas que se dedican al culturismo frecuentemente desarrollan estrías en los hombros. Cuando aparecen en la cara así como en otras partes del cuerpo pueden ser una señal de consumo durante mucho tiempo, o de abuso, de corticosteroides por vía oral o tópica. También pueden ser un signo de trastornos sistémicos como la diabetes, el síndrome de Ehlers-Danlos (SED) y el síndrome de Cushing. (Véase «Marcas negras y azules».)

SEÑAL DE ADVERTENCIA

Según un estudio reciente, las mujeres con estrías en la piel —con independencia de si han estado embarazadas o si son obesas— tienen un mayor riesgo de padecer un prolapso pélvico años más tarde. En el prolapso pélvico, las estructuras que soportan los órganos de la pelvis se debilitan, produciendo presión, dolor e incontinencia urinaria o rectal. Algunas veces, las mujeres con esta afección pueden ver o sentir, de hecho, un abultamiento en la vagina.

Piel gruesa y dura

Si tienes la piel dura y tensa, puede ser un signo de un importante trastorno autoinmune, *escleroderma*, que significa «piel dura» en latín, provocado por una producción excesiva de colágeno. La escleroderma es un trastorno crónico del tejido conectivo que puede hacer que la piel de la cara, de las manos y de los dedos se espese y se endurezca. Desgraciadamente, también pueden resultar afectados los órganos internos y las articulaciones. La escleroderma con frecuencia va acompañada de la *enfermedad de Raynaud*, trastorno que hace que las manos y los dedos se vuelvan azules (véase el capítulo 7).

HECHO SIGNIFICATIVO

Estos son los signos de la escleroderma limitada:
- Depósitos de calcio debajo de la piel.
- Enfermedad de Raynaud.
- Disfunción del esófago.
- Daños en la piel de los dedos de las manos o de los pies (*esclerodactilia*).
- *Telangiectasia* (dilatación de vasos sanguíneos).

La escleroderma, también conocida como *esclerosis sistémica*, afecta a las mujeres con una frecuencia cuatro veces mayor que a los hombres. En su forma menos grave —llamada *escleroderma limitada*— la piel de la cara y la de los dedos de las manos se vuelve brillante e incómodamente tirante. La telangiectasia (dilatación de pequeños vasos sanguíneos) es otro signo común de escleroderma limitada.

La forma más grave de esta enfermedad —llamada *escleroderma difusa*— afecta a los principales órganos internos. Puede producir problemas gastrointestinales o dificultades para tragar e incluso amenazar la vida de quien la padece.

Manchas duras rojas o moradas

Si encuentras unas manchas gruesas o duras, algunas veces con forma oval, rojas o de color púrpura, pueden ser un signo de *morfea*, un raro trastorno autoinmune de la piel que suele estar localizado en el torso y en las extremidades. Estas manchas pueden volverse poco a poco amarillentas y desarrollar un punto blanquecino en el centro. Pueden estar ligeramente hundidas y adquirir el aspecto de una quemadura o una herida no curadas. La morfea (que significa «forma o «estructura» en griego) es más frecuente en las mujeres que en los hombres.

SIGNO DE LOS TIEMPOS

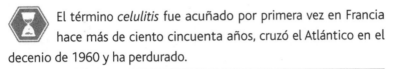 El término *celulitis* fue acuñado por primera vez en Francia hace más de ciento cincuenta años, cruzó el Atlántico en el decenio de 1960 y ha perdurado.

Este trastorno es, de hecho, una forma localizada de *escleroderma*, enfermedad autoinmune que puede producir importantes daños en los órganos internos. (Véase «Piel gruesa y dura».) Lo bueno es que la morfea afecta solo a la piel y no a los órganos internos. Sin embargo, como ocurre con la escleroderma, la piel puede endurecerse, engrosarse y hacerse menos flexible, provocando problemas de torpeza y de poca movilidad.

Piel irregular y porosa

Puede ser que hayas notado una piel irregular, con diminutos hoyuelos y bultitos blandos, en tus propios muslos y nalgas o en los de otra persona. Estas desigualdades son características de la popularmente llamada celulitis, que se conoce mé-

HECHO SIGNIFICATIVO

Los hoyuelos en la cara son bastante comunes, pero si percibes que tienes uno en una pierna, en un brazo o en el torso puede ser un signo de que tu madre se sometió a una amniocentesis cuando estaba embarazada y recibiste un pinchazo con la aguja. Este signo se ha observado con mucha menos frecuencia desde que los ultrasonidos han facilitado la correcta trayectoria de la aguja durante una amniocentesis.

dicamente como *adiposis edematosa* o *dermopaniculosis deformante*. Algunas veces apodada de manera gráfica en la literatura médica como *fenómeno de colchón, síndrome de piel de naranja* y *piel de requesón*, la celulitis se da casi exclusivamente en las mujeres. (Aunque coloquialmente tenga el mismo nombre, no debe confundirse con la inflamación del tejido conectivo de la piel conocida médicamente como *celulitis*.)

La celulitis es una alteración del tejido graso subcutáneo que tiende a aumentar con la edad. No existen pruebas claras de que el aumento de peso la provoque; de hecho, hasta un 98 % de las mujeres, incluyendo algunas muy delgadas, padece este trastorno. Sin embargo, la celulitis es más manifiesta en las mujeres obesas. Y existen algunas pruebas de que el aumento de peso puede hacer que empeore, al igual que un estilo de vida sedentario y la utilización de anticonceptivos por vía oral.

Afortunadamente, esta afección tan poco atractiva es totalmente benigna en las mujeres. Sin embargo, en los hombres, la celulitis puede ser un signo de insuficiencia de andrógenos derivada de trastornos como el síndrome de Klinefelter.

(Véanse los capítulos 1 y 7.) Los hombres que se someten a una terapia hormonal con estrógenos para tratar el cáncer de próstata algunas veces desarrollan celulitis.

Arrugas

Las arrugas son el único signo de la piel que todos estamos destinados a desarrollar si vivimos lo suficiente. Pero no son simplemente signos de envejecimiento. Si bien el grado en el que desarrollamos las arrugas está, en cierta medida, determinado genéticamente, estas también revelan nuestro estilo de vida.

HABLANDO DE SEÑALES

 Las arrugas son hereditarias. Los padres las adquieren por culpa de sus hijos.

DORIS DAY,

actriz y cantante estadounidense

Por ejemplo, las arrugas pueden ser un signo indicativo de que hemos pasado mucho tiempo al sol sin protección o de que hemos estado excesivamente expuestos a determinados productos químicos tóxicos. En ocasiones son una clara señal de que una persona ha sido muy bebedora o fumadora. De hecho, especialmente en las mujeres, el tabaco puede dañar la piel porque reduce el nivel de estrógenos, acelerando tanto el proceso de envejecimiento de la piel como la menopausia.

Si un fumador no padece ya una enfermedad pulmonar, una piel muy arrugada puede ser una señal de advertencia de

---

HABLANDO DE SEÑALES

 Las arrugas deberían indicar solo dónde estuvieron las sonrisas.

MARK TWAIN,
escritor estadounidense del siglo XIX

---

que tiene un riesgo elevado de desarrollarla, especialmente un enfisema u otra *enfermedad pulmonar obstructiva crónica (EPOC)*. (Véase «Piel azulada».)

A MODO DE CONCLUSIÓN

Hay muchas enfermedades y trastornos que pueden ser detectados por primera vez en la piel, en forma de nódulos, pápulas, pústulas, manchas y petequias, por mencionar unos cuantos signos. A primera vista, puede parecer que muchos de estos solo tienen un interés estético, pero no deberían pasarse por alto ni tampoco eliminarse solo por esta razón.

Evidentemente, cualquier signo relacionado con la piel o con las uñas que implique picor, hinchazón, sangrado, dolor o supuración excesivos debe ser examinado inmediatamente por un médico. Pero al enfrentarse a cualesquiera signos referentes a la piel y a las uñas, descartar la posibilidad de un cáncer debe ser siempre absolutamente prioritario. La norma general es que cualquier cambio en el tamaño, la forma, la textura o el color de una marca en la piel debe ser inmediatamente comunicado al médico, a poder ser al dermatólogo. A continuación presentamos una lista de los distintos especialistas médicos que se dedican al diagnóstico y al tratamiento de las causas o consecuencias de las enfermedades de la piel:

- *Alergólogo/inmunólogo*: médico especializado en el diagnóstico y tratamiento de las alergias y de los trastornos del sistema inmunológico.
- *Cirujano plástico*: médico especializado en la reparación o reconstrucción de partes visibles del cuerpo.
- *Dermatólogo*: médico con una formación especializada en enfermedades de la piel y de las uñas.
- *Endocrinólogo*: médico especializado en el diagnóstico y tratamiento de las enfermedades y trastornos de tipo hormonal.
- *Hematólogo*: médico especializado en el diagnóstico y tratamiento de las enfermedades de la sangre.
- *Oncólogo*: médico especializado en el diagnóstico y tratamiento del cáncer.
- *Reumatólogo*: médico especializado en enfermedades inflamatorias y degenerativas.

Apéndice I

Revisión de señales corporales

Enfermedades multisistema y sus señales

Muchas enfermedades potencialmente graves a menudo afectan a varias partes y sistemas del cuerpo aparentemente no relacionados entre sí. Por eso, es frecuente que muchas afecciones queden sin diagnosticar o que se diagnostiquen de manera equivocada o, en el mejor de los casos, que su diagnóstico sea tardío. Y el hecho de que algunos de los signos que revelan estos trastornos sean poco perceptibles complica el problema.

A continuación presentamos una lista de algunas de las enfermedades multisistema más comunes y de sus síntomas, tanto los más habituales como los más infrecuentes. Si padeces alguna de estas afecciones, puede ser que tengas muchos o solo unos cuantos de sus signos corporales. Independientemente del número de ellos que presentes, si tienes alguna preocupación al respecto, habla con tu médico.

ENFERMEDAD DE ADDISON

La enfermedad de Addison (*insuficiencia suprarrenal* o *hipocortisolismo*) es un trastorno poco frecuente en el que las glándulas suprarrenales producen poco cortisol, la hormona del estrés, o, algunas veces, otras importantes hormonas. Esta enfermedad potencialmente mortal afecta con más frecuencia a personas adultas entre los treinta y los cincuenta años. Entre los signos de la enfermedad de Addison se incluyen:

• Debilidad muscular y fatiga.
• Ansia de sal y de comidas saladas.
• Cambios en el color de la piel en la boca (*melanosis de la mucosa oral*).
• Oscurecimiento de la piel.
• Manchas blancas en la piel (*vitiligo*).
• Adelgazamiento del pelo.
• Hipersensibilidad olfativa (*hiperosmia*).
• Disminución del apetito y pérdida de peso.
• Náuseas y vómitos.
• Irritabilidad y depresión.
• Lentitud y torpeza de movimientos.

Síndrome de Cushing

El síndrome de Cushing (*hipercortisolismo*) es un trastorno en el que las glándulas suprarrenales producen demasiada cantidad de cortisol, la hormona del estrés. Este síndrome puede afectar tanto a las mujeres como a los hombres y, por lo general, se presenta entre los veinte y los cincuenta años.
Entre los signos de la enfermedad de Cushing se incluyen:

• «Cara de luna» (roja, redonda y llena).
• «Chepa de búfalo» (depósitos de grasa entre los hombros).

- Estómago prominente.
- Obesidad en el torso.
- Piernas y brazos delgados.
- Debilidad muscular y cansancio.
- Aumento de la sed.
- Aumento de la micción.
- Estrías.
- Moratones frecuentes.
- Hiperpigmentación de la piel (*acantosis nígricans*).
- Vello excesivo en la cara y en el cuerpo en las mujeres (*hirsutismo*).
- Ausencia de menstruación (*amenorrea*).
- Infertilidad.
- Impotencia masculina.
- Disminución de la libido en ambos sexos.

DIABETES

La diabetes es una enfermedad en la cual el cuerpo no produce insulina, o no la usa adecuadamente. La insulina es una hormona necesaria para convertir el azúcar, las féculas y otros alimentos en energía vital. Se calcula que más de 20 millones de estadounidenses tienen diabetes; por desgracia, más de 6 millones de ellos no lo saben. La diabetes es la causa principal de nuevos casos de ceguera y de fallo renal en adultos y aumenta el riesgo de padecer un ataque al corazón o un derrame cerebral. Entre los signos de diabetes se incluyen:

- Hambre excesiva.
- Sed excesiva.

- Micción frecuente.
- Pérdida de peso.
- Cansancio y debilidad.
- Cambios en los ojos o en la visión.
- Pérdida de pelo.
- Infecciones frecuentes.
- Tardanza en la curación de cortes y magulladuras.
- Hormigueo o adormecimiento *(parestesia)* en los pies y ocasionalmente en las manos.
- Aliento dulce o con olor a alcohol.
- Enfermedad de las encías.
- Sequedad de boca.
- Lengua descolorida.
- Distorsiones del gusto.
- Olor dulzón en la orina.
- Orina del color del té.
- Sudor profuso, especialmente por la noche.
- Palmas de las manos enrojecidas
- Manchas blancas en la piel *(vitiligo)*.
- Manchas oscuras en la piel *(acantosis nígricans)*.
- Uñas gruesas u otras alteraciones en las uñas.

ATAQUE AL CORAZÓN

Un ataque al corazón *(infarto de miocardio)* se produce cuando el aporte de sangre a una parte del músculo cardíaco se interrumpe o cesa debido al bloqueo de una o más arterias coronarias. Se estima que en 2007 alrededor de 1,2 millones de estadounidenses sufrieron un ataque al corazón; se calcula que más de 450.000 de ellos murieron como consecuencia del mismo.

Los signos del ataque al corazón pueden presentarse súbitamente y provocar un malestar intenso. Pero algunos empiezan a manifestarse poco a poco, pueden ser ligeros y a veces no resulta evidente que están relacionados con el corazón. Entre ellos se incluyen:

- Presión, malestar o dolor en el pecho.
- Malestar o dolor en otras zonas de la parte superior del cuerpo.
- Dolor o malestar en uno, normalmente el izquierdo, o los dos brazos, la espalda, el cuello, la mandíbula o el estómago.
- Dificultad respiratoria, que se puede producir con o sin malestar en el pecho.
- Sensación de muerte inminente.
- Sudor frío.
- Náuseas y vómitos.
- Aturdimiento.
- Desmayo.

HIPERTIROIDISMO

El hipertiroidismo —a veces llamado glándula tiroides hiperactiva o *tirotoxicosis*— es un trastorno en el que la glándula tiroides produce demasiada cantidad de la hormona tiroidea tiroxina, que es la que regula el metabolismo. La enfermedad de Graves, que afecta en mayor medida a las mujeres que a los hombres, es la forma más frecuente de hipertiroidismo.

El hipertiroidismo puede dar lugar a una gran variedad de señales corporales como las siguientes:

- Pulso rápido.
- Aumento de la sed.
- Aumento del apetito.
- Rápida pérdida de peso.
- Irritabilidad.
- Nerviosismo e inestabilidad emocional.
- Insomnio.
- Temblor de manos.
- Intolerancia al calor.
- Sudoración excesiva.
- Ojos saltones, mirada fija.
- Movimientos oculares nerviosos incontrolables *(nistagmus)*.
- Sequedad de ojos.
- Debilidad muscular.
- Bocio (crecimiento de la glándula tiroides).
- Pérdida de pelo.
- Movimientos intestinales frecuentes.
- Irregularidades en la menstruación.
- Aumento del tamaño de los pechos en los hombres.

HIPOTIROIDISMO

El hipotiroidismo —a veces llamado glándula tiroides hipoactiva— es un trastorno en el que la glándula tiroides produce cantidades insuficientes de la hormona tiroxina, que es la que regula el metabolismo. Es más frecuente en las mujeres que en los hombres y suele aparecer después de los cincuenta años.

Entre los signos de hipotiroidismo se incluyen:

- Pelo seco y áspero.
- Uñas finas y quebradizas.
- Piel seca y pálida.
- Pérdida de pelo.
- Cara hinchada.
- Párpados caídos *(ptosis).*
- Intolerancia al frío.
- Estreñimiento.
- Aumento de peso.
- Edema.
- Lentitud en el habla y ronquera.
- Somnolencia.
- Fatiga.
- Depresión.
- Períodos menstruales irregulares o anormales.

Lupus

El lupus —conocido médicamente como *lupus eritomatoso sistémico (LES)*— es una enfermedad inflamatoria autoinmune crónica que puede afectar a la piel, las articulaciones, los riñones y otros órganos. El lupus, como se le suele llamar normalmente, puede ser leve o lo suficientemente grave como para resultar mortal. Nueve de cada diez personas que padecen lupus son mujeres. Si bien puede presentarse a cualquier edad, es más frecuente en personas que tengan entre diez y cincuenta años. Esta enfermedad tiene una mayor incidencia en afroamericanos y asiáticos que en personas de otras razas. Entre los signos del lupus se incluyen:

• Dolor e hinchazón en las articulaciones.
• Sarpullidos rojizos («mariposa») en la nariz y en las mejillas.
• Sarpullidos en las orejas, brazos, hombros, pecho y manos.
• Empeoramiento de los sarpullidos con la exposición al sol (*fotosensibilidad*).
• *Petequias* (diminutos puntos rojos por rotura de vasos sanguíneos).
• Fiebre.
• Cansancio.
• Malestar general.
• Problemas digestivos.
• Úlceras en la boca.
• Dificultad respiratoria (*dispnea*).
• Dolor en el pecho.
• Convulsiones.
• Inflamación de ganglios.
• Dolores musculares.
• Náuseas y vómitos.
• Manos y pies fríos (*enfermedad de Raynaud*).
• Hormigueo y adormecimiento (*parestesia*).

MIASTENIA GRAVIS

La miastenia gravis es una enfermedad neuromuscular autoinmune. Se caracteriza por una debilidad variable en los músculos esqueléticos (voluntarios) del cuerpo, que aumenta en los momentos de actividad y mejora con el descanso. Aunque la miastenia gravis se presenta en todos los grupos étnicos y en los dos sexos, afecta en mayor medida a las mujeres jóvenes adultas (de menos de cuarenta años) y a los hombres de cierta edad (más de sesenta años).

Entre los signos de miastenia gravis se incluyen:

- Párpados caídos *(ptosis)*.
- Debilidad muscular en brazos y piernas.
- Dificultad para levantarse de una silla.
- Dificultad para hablar y para masticar.
- Dificultad respiratoria.
- Cabeza caída.
- Parálisis facial.
- Visión doble.
- Voz ronca.

CÁNCER DE OVARIO

El cáncer de ovario es una de las formas más mortíferas de cáncer en las mujeres. De hecho, es el quinto tipo de cáncer que más muertes produce en las mujeres. Aunque, si se detecta pronto, puede curarse en muchos casos y afecta solo al ovario, muchas veces no se diagnostica hasta que está muy avanzado e incluso ha llegado a extenderse a otras partes del cuerpo.

Entre los signos de cáncer de ovario se incluyen:

- Exceso de pelo en la cara o en el cuerpo *(hirsutismo)*.
- Abdomen hinchado.

- Aumento de la circunferencia abdominal.
- Trastornos gastrointestinales.
- Dificultad para comer o rápida sensación de saciedad.
- Aumento o pérdida de peso sin explicación.
- Molestias, pesadez o dolores en la pelvis o en el abdomen.
- Dolor en la parte baja de la espalda.
- Ciclos menstruales anormales.
- Hemorragias vaginales sin explicación.
- Urgencia o demasiada frecuencia urinaria.
- Dolor durante las relaciones sexuales.

SÍNDROME DEL OVARIO POLIQUÍSTICO

El síndrome del ovario poliquístico (SOP) —también conocido como enfermedad ovárica poliquística (EOP) y síndrome de Stein-Leventhal— es un trastorno hormonal en el que los ovarios aumentan de tamaño. El SOP, que afecta a entre un 5 y un 10 % de las mujeres, es el trastorno hormonal más común entre las mujeres en edad fértil y una de las principales causas de infertilidad.

Entre los signos del SOP se incluyen:

- Períodos menstruales irregulares, escasos o inexistentes.
- Infertilidad.
- Exceso de pelo en la cara y en el cuerpo *(hirsutismo).*
- Patrón de calvicie masculina.
- Tono grave en la voz.
- Disminución del tamaño de los pechos.
- Acné excesivo.

- Manchas oscuras en la piel *(acantosis nígricans)*.
- Aumento de peso excesivo.

SARCOIDOSIS

La sarcoidosis es un trastorno inflamatorio que afecta sobre todo a los pulmones. Sin embargo, puede afectar a otros órganos o partes del cuerpo, incluida la piel, los ojos, los oídos, la nariz, los nódulos linfáticos, el corazón y el hígado. Entre los signos de sarcoidosis se incluyen:

- Dificultad respiratoria *(dispnea)*.
- Tos.
- Dolor en el pecho.
- Cansancio.
- Fiebre.
- Pérdida de peso.
- Problemas de visión y otros problemas oculares.
- Sarpullidos rojizos en la cara y en el cuerpo.
- Bultos rojizos, especialmente en las piernas *(eritema nodoso)*.
- Manchas moradas en la piel.
- Labios hinchados, duros y agrietados o con escamas.
- Voz ronca.
- Agarrotamiento de las articulaciones.
- Hormigueo y adormecimiento *(parestesia)*.
- Uñas picadas o con marcas.
- Manchas con escamas en la cara *(lupus pernio)*.

Síndrome de Sjögren

El síndrome de Sjögren es una rara enfermedad autoinmune en la que el cuerpo ataca a las glándulas exocrinas o de secreción externa. Si no se trata, el Sjögren puede dañar gravemente los ojos y afectar al aparato digestivo, al aparato reproductor de la mujer, a los riñones, a los pulmones y a otros órganos.

El Sjögren afecta aproximadamente a 4 millones de estadounidenses, de los cuales nueve de cada diez son mujeres. La mayoría de los casos se presentan entre los cuarenta y los cincuenta años.

Entre los signos de este síndrome se incluyen:

- Sequedad de ojos.
- Sequedad de boca.
- Sequedad de nariz.
- Sequedad vaginal.
- Sequedad de piel.
- Dificultad para tragar.
- Ronquera.
- Inflamación de las articulaciones.
- Fatiga.
- Fiebre.

Infarto cerebral

Se produce un infarto cerebral cuando se interrumpe el suministro de oxígeno a una parte del cerebro (*accidente isquémico*) o cuando se rompe un vaso sanguíneo del cerebro (*derrame cerebral*). Son más frecuentes en las mujeres que en los hombres. Los afroamericanos tienen más probabilidades que las personas de raza blanca de sufrir un accidente cerebrovascular y, cuando lo padecen, suele afectarles a edad más temprana y con peores consecuencias. Reconocer las señales que podrían anunciar un infarto cerebral y someterse rápidamente a tratamiento —normalmente dentro de las primeras tres horas a partir de que se presente el primer síntoma— puede reducir el riesgo de incapacidad grave y de muerte.

Entre los signos de infarto cerebral pueden incluirse la aparición súbita de:

- Adormecimiento o debilidad, especialmente en un lado del cuerpo.
- Fuerte dolor de cabeza.
- Mareos.
- Pérdida de equilibrio y dificultad para andar.
- Parálisis, especialmente en un lado de la cara o del cuerpo.
- Habla arrastrada o dificultad para hablar.
- Dificultad para encontrar las palabras (*afasia*).
- Dificultad de comprender lo que se les dice.
- Confusión mental.
- Ceguera, visión borrosa o visión doble en uno o los dos ojos.

Accidente isquémico transitorio

El accidente isquémico transitorio (AIT) está provocado por una reducción transitoria del flujo sanguíneo (*isquemia*) al cerebro, normalmente debida a un coágulo. A menudo se le llama miniaccidente porque normalmente dura entre unos pocos momentos y veinticuatro horas. Aunque los signos pueden desaparecer por completo, estos accidentes no solo pueden repetirse, sino que un AIT a menudo es un aviso de un infarto cerebral en toda regla.

Los signos que indican un AIT son los mismos que los del infarto cerebral, anteriormente señalados.

Apéndice II

Lista de control de señales corporales

Como habrás aprendido al leer *Escucha tu cuerpo*, tu cuerpo puede mostrar una cantidad enorme de señales, desde las más simples hasta las más extrañas. Seguirles la pista es una manera de seguir la pista a tu salud y de ayudarte a saber si estás enfermo o sano. Aquí tienes una lista de control para que te acompañe hasta tu próxima revisión médica. Te ayudará a convertirte en un mejor detective diagnóstico. También es importante que lleves una relación de todos los medicamentos, con o sin receta, incluyendo vitaminas, suplementos, infusiones y analgésicos que tomes. Y no te olvides de apuntar también las dosis.

PELO	
Descripción de la señal	Detectada por primera vez

OJOS	
Descripción de la señal	Detectada por primera vez

OÍDOS	
Descripción de la señal	Detectada por primera vez

NARIZ	
Descripción de la señal	Detectada por primera vez

BOCA Y LABIOS	
Descripción de la señal	Detectada por primera vez

MANDÍBULA, GARGANTA Y CUELLO	
Descripción de la señal	Detectada por primera vez

TORSO Y EXTREMIDADES

Descripción de la señal	Detectada por primera vez

PARTES ÍNTIMAS Y EXCREMENTOS

Descripción de la señal	Detectada por primera vez

UÑAS Y PIEL	
Descripción de la señal	Detectada por primera vez

MEDICAMENTOS Y DOSIS

Índice onomástico y de contenidos

ESTE LIBRO HA SIDO IMPRESO
EN LOS TALLERES DE
LIMPERGRAF. MOGODA, 29
BARBERÀ DEL VALLÈS (BARCELONA)